DUMONT
Reise-Taschenbuch

9783616020440

kapverden
cabo verde

Susanne Lipps
Oliver Breda

Senkrechtstarter

Sonne und Sand, Buchten und Berge. Wandern. Auch Kiten und Klettern. Die Entschleunigung genießen. Musik von Sehnsucht, Fröhlichkeit, Leben und Arbeit. Eintauchen in ein Land zwischen Afrika und Europa. In eine Inselwelt. Touristisch erschlossen hier, archaisch-ursprünglich dort. Cabo Verde.

Überflieger

Santo Antão

Ponta do Sol

Steil

Wanderschuhe schnüren!

Ribeira das Patas

São Vicente

Von überall her ertönt Musik

Mindelo

Baía das Gatas

Die Badewanne der Insel

Kapverdischer Grand Canyon

São Pedro

Mehr Surfer als Einwohner?

Hier wohnt niemand!

Pfannkuchen aus Stein

São Nicolau

Ribeira Brava

Cachaço

Dörfer wie vor 100 Jahren

Carriçal

Wo Drachen hausen

Für zivilisationsmüde Hängemattenliebhaber

Hier schmeckt der Kaffee am besten

Verschlafen und sehr blumig

Fogo

Mosteiros-Igreja

Abrutschen in Asche

Cha das Caldeiras

Nova Sintra

São Filipe

Architektonisches Schmuckkästchen

Brava

Cabo Verde — neun Inseln sind es, jede hat ihr eigenes Gesicht und keine verdient es, nur mal schnell drüberzufliegen. Tauchen Sie ein!

Sahara en miniature

Sal

In der Sole relaxen

Espargos
Pedra de Lume

Das Strandparadies der Kapverden

Santa Maria

Wind

Sal Rei

Dünen, soweit das Auge reicht

Zwischen Folklore und echtem Leben

Rabil
Norte

Boa Vista

Povoação Velha

Bilderbuchstrand, aber nur zum Angucken

Schildkröten

Wo die Rebellen wohnen

Trotz herrlicher Strände nix los

Santiago

Maio

Tarrafal

Calheta

Espinho Branco

Mystische Täler

Assomada

Kolonial, kolonialer

Cidade do Maio

Total authentisch

Cidade Velha
Praia

Afrikas Vorhut

Querfeldein

So viele Fundstücke in einem so kleinen Land — ein Land zwischen Meer und Bergen, zwischen sattem Grün und lebensfeindlicher Wüste, zwischen Afrika und Europa. Cabo Verde will erfühlt und erwandert werden.

Die Berge

Steile Gebirgszüge schachteln sich hintereinander, grün sprießt es in den Tälern von Santo Antão. Das gleiche Bild bietet São Nicolau, nur mit weniger Besuchern. Uralte Pflasterwege erschließen selbst das abgelegenste Dorf, auch auf Santiago, dessen Bergwelt unzugänglich scheint. Auf der Vulkaninsel Fogo geht's richtig in die Höhe, da müssen Sie teils sogar die Hände zu Hilfe nehmen, und Brava ist ein blühender Berg am Ende der Welt.

Die Strände und das Meer

Kilometerlang feiner Sand, warmes Wasser umspült die Füße. In der Tiefe eine Unterwasserwelt, die sich vor den Tropen nicht zu verstecken braucht. Die beste Infrastruktur für Badeurlauber, Taucher und Surfer bietet Santa Maria, und zwar auf kleinstem Raum. Boa Vista ist weitläufiger, die Strände sind einsamer. Noch als ›Geheimtipp‹ gelten die langen, meist menschenleeren Sandstreifen auf Maio. Das wissen auch die Schildkröten zu schätzen, die u. a. hier ihre Eier ablegen.

Die Wüsten

Dünen, Steppen und Oasen – in Miniformat zwar, aber sonst wie in den großen Wüsten der Erde. Auf Boa Vista ziehen sich Pflasterstraßen durch diese unwirtliche Landschaft, auf Sal nur ein paar sandige Pisten. Wer im ›staubigen‹ Teil Maios unterwegs ist, wird vermutlich nur einigen Ziegenhirten begegnen.

Eintauchen in die kapverdische Lebensweise? Machen Sie es wie die Einheimischen: Setzen Sie sich irgendwo hin, ans Meer, auf einen Dorfplatz, an die Straße, und vergessen Sie die Zeit. Einfach nur schauen, im Hier und Jetzt sein. Sie werden nicht allein sein beim Nichtstun.

Die Musik

Gesänge von Sehnsucht, Fern- und
Heimweh, natürlich auch von der
Liebe, machten die Kapverden in der
Welt bekannt – wer kennt nicht die
Grande Dame der Morna, Cesária
Évora. Aber eigentlich kann hier
jeder singen oder ein Instrument
spielen, versucht es zumindest. Kaum
ein Restaurant, das seinen Gästen
nicht an einem oder mehreren Aben-
den ein Livekonzert bietet. Und wenn
es dunkel wird in Mindelo auf São
Vicente, der Hauptstadt der Musik
im Land, dann legt sich eine ebenso
ausgelassene wie melancholische
Atmosphäre über den Ort.

Wie kommunizieren?

Kapverdianer sind sehr
offen und fast immer für
einen Plausch zu haben.
Ob bei einer Wanderung
querfeldein, auf dem
Markt oder bei einer
Fahrt mit dem Aluguer,
es ist leicht, ins Gespräch
zu kommen. Aber in
welcher Sprache?
Portugiesisch? Kriolu?
Tja, die Alternative ist
dann: Es einfach mal
mit Händen und Füßen
probieren ...

Die Hauptstadt Praia vereint ganz Cabo Verde: das Schicke, das Arme, die Hektik und die Ruhe.

Die Ruhe

Auf den vergessenen Inseln Maio,
São Nicolau und Brava stört kein
Zivilisationslärm die Ruhe. Fester
Bestandteil des Klangbildes sind
nur krähende Hähne, brüllende Esel
und kläffende Hunde. Und die fallen
Ihnen nur so auf, weil drumherum
nichts brummt und dröhnt.

Die Geschichte

Cabo Verde ist vergleichsweise jung,
gerade mal seit 600 Jahren leben hier
Menschen. Sie kamen aus Portugal und
aus Afrika. Cidade Velha auf Santiago
atmet Geschichte und ist UNESCO-
Welterbe. In São Filipe auf Fogo stehen
die schönsten Häuser der Kolonialzeit.

Inhalt

Vor Ort

Sal 14

Bunt sind die Häuser in Santa Maria, bunt wie das Leben – und wie der Strandurlaub auf Sal.

Boa Vista 34

São Nicolau 56

In Mindelo wird (fast) überall gefiedelt, geklampft und gesungen – aus jeder Tür tönt Musik.

São Vicente 80

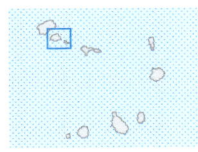

Santo Antão 104

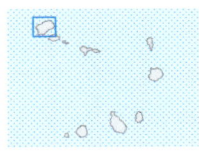

Santiago und Maio 136

Mal andersrum: Hier bremst der Eselhalter und nicht das Tier, das will endlich ans Ziel kommen.

Fogo und Brava 184

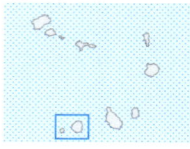

Das Kleingedruckte

Das Magazin

Vor

Ort

Ein Fisch auf dem Teller braucht Vorlauf – es ist eine ordentliche Schufterei, bis er sich mitsamt Boot an Land befindet und in den Kochtopf schlüpfen kann.

Sal

Sie ist die Ferieninsel schlechthin — Santa Maria lockt mit weiten Stränden und afrikanischem Ambiente. Die Küsten sind ein Dorado für Surfer und Taucher. Im Norden wird es rau und rauer, Ursprünglichkeit finden Sie in Espargos.

Seite 19
Praia de Santa Maria ⭐

Der Stadtstrand von Santa Maria ist der schönste des Landes. Jetzt werden sicher einige aufschreien: der sei malerischer, jener einsamer. Doch in Santa Maria stimmt einfach alles. Weiß glitzert der Sand, es gibt einsame Ecken, auch malerische Fischerboote, und Baden ist gefahrlos möglich.

Seite 19
Ponta Preta

An dieser Surfecke treffen sich die Könner. Ein uriges Strandlokal ist der ideale Ort, um sie zu beobachten und auch um den Sonnenuntergang zu genießen.

Unter Wasser wird es richtig tropisch.

Eintauchen

Seite 24
Schildkröten gucken

Zwischen Ende Juni und Anfang Oktober kommt die Unechte Karett-schildkröte zur Eiablage an Sals Strände. Die nächtlichen Touren können sich über mehrere Stunden hinziehen und sind z. B. über Annes Info-Point zu buchen.

Seite 25
Frischer Fisch

Um Calheta Funda an der Westküste liegen kleine versteckte Buchten. Hier landen gelegentlich Fischer an, die froh sind, wenn ihr Fang nicht nur fotografiert, sondern in barer Münze gewürdigt wird.

Seite 27
Pedra de Lume

Bei einem ausgiebigen Solebad im Krater von Pedra de Lume lässt sich die Salzproduktion hautnah erleben. Morbiden Charme verbreitet die alte Verladestation.

Seite 27
Baía da Parda

In dieser Bucht an der Ostküste schwimmen die Haie ganz nah ans Ufer und können von dort aus beobachtet werden.

Seite 28
Wilder Norden

Wenn Ihnen der All-inclusive-Trubel zu viel wird, machen Sie sich doch in den Norden der Insel auf – dort gibt es nichts außer Steinen, Wind, Gischt und Fata Morganen. Mieten Sie am besten ein Auto mit Fahrer, denn die Pisten sind tückisch.

Seite 31
Buracona

In diesem Küstenort sind Lavaströme abrupt im Meer erkaltet und bizarr geformt. Eine Attraktion ist ein Loch in einer Lavazunge, darunter gurgelt das Meer und blitzt im Sommer je nach Sonnenstand tiefblau auf.

10 km

Buracona
Palmeira
Espargos
Pedra de Lume
Baía da Parda
Calheta Funda
SAL
Ponta Preta
Santa Maria
Annes Info-Point
Praia de Santa Maria

Noch nie am Schirm gegangen? Auf Sal können das auch Anfänger wagen.

Auf Sal bringt es rein gar nichts, die Sonnenliegen mit Handtüchern reservieren zu wollen – der Wind bläst sie rappzapp weg.

erleben

Das Tor zu den Kapverden

Der Tourismus der Kapverden begann auf Sal (›Salz‹), und viele Besucher machen hier ihre ersten Schritte in der Inselwelt. Die meisten bleiben gleich dort, genießen die Strände und die perfekte Infrastruktur. Santa Maria, einst ein Fischerdorf, hat sich zum größten Ferienzentrum der Kapverden entwickelt und lockt mit einem fast weißen Sandstreifen und einem bunten Nachtleben. Praktisch gänzlich verschont von dem Besucherstrom blieb die Inselhauptstadt Espargos. Hier tauchen Sie ein in den Alltag der Einheimischen. Nur ein paar Souvenirläden erinnern daran, dass Sie auf einem Eiland sind, das hauptsächlich vom Tourismus lebt. Der zeigt am Stadtrand seine hässlichen Auswirkungen: Hier breiten sich slumartige Siedlungen aus, denn auch Bewohner anderer Inseln möchten vom üppigen Tourismuskuchen profitieren und versuchen ihr Glück auf Sal – nicht alle jedoch mit Erfolg …

Die Hafenstadt Palmeira westlich von Espargos: Wenn nicht gerade eine Ausflugsgruppe von Santa Maria durch die Straßen schlendert, merkt man auch hier vom Tourismus nichts. In der Nähe locken die Felsbecken von Buracona zum Schwimmen. An der Ostküste verströmt Pedra de Lume morbiden Charme. Die

ORIENTIERUNG

Infos: www.annes-insel-info.de (der Tourveranstalter informiert umfassend über Sal und Santa Maria), www.camaramunicipaldosal.info (Seite der Inselverwaltung, Port., Engl.).

Transport: Sal hat einen internationalen Flughafen und tägliche Verbindungen zu allen anderen Inseln. Fähren verkehren nach Boa Vista (und weiter nach Santiago) sowie nach São Nicolau. Sammeltaxen pendeln zwischen Santa Maria, Espargos und dem Flughafen sowie von Espargos nach Palmeira. Die Straße von Santa Maria nach Espargos ist gut ausgebaut.

Planung: Santa Maria ist *das* Urlaubszentrum schlechthin. Im Zentrum geht es nachts etwas lauter zu, ruhiger liegen die Unterkünfte am westlichen und östlichen Stadtrand.

Siedlung gelangte durch den Salzhandel zu überschaubarer Größe und besitzt einen Salzkrater, wo Sie in der Sole baden können. Der Norden der Insel ist wild und bislang unerschlossen. Bis auf holprige Pisten, wüstenhafte Vulkanlandschaften und tosendes Meer gibt es hier nichts, aber genau das erfreut abenteuerlustige Besucher.

Santa Maria

📍 **Karte 2, R6**

Ein armer Fischerort? Das war einmal. Santa Maria ist die wichtigste Touristensiedlung der Kapverden und ihre Bevölkerung hat sich seit den 1990er-Jahren mehr als verzehnfacht. Fischer sind heute in der Minderheit, der Tourismus fungiert als wirtschaftliches Zugpferd. Nirgendwo sonst in Cabo Verde tummeln sich so viele Europäer auf einem Fleck wie hier in Santa Maria.

Windsurfer und Wellenreiter waren gewissermaßen die Pioniere, die den Ort bzw. den Wind und die Wellen vor der Küste für sich entdeckten. Inzwischen sind die Pauschalurlauber in der Überzahl, doch die Sportler sorgen noch immer für ein szeniges Ambiente. 2018 fand auf Sal sogar eine Etappe der Kiteweltmeisterschaft der Global Kitesports Association in Santa Maria statt.

Mitten im Geschehen

Flaniermeilen sind die zentrale, für den Autoverkehr gesperrte **Rua 1 de Junho** sowie die angrenzende **Praça de Santa Maria** (offiziell: Praça Marcelo Leitão). Hier spielt sich tags und nachts das Leben ab. Souvenirshops, Bars, Cafés und Restaurants reihen sich aneinander. Morgens und am späten Vormittag trifft man sich auf den ersten oder zweiten Kaffee. Die Restaurants füllen sich gegen Mittag mit Gästen, die kein All-inclusive gebucht haben, richtig trubelig wird es am frühen Abend. Dann gönnen sich die Gäste der großen Hotels vor dem Abendessen einen Aperitif, die Surfer schlürfen ein kaltes Bier und lockern ihre Muskeln, die vom Spiel mit dem starken Wind ganz verspannt sind. Nach dem

Die Siesta ist den Kapverdianern heilig – und sie findet gern draußen statt, jeden Schattenfleck ausnutzend und jede Brise auskostend, denn unter den Blechdächern steht in den Häusern die Luft.

Lieblingsort

Waage für das weiße Gold

Von Land her ›bewacht‹ die alte **Casa da Balança** ❷ den Pontão. Das attraktiv gestaltete Gebäude, ein Industriedenkmal aus dem 19. Jh., gilt als Wahrzei-
chen von Santa Maria und dementsprechend sorgsam hat man es restauriert.
Früher wurde hier das Salz gewogen, bevor es per Schiff seinen Weg nach
Brasilien antrat. Heute finden Sie im Waagehaus einen afrikanischen Souve-
nirladen und eine Creperia. Weitere Shops mit Andenken, Dekorationsartikeln
und leichter Sommermode versammeln sich in der dahinter angrenzenden,
ehemaligen Lagerhalle. Ein herrlicher Ort zum Verweilen – und zum Stöbern.

Abendessen füllen sich die Bars, Musik dröhnt bis spätnachts durch die Straßen.

Keine Chance im Touristentrubel
Sie liegt zwar am Hauptplatz, geht aber trotz ihres hohen Turms ganz unter im Touristentrubel der Rua 1 de Junho. Die katholische, der Schmerzensreichen Mutter Gottes geweihte **Igreja Santa Maria das Dores** ❶ war einst ein wichtiges Gebäude in Santa Maria, hier suchten die armen Fischer Zuflucht im Glauben. Auch wenn Sie sich eigentlich nicht für Kunstgeschichte interessieren: Der Altar gilt als Kleinod der Holzschnitzkunst und ist zumindest einen kurzen Blick wert.

Der Strand von Santa Maria ✪
Der **Praia de Santa Maria** verdankt die Stadt ihren relativen Wohlstand und ihr heutiges Erscheinungsbild. Feiner heller Sand vor türkis schimmerndem Meer sorgt für einen steten Besucherstrom. Die ganze Herrlichkeit des Strandes können Sie vom **Pontão** ❸ überblicken, dem Fischersteg, wo bunte Boote im Wasser schaukeln und noch immer der frische Fang angelandet wird.

Knapp 5 km misst die Praia de Santa Maria von hier bis zur Ponta Preta an der Südwestseite der Insel. Im Bereich von Santa Maria verläuft eine gepflasterte Uferpromenade am Strand und den Hotelanlagen entlang. Wo sie endet, folgt bis zur **Ponta do Sinó** – der Südwestspitze von Sal mit Leuchtturm – eine Naturstrandzone, hinter der sich flache Dünen und Salzwiesen erstrecken. Einziges Manko für Sonnenbader: Der Passat weht hier teilweise so stark, dass man Mühe hat, nicht fortgeblasen zu werden.

Wind, Wind und noch mehr Wind
Das Gegenstück zur Praia Santa María bildet die **Praia António de Sousa,** die am Ostrand von Santa María beginnt und sich bis zur **Ponta do Leme** er-

streckt. Dieser Küstenbereich ist dem Nordostpassat ausgesetzt und eignet sich nicht zum Baden. Er ist das Revier der Windsurfer, Kitesurfer und Taucher.

Für Profisurfer und Fotografen
Um die **Ponta Preta** erstreckt sich eine weitere kilometerlange Strandzone. Die oft heranrollende Brandung bietet beste Voraussetzungen für die Könner unter den Wellenreitern, Wind- und Kitesurfern, weswegen hier auch die Wettbewerbe der Wellenreiter im Rahmen des PWA World Cup ausgetragen werden. Die besten Monate zum Surfen sind No-

UNTER SEGELN

Was heute der Tourismus, war Anfang des 19. Jh. das Salz: der Wirtschaftsmotor für Santa Maria. Um 1830 ließ der portugiesische Händler Manuel António Martins die **Salinas de Santa Maria** ❹ (s. S. 23) anlegen und begründete damit zugleich den Ort. Auch die Eisenbahnlinie, die erste auf portugiesischem Territorium, ist ihm zu verdanken, hatte jedoch einen kleinen Schönheitsfehler: Die Waggons, von denen jeder 1 bis 2 t Salz fasste, besaßen nur mehr Segel und mussten vom Passatwind auf Touren gebracht werden. Hauptabnehmer des Salzes war bis 1887 Brasilien, wo man u. a. Fleisch und Fisch damit pökelte. Hohe Zölle ließen diesen Markt zusammenbrechen. Für einen kurzzeitigen Aufschwung sorgte Anfang des 20. Jh. der Salzverkauf an Belgisch-Kongo (heute Zaire), doch mit der Unabhängigkeit des Landes 1960 entfiel auch dieser Abnehmer. Auf Sal kam die Salzproduktion in den 1980er-Jahren zum Erliegen.

Fußballstadion,

Rua a Tras
Rua das Salinas
Rua Kwame Nkruma
Rua da Independência
Rua das Salinas
Rua Amílcar Cabral
Rua 1 de Junho
Rua Amílcar Cabral
Ponta Preta
Rua 15 de Agosto
Travessa de Lombinha
Travessa Patrice Lumumba
Praça de Santa Maria
Rua 15 de Agosto
Ponta do Sinó
Praia de Santa Maria
Praia António de Sousa

Atlantischer Ozean

---

vember bis Mai. Weniger Geübte oder Anfänger sollten sich an der Ponta Preta aufs Fotografieren beschränken. Zum Reinschnuppern in den Sport eignet sich der Strand direkt vor der Stadt besser.

Museum

Das ehemalige Kapital der Stadt

❻ Museu do Sal: Ein ehrwürdiges, ehemals herrschaftliches Kaufmannshaus beherbergt das Salzmuseum. Es befasst sich nicht nur mit der Salzgewinnung, einst dem wichtigsten wirtschaftlichen Standbein der Insel, sondern auch mit den Menschen, die Ende des 18. und verstärkt im 19. Jh. vorwiegend von São Nicolau und Boa Vista auf das bis dahin unbesiedelte Eiland kamen. Aber auch Geschäftsleute aus Europa waren mit von der Partie. Angeschlossen ist das Centro Cultural

(s. S. 24). Im weiteren Verlauf der Rua 15 de Agosto wurden weitere schöne, alte Stadthäuser renoviert.

Rua 15 de Agosto, T 242 18 86, Mo–Fr 9–19 Uhr, 200 ECV

Schlafen

In Santa Maria sind die meisten Hotels fest in der Hand von Veranstaltern. Das Angebot ist umfassend. All-inclusive ist die vorherrschende Unterkunftsform. Wer individueller oder mit eigener Küche wohnen möchte, findet unzählige Unterkünfte auf einschlägigen Buchungsplattformen wie Booking.com, Airbnb.de etc.

Der Klassiker

❶ Morabeza: Das Vier-Sterne-Haus entstand Anfang der 1970er-Jahre als erstes Hotel vor Ort. Es besticht durch

0   75   150 m

Salinen ↖

Costa Fragata →

❸ ❶

Santa Maria

Ansehen

❶ Igreja Santa Maria
   das Dores
❷ Casa da Balança
❸ Pontão
❹ Salinas de Santa Maria
❺ Dieter und Rosa
   (s. Tour S. 23)
❻ Museu do Sal

Schlafen

1 Hotel Morabeza
2 Odjo d'Água
3 Mira Bela

Essen

1 Atlantis
2 Américo's

3 Ponta Preta
4 Kaya – K'Padjon

Einkaufen

1 Mercado Municipal
2 Djunta Mo Art

Bewegen

❶ Angulo Cabo Verde
   Surf Center
❷ 100 Feet Kite School
❸ Eco Dive School

Ausgehen

❶ Buddy Bar
❷ Ocean Café
❸ Calema
❹ Disco Pirata

---

seine strandnahe, ruhige und doch relativ zentrale Lage. Alle Zimmer orientieren sich Richtung Meer. Für Wohlbefinden und Unterhaltung sorgen diverse Fitness- und Massageangebote sowie unterschiedliche Animationsprogramme. Die Bar ist am frühen Abend ein beliebter Treffpunkt. Praia de Santa Maria, T 242 10 20, www. hotelmorabeza.com, €€€

Optisch Ansprechend

2 Odjo d'Água: Das zentral gelegene Hotel ist im Stil eines andalusischen Gutshofes gestaltet. Am schönsten sind die Zimmer im Obergeschoss mit Balkon sowie in den Nebengebäuden mit Meerblick. Gebadet wird im begrünten Poolbereich oder am eigenen Strandabschnitt. Im Spezialitätenrestaurant Farolim sitzen Sie direkt über dem Meer. Zona do Farolinho, T 242 14 14, www.odjod agua-hotel.com, €€€

Mit Flair im Zentrum

3 Mira Bela: Charmante Pension mit nur zehn Zimmern unter niederländischer Leitung in einem zentral gelegenen Haus im Kolonialstil: wunderschön in klassischem Altrosa gehalten, mit umlaufendem weißem Balkon und Dachterrasse. Wer mitten im Geschehen sein und zugleich stilvoll wohnen möchte, ist hier goldrichtig. Rua 1 de Junho, Ecke Travessa Amilcar Cabral, T 242 14 46, www.hotelmirabela. com, €€

Essen

Ein Fest für den Gaumen

1 Atlantis: Großes und luftiges Restaurant direkt am Strand mit exzellenter, französisch angehauchter Küche und entsprechend professionellem Service.

Tagsüber herrscht eine lockere Bade-atmosphäre, abends geht es edler, aber dennoch ungezwungen zu.
Praia Santa Maria, T 991 28 57, €€

Fischige Institution

2 Américo's: Das Restaurant ist inzwischen eine Institution in Santa Maria. Und das schon seit über zwei Jahrzehnten. Sie sitzen auf einer großen Terrasse im Obergeschoss. Auf den Tisch kommen Seafood, frischer Fisch und klassische kapverdische und portugiesische Gerichte. Der Service ist zurückhaltend professionell.
Rua 1 de Junho, T 242 10 11, tgl. geöffnet, €€

Locker am Strand

3 Ponta Preta: Das Strandlokal hat einen groben Dielenboden und ein Strohdach. Das Ambiente ist rustikal. Auf dem Meer flitzen die Könner unter den Surfern vorbei. Die Küchenmannschaft ist top und der Service trotz Strandbudenatmosphäre kompetent. Wer nur auf einen Kaffee vorbeischauen möchte, darf auch bleiben.
Ponta Preta, T 991 86 13, tgl. 10–21 Uhr, €

Klein, günstig und gut

4 Kaya – K'Padjon: Typisches kapverdisches Restaurant. Keine große Sache, aber gute Küche in einem alten, schön renovierten Stadthäuschen. Auf Kundenwünsche wird eingegangen, auch wenn sie noch so ausgefallen sind – in kapverdischen Augen.
Rua da Independência, T 521 18 44, Mo–Sa mittags und abends (ab ca. 19 Uhr), €

Einkaufen

Die zentrale **Rua 1 de Junho** ist nicht nur Flaniermeile, sondern hier reiht sich auch ein Souvenirshop an den anderen. Die Auswahl scheint bei allen gleich. Sicher werden Sie Ihren persönlichen Lieblingsladen finden.

Frisches Obst und Gemüse

… kaufen Sie am besten im **Mercado Municipal 1**. Gehen Sie die Rua 1 de Junho nach Westen bis zur großen Praça Manoel A. Martins und dann die Rua da Amizade nach Norden. Sie müssen mehrere Querstraßen überqueren. Nach ca. 400 m sind Sie an der modernen Markthalle, die auch nachmittags noch geöffnet hat.
Rua da Amizade, Mo–Sa, Sa nur vormittags

Alles aus Cabo Verde

2 Djunta Mo Art: Die Betreiber des Ladens wollen heimische Kunsthandwerker unterstützen. Alles, was verkauft wird, stammt garantiert von den Kapverden: modernes, farbenfrohes Kunsthandwerk, Batik-Mode, Grogue, Ponche, Kaffee, Salz. Der Laden sticht mit seinem Angebot aus dem üblichen Ramsch hervor.
Rua 1 de Junho, www.djuntamoart.cv, tgl. 9–21 Uhr

Bewegen

Surfen

Die Profisurfer kommen im Winter, dann ist der Wind am stärksten. Anfänger finden aber auch zu dieser Zeit weniger anspruchsvolle Reviere. Fast jedes Hotel hat Kontakt zu Surfschulen, wo Sie Kurse buchen können. Surflegende und mehrmaliger Weltmeister Josh Angulo (er wuchs auf den Hawaii-Inseln Oahu und Maui auf) betreibt am Ostrand von Santa Maria den **Angulo Cabo Verde Surf Center 1** und den **Angulo Beach Club,** ein Strandlokal.
Rua 15 Agosto, T 242 15 80, www.angulocaboverde.com

Kitesurfen

2 100 Feet Kite School: Elvis Nunes ist ein Urgestein auf Sal. Bei ihm können Sie sich am Schirm aufs Wasser wagen.
Rua Amilcar Cabral, auf Höhe der Travessa Amilcar Cabral, T 997 49 47, www.100piedikiteschool.com

TOUR
Stände, Surfer und Salinen

Sals Südosten zu Fuß erkunden

Infos

Start und Ende:
Santa Maria,
📍 Karte 1, R 6

Hinweise:
Die Wanderung
verläuft auf Sand und
Pisten. Bequeme
Trekkingsandalen
oder Turnschuhe
sollten genügen.

Dauer:
Etwa 2.30 Std.
reine Gehzeit

Solebad:
Der Eintritt ins
Solebad (Koordinaten 16°36'27.46"N
und 22°54'15.90"W)
kostet 2 €.

An Sals Südostküste tost der Wind. Der Himmel ist gesprenkelt mit den bunten Schirmen der Kitesurfer – die werden Sie auf dieser Wandertour ein gutes Stück lang begleiten.

Die Orientierung ist einfach: Folgen Sie vom Stadtzentrum einfach der Küstenlinie nach Osten. Sie passieren die **Praia António de Sousa,** an der sich vorwiegend Surfer tummeln. Weiter im Osten wird der Sand spärlicher und der Küstensaum steiniger, bis er schließlich in eine flache Felsküste übergeht. Nach ca. 45 Min. umwandern Sie die **Ponta do Leme,** die Südostspitze von Sal. Folgen Sie weiter dem Küstenverlauf, nun nach Norden. Sie passieren drei kleine Sandbuchten, danach mutiert der Fahr- zu einem Fußweg, ist aber mit Steinmännchen markiert. Landeinwärts erstreckt sich ein Dünengebiet mit zahlreichen versteinerten Muscheln und Würmern. Der hiesige Küstenabschnitt nennt sich **Costa da Fragata** und ist ein Dorado der Kitesurfer.

Nach etwa 90 Min. Gehzeit ergibt sich von einem **Sandhügel** ein erster Blick auf die ehemaligen **Salinas de Santa Maria** ❹. Ein Pfad führt landeinwärts zu den Salzpfannen, die von vielen Fahrwegen durchzogen werden. Auf direktem Weg sind es rund 30 Min. zurück ins Zentrum, doch es wäre beinahe unverzeihlich, nicht einen Schlenker zu machen und bei **Dieter und Rosa** ❺ vorbeizuschauen. Der Deutsche und seine kapverdische Geschäftspartnerin Rosa haben in den Salinen am Nordrand von Santa Maria eine zauberhafte kleine Wellnessoase eingerichtet, wo Sie in der Sole baden können – danach fällt der Rückweg, vorbei am **Fußballstadion,** um vieles leichter.

Als würde man durch frisch geputztes Fensterglas schauen, so klar ist das Meer auf den Kapverden – hier angelt man zunächst mit den Augen und nimmt dann vielleicht eine Rute in die Hand.

Tauchen

Santa Maria bietet, was das Tauchen betrifft, die beste Infrastruktur auf den Kapverden. Die ursprünglich von einer deutschen Meeresbiologin gegründete **Eco Dive School** ❸ (www.ecodive school.com) hat die Coronakrise bisher überstanden und wurde zum Zeitpunkt der Recherche von einem einheimischen Team weitergeführt. Hier geht auch Prof. Dr. Peter Wirtz (s. S. 254) immer wieder auf seine Erkundungsgänge unter Wasser. – Darüber hinaus existieren weitere, oft den größeren Hotels angeschlossene Tauchbasen, alle mit einem ähnlichen Angebot und mit vergleichbaren Preisen.

Wandern & Schildkröten gucken

Annes Info-Point: Anne Seiler hat ganz Sal im Programm. Alle ihre Ausflüge sind spezielle Erlebnisse, sogar auf der Strand-insel Sal bietet sie Wanderungen an. In ihrem Team arbeiten nur Kapverdianer. Anne und ihr Mitarbeiter DMX haben sich bzgl. Schildkrötenbeobachtung weiterbil-den lassen; die Touren finden zwischen Juni und Oktober statt und werden so durchgeführt, dass die Tiere nicht gestört werden.

www.annes-insel-info.de, T 986 51 18, WhatsApp 998 66 54, Mi und Sa 18.30 Uhr Infotreff im Angulo Beach Club, s. S. 22

Ausgehen

Livemusik & mehr

❻ **Centro Cultural:** im Museo do Sal, s. S. 20. Das staatliche Kulturzentrum organisiert Konzerte und andere Veranstal-tungen. Über das aktuelle Programm kann man sich im Salzmuseum informieren.

Wohin zum Feiern?

Bevor es in den Bars und Discos richtig abgeht, wird die Rua 1 de Junho zur Partymeile umfunktioniert. Zum ›Aufwärmen‹ beliebt sind die **Buddy Bar** ✴ (Rua 1 de Junho) mit regelmäßiger Livemusik sowie das **Ocean Café** ✴ (Praça de Santa Maria, www.oceancafe.com). Später zieht die Partygemeinde weiter in die Musikbar **Calema** ✴ (Rua 1 de Junho) oder feiert in der **Disco Pirata** ✴ (auf Facebook, nur Do–So) am nördlichen Ortseingang.

Feiern

• **Festival da Praia de Santa Maria:** Zwei Tage und Nächte um den 15. September wird ein Musikfestival am Strand veranstaltet. Es treten kapverdische und internationale Gruppen auf.

Infos

• **Flugzeug:** Der internationale Flughafen von Sal liegt in Espargos (s. S. 27).
• **Schiff:** Der Fährhafen von Sal liegt in Palmeira (s. S. 30).
• **Transport vor Ort:** Aluguers nach Espargos stehen am nördlichen Ortseingang. Taxen kreuzen durch den Ort oder warten vor den Hotels. Eine Fahrt innerhalb von Santa Maria kostet um 350 ECV, zum Flughafen werden 1300–1600 ECV verlangt.

Nach Espargos

📍 **Karte 2, R 5/6**

Die Bebauung von Santa Maria erstreckt sich vom Meer gut 3 km nach Norden. Es folgt eine wüstenhafte Landschaft, durch die sich nur die Schnellstraße nach Espargos und Pisten ziehen. Einzig die Feriensiedlung **Murdeira** auf etwa halber Strecke erinnert an den Tourismusbetrieb auf der Insel. Die Bungalows verteilen sich um eine geschützte Bucht, in der sich bei jeder Wetterlage baden lässt.

Wenn Sie die absolute Strandeinsamkeit suchen, sind Sie in der **Calheta Funda** südlich von Murdeira am richtigen Ort. Hier kuscheln sich eine größere und eine kleinere Sandbucht zwischen Felsriffe, dem Strand vorgelagert sind schützende Felsen, die Baden meist gefahrlos möglich machen. Mit Infrastruktur allerdings brauchen Sie hier nicht zu rechnen (siehe oben: Einsamkeit), aber vielleicht treffen Sie auf ein paar Fischer, die ihren Fang direkt vom Boot aus verkaufen. »*Pode limpiar por favor*« oder »*pode tratar por favor*« heißt ›können Sie ihn mir putzen‹, also küchenfertig machen. Frischer und authentischer bekommen Sie nirgends Fisch. Salzen, pfeffern und ab in die Pfanne, mehr braucht es nicht.

Schlafen

Abseits vom Trubel
Murdeira Village Resort: Wenn Ihnen Santa Maria zu umtriebig erscheint, können Sie hier ein paar ruhige Tage verbringen. Die in einen Garten eingebettete Bungalowanlage verfügt über einen großen Pool mit Kinderbecken, ein Restaurant und einen Minimarkt für Selbstversorger. Murdeira, T 24 52 20, www.murdeiravillage resort.com, €€

Infos

• **Transport vor Ort:** Nach Murdeira gelangt man mit Aluguers. Für die Fahrt zur Calheta Funda benötigt man ein eigenes Fahrzeug; die Piste dorthin zweigt ca. 1,5 km südlich von Murdeira von der Schnellstraße ab.

Espargos   ♥ Karte 2, R 5

Wilder Spargel *(espargos)* gab der Inselhauptstadt ihren Namen. Der sprießt in dieser Gegend nach einem der seltenen Regenfälle genauso wild aus dem Boden – zumindest dort, wo noch keine Gebäude die Erde versiegeln, denn auch Espargos wächst wie wild.

Der Ort ist nur wenige Jahrzehnte alt. Noch gegen Ende des Zweiten Weltkriegs gab es nur ein paar Baracken beim Flughafen. Heute wohnen in Espargos knapp 20 000 Menschen. Am östlichen Stadtrand entstehen immer mehr Apartmenthäuser für die Mittelschicht, nach Norden hin franst die Stadt aus: Wellblechhütten, zeltartige Unterkünfte, marode Stein- und daneben wiederum moderne Wohnhäuser. Die Miete dafür können sich nur wenige leisten. Selbst mit Job reicht der Verdienst meist nicht für ein besseres Heim. Die Lebenshaltungskosten auf Sal sind hoch (Gemüse kostet so viel wie in Deutschland), die Gehälter niedrig. Dieser Inselrealität begegnet man in Espargos ganz ungeschminkt, man mag es auch authentische Atmosphäre nennen. Auf jeden Fall hat dieser Ort im Gegensatz zu Santa Maria nichts mit Tourismus zu tun.

Einheimische in der Überzahl
Vom südlichen Ortseingang führt die breite Rua 5 de Julho in Richtung Norden zur **Praça 19 de Setembro.** Am Platz liegen ein einfaches Café und die **Igreja do Nazareno,** in türkise Farbe verpackt, wie bei den Kirchen der Nazarener üblich. Wenn nicht gerade Ausflügler aus Santa Maria im Ort sind, trifft man hier nur Einheimische, desgleichen auf der 300 m nördlich gelegenen, dreieckigen **Pracinha Quebród.** Und hier wie dort sitzen Männer im Schatten von Akazien und spielen Karten oder aber Ouril (s. S. 78).

Schlafen

Für einen längeren Aufenthalt kommt Espargos kaum in Frage. Wer Sal als Zwischenstation für die Weiterreise auf andere Inseln benutzt und den Touristenort Santa Maria meiden möchte, findet eine begrenzte Zahl von Unterkünften. Sie sind vom Flughafen per Taxi (ca. 300 ECV) oder zu Fuß in 15–20 Min. zu erreichen.

Familienpension
Monte Sintinha: Gut ausgestattetes und schön eingerichtetes familiengeführtes Residencial mit 24-Std.-Service, also ideal für Flugreisende. Gefrühstückt wird auf der Dachterrasse. Mit Restaurant und Bar, wo der Hausherr schon mal live musiziert. Travessa Santa Luzia, T 241 17 20, €

Essen

Der Treffpunkt
Esplanada Bom Día: Das unkomplizierte Lokal gegenüber vom (geschlossenen)

IDENTITÄTSSTIFTENDER MITTELPUNKT **M**

In den 1970er-Jahren spendeten wohlhabende Stadtbewohner von Espargos Geld, um die **Pracinha Quebród** anzulegen. Sie wollten den Platz zum Markenzeichen kapverdischer Lebensart machen, zum Treffpunkt für alle Altersgruppen und sozialen Schichten. Auch wenn dies in Espargos nicht in letzter Konsequenz gelungen ist, so lebt die Idee in Rotterdam fort: Die dorthin emigrierten Kapverdianer schufen einen Platz gleichen Namens, wo sie sich auf Kriolu unterhalten, ihre Musik hören und Feste feiern.

Nur wenige Kilometer vom Touristen-hype entfernt und doch weitgehend abgekoppelt davon: Espargos.

Hotel Atlântico ist der netteste Treffpunkt in Espargos. Man sitzt bei einem Drink auf der bunt gefliesten Terrasse und isst dazu leckere Kleinigkeiten oder das National-gericht Cachupa.
Rua Albertino Fortes, T 241 14 00, Mo–Sa 7–24 Uhr, €

Nach Gewicht
Benvass: Hier gibt es mittags ein Buffet, bezahlt wird nach Gewicht. Das Essen ist gut und günstig, daher werden Sie hier auch viele Einheimische treffen.
Rua Beleza (fälschlicherweise in einigen Karten auch Rua B. Leza), T 241 39 35, nur mittags, €

Infos

• **Flugzeug:** Der Amílcar Cabral Internatio-nal Airport (SID) liegt ca. 1 km südwestlich von Espargos. Sal ist von Europa aus mit verschiedenen Fluggesellschaften erreich-bar (s. S. 221). Auf andere Inseln kommen Sie tgl. mit Bestfly (www.bestfly.aero). Alle aktuellen Starts und Landungen werden unter www.asa.cv zuverlässig angezeigt. Achtung: Ab dem Flughafen fahren keine Sammeltaxis nach Santa Maria, nur Taxis.

• **Transport vor Ort:** Aluguers für Fahr-ten zum Flughafen und nach Santa Maria stehen am südlichen Ortseingang an der Praça Abilio Duarte.

Pedra de Lume
📍 **Karte 2, R 5**

Wäre da nicht der Vulkan mit Salinen in seinem Krater, käme wahrscheinlich kaum jemand ins winzige **Pedra de Lume** mit seinem ebenso winzigen Fischerha-fen. Hier an der Ostküste herrscht tote Hose, alles wirkt wie ausgestorben. Nur die morsche Salzverladestation am Orts-rand kündet davon, dass die Zeiten auch schon anders waren, dass auch Pedra de Lume vom Salzhandel lebte.

Wellness im Vulkan
Spazieren Sie also los, direkt hinein in den Vulkan. Hinter der bescheidenen **Capela Nossa Senhora de Piedade** beginnt eine Piste, die nach gut 500 m den äußeren Kraterrand und ein Kassenhäuschen er-reicht. Durch einen Tunnel (s. S. 30) gelangen Sie ins Innere des Vulkans. Am Kraterboden glitzern die Salzgärten in verschiedenen Pastelltönen in der Sonne. Die erste ist mit ausreichend Wasser ge-füllt, sodass Sie in der Sole baden können. Da Salz an Wert verloren hat, dienen die – immer noch aktiv genutzten – Salinen nun zusätzlich als Wellnessoase. Ein Café sorgt für Erfrischungen.
Tgl. geöffnet, 5 €

Die Bucht der Haie
Südlich von Pedra de Lume liegt die **Baía da Parda**, in der Haie ganz nah ans Ufer schwimmen und sich von dort beobachten lassen. Vor ein paar Jahren galt die Bucht noch als Geheimtipp, heute kann es passie-ren, dass Sie in zweiter oder dritter Reihe

TOUR
Sals wilder wilder Norden

Autotour ins touristische Niemandsland

Adilson Tavares, er nennt sich DMX, holt uns in Santa Maria ab. Er fährt einen silbernen Pick-up. Ob wir drinnen oder auf der Ladefläche sitzen wollen, möchte er wissen. Der erste Teil der Fahrt geht über die Schnellstraße nach Espargos, da brauchen wir uns nicht durchblasen zu lassen.

Gutes Land, schlechtes Land

Kurz hinter **Espargos** beginnt **Terra Boa,** das ›gute Land‹. Aber im Gegensatz zum Namen leben hier die Ärmsten der Insel. Ihre Behausungen bestehen aus Wellblech, teils sogar aus alten Schiffscontainern. Alles klappert und wackelt. Hunde und Hühner laufen herum. Eine Kuh steht im Staub. Ihr Futter findet sie in einer rostigen Schüssel. Die Kinder von Terra Boa hätten unter normalen Umständen keine Chance auf ausgewogene Mahlzeiten, geschweige denn Bildung. Anne Seiler, bei der wir den Ausflug gebucht haben, hat die Associaçao Apoio as Crianças de Terra Boa und ein Kinderzentrum gegründet (s. S. 274). Es ist Sonntag. Die Kinder sind nicht da, aber Ivete, die gute Seele des Zentrums, empfängt uns. Anfangs ist sie scheu, doch nach einigen Worten taut sie auf, zeigt uns alles. Sie verabschiedet uns mit den Worten: »Das ist die andere Seite des Paradieses.«

Gegen zu viel Staubschlucken ist ein Baumwolltuch ganz dienlich, das man sich locker um Nase und Mund bindet – nicht hübsch, aber zweckmäßig.

In die Ödnis

Hinter Terra Boa folgt flaches Ödland. Uns begegnet ein Bauer mit seinen paar Kühen, die hier nach ein paar einsamen Grasbüscheln suchen. Pisten durchziehen die Wüste. Wir schlucken Staub. Weit

| 0 | 2 | 4 km |

Farol de Fiúra

Ponta Norte

Baía de Fiúra

Monte Grande
406 m

Monte Leste
263 m

.150 m

Calhetinha

Terra Boa

.44 m

.173 m

Saline

Palmeira

Monte Curral

Start

Espargos

Ziel

Pedra de Lume

Infos

Start:
Espargos,
♀ Karte 2, R 4–5

Dauer:
5–8 Std.

Hinweis:
Wir haben bei
Annes Info-Point (s.
S. 24) eine indivi-
duelle Tour gebucht,
aber sie entspricht
ungefähr dem von ihr
angebotenen Ausflug
»Annes Abenteuer
wilder Norden«.

rechts im Nordosten zeichnet sich der **Monte Grande** ab, direkt links erhebt sich der **Monte Leste.** Sals Berge sind nicht sonderlich hoch, der Monte Grande ist mit 406 m der höchste.

Windumtoster Norden
Da wir immer noch im Auto sitzen und nicht auf der Ladefläche – zu viel Staub –, sehen wir die Gischt der Nordküste erst spät. Unser Zwischenziel ist der nörd-lichste Leuchtturm von Sal, der **Farol de Fiúra** oder **Farol de Ponta Norte.** Von ihm sind aber nur Reste übrig. Die Brandung tost an die Küste. An einem alten Lavastrom nagt stetig der Atlantik, trotzdem sind die Felsen scharfkantig. Die Fahrt hierhin folgte steinigen Pisten. Am Leuchtturm kontrolliert DMX vorsorglich die Reifen: Alles bestens! An keiner Stelle der Insel ist man weiter von einer Siedlung entfernt. Bis Espargos sind es 11 km. Zu Fuß zurück wäre mühsam. Mobil-funkempfang gibt es nicht.

Es wird abenteuerlicher
Unsere Fahrt geht weiter nach Osten. Die Flanken des Monte Grande laufen nach Norden relativ flach aus und umschließen die **Baía de Fiúra,** eine schöne Sandbucht. Ein Bad wäre fein, doch das ist zu gefährlich hier. Die anspruchsvollste Wegstrecke liegt jetzt vor uns. Nur etwa 7 km Luftlinie sind es zum Salinenkrater von Pedra de Lume, doch DMX meint, wir bräuchten ca. 2 Std. bis dorthin. Er lässt den Monte Grande links liegen. Furchen ziehen sich den Berg hinunter, DMX quert sie behut-sam. Nach 20 Min. holpriger Fahrt wird die Ostseite der Insel sichtbar. Der Blick reicht schon bis zum Krater. In der Senke davor warten angenehmere Pisten, dort kann DMX beschleunigen. Wir fahren irrsinnige 20 bis 30 km/h. Der nächste Stopp ist **Calhetinha.** Dort steht ein Bretterverschlag mit einem Taxi davor. So etwas nennt sich auf den Kapverden Wochenenddomizil. Der Taxi-fahrer verbringt hier einen geruhsamen Sonntag beim Fischen und Muschelsuchen. Von Calhetinha aus folgen wir grob dem Küstenverlauf nach Süden. Unvermittelt taucht rechts der Salinenkrater (s. S. 27) auf, für heu-te unser letzter Halt. Und DMX hatte Recht: Von der Nordspitze bis nach **Pedra de Lume** haben wir entlang der Westflanke des Monte Grande für knappe zehn Pis-tenkilometer tatsächlich 2 Std. gebraucht …

stehen – die Haie scheint dieser Andrang nicht zu beeindrucken. Vermutlich handelt es sich um eine endemische Unterart des Zitronenhais, der bis zu 2,5 m messen kann und sich am liebsten in flachen und mitteltiefen Gewässern tummelt. Die Baía de Parda scheint es ihm besonders angetan zu haben. Einheimische Jungs gehen hier übrigens manchmal mit Touristen ins Wasser, bis jetzt ist noch nichts passiert … Falls Sie sich trauen, brauchen Sie dafür Schuhe mit festen Sohlen.

Und so können Sie mit den Haien Kontakt aufnehmen: Von der Zufahrtsstraße nach Pedra de Lume zweigt vor einer Baufirma rechts eine Piste in südöstlicher Richtung ab, die Stelle ist durch Blechtonnen gekennzeichnet. Ein paar Meter weiter weist ein Schild mit der Aufschrift »Shark« in den Weiler **Feijoal.** Weiler ist eigentlich schon übertrieben, denn Feijoal besteht aus nur einem Langhaus, das in mehrere Wohnungen unterteilt ist. Dahinter biegen Sie links ab zu einer Bucht mit türkisgrünem Wasser.

MIT GOLD AUFGEWOGEN **G**

Manuel António Martins (s. S. 19) erschloss Anfang des 19. Jh. den Krater von Pedra Lume, um hier Salz abzubauen. Da nämlich der Kraterboden knapp unter Meeresniveau liegt und das Gestein sehr porös ist, dringt Salzwasser in den Kessel ein und lässt eine natürliche Saline entstehen – nur rankommen musste man an diesen Schatz. 1804 wurde ein Tunnel durch die Kraterwand gebohrt, der heutige Eingang. Als die Erträge zurückgingen, verkaufte Martins die Salzpfannen 1919 an die französische Firma Les Salines do Cap-Vert. Sie installierte die Lastenseilbahn, die immerhin bis in die 1980er-Jahre in Betrieb war.

Nun geht es entlang der Küste nach Süden. Sie passieren ein Schiffswrack, etwa 300 m weiter befindet sich der beste Beobachtungspunkt. Bei Niedrigwasser fällt eine Felsbank trocken und die Haie kreuzen dann nicht einmal 50 m vom Ufer entfernt durchs Wasser, zumindest ihre Finnen sind mit einem Fernglas gut zu erkennen.

Infos

- **Transport vor Ort:** Nach Pedra de Lume gibt es keine öffentliche Verbindung mit Aluguers. Ein Taxi ab Espargos kostet ca. 500 ECV pro Strecke (Zeitpunkt für die Rückfahrt vereinbaren!). In Pedra de Lume gibt es keinen Taxistand.

Der Nordwesten

Auch im Nordwesten der Insel ist wenig los. Bis auf den Hafenort Palmeira trifft man hier auf nichts als Ödland, das mit seinen teils bizarren Ausprägungen allerdings die Besucher anzieht.

Palmeira   ♥ Karte 2, R5

Fischerboote liegen in der Bucht, daneben Segeljachten. Auf dem Landweg begrüßen Öltanks die Besucher von **Palmeira**. Hier liegt der Haupthafen der Insel – alles, was nicht auf dem Luftweg herkommt, wird in Palmeira angelandet, insbesondere der Treibstoff für die Fluggesellschaften.

Fürs Flair am besten nachmittags
Der kleine Hafenort mit ca. 500 Einwohnern bietet ein Flair, wie es sonst auf Sal selten ist. Kapverdische Ruhe finden Sie aber erst am Nachmittag, vormittags ist der Ort geflutet mit Touristengruppen aus

*Alles im Blick von der Mauer oberhalb der Mole in Palmeira –
das gesamte (Hafen-)Geschehen, den einen oder anderen Fremden,
der vorbeischaut, in Grüppchen plaudernde Einheimische ...*

Santa Maria. Sie alle strömen dann zur winzigen **Capela de São José** oberhalb der Fischereimole. Dort können Sie auf einer Mauer über der Bucht sitzen und sich dem Lebensgefühl des Nichtstuns hingeben.

Buracona   📍 Karte 2, Q/R 4/5

Baden in einem Felsloch

Kaum eine Inselrundfahrt lässt **Buracona** aus. Lavaströme erkalteten hier abrupt im Meer und es entstanden bizarre Formationen, auch einige ›Pools‹, deren Wasser durch die Gezeiten ausgetauscht wird. Baden können Sie, wenn die Brandung nicht zu hoch ist. Als besondere Attraktion gilt das **Olho Azul** (Odjo Azul), das ›blaue Auge‹. Es handelt sich um ein Loch im Felsen, unter dem der Atlantik gurgelt. Um die Mittagszeit fallen die Sonnenstrahlen so in die Öffnung, dass das Wasser tiefblau aufblitzt. Komplett ausgeleuchtet wird das Loch im Sommer, im Winter ist der Effekt eingeschränkt. Und nicht erschrecken, wenn unter Ihnen plötzlich Taucher erscheinen: Buracona ist beliebter Tauchspot und Santa Marias Tauchbasen bieten Touren hierher an.

Infos

● **Schiff:** Eine Schnellfähre verkehrt mehrmals wöchentl. nach Boa Vista und weiter nach Santiago, außerdem gibt es Fährverbindungen nach São Nicolau (www.cvinterilhas.cv).

● **Transport vor Ort:** Aluguers bedienen die Strecke Espargos–Palmeira (50 ECV). Buracona erreichen Sie nur über Pisten per Mietwagen, Taxi, zu Fuß oder im Rahmen eines organisierten Ausflugs. Die Abzweigung nach Buracona ist kurz vor der Hafeneinfahrt in Palmeira ausgeschildert.

Zugabe
Nur fliegen ist schöner

Die auf den Wellen tanzen

Meer und Wind gehören zu den Naturgewalten, die der Mensch nicht bezwingen kann. Aber vielleicht liegt genau darin die Faszination, es dennoch mit ihnen aufnehmen zu wollen? Dazu gibt es auf Sal keinen herausfordernden Ort als Ponta Preta. Die mächtige Brandung lockt die Könner unter den Surfern, sogar internationale Wettbewerbe der Wellenreiter werden hier ausgetragen. Wen wundert es also, dass es den jungen Einheimischen mit seinem Board hierherzieht. Er geht in Ruhe am Ufer entlang und sucht den Punkt, von dem aus er es mit den gewaltigen Wellen am besten aufnehmen kann. Während draußen auf dem Meer bereits ein Kitesurfer über die Wellen tanzt. ∎

Boa Vista

Boa Vista ist die Nummer zwei — hier begann der Tourismus nach Sal zu boomen. Und dennoch: Große Teile dieser Sand- und Wüsteninsel sind unberührt, endlos erscheinen die Dünenstrände am Rand von Steinwüsten.

Seite 40
Ilhéu de Sal Rei

Es muss ja nicht gleich das Seekajak sein, mit dem Sie sich auf Tour begeben, ein organisierter Ausflug tut's auch. Der führt zur unbewohnten Ilhéu de Sal Rei mit hübschen Stränden, spannenden Basaltformationen und einem alten Leuchtturm.

Seite 42
Wrack am Strand

1968 lief der Frachter Cabo de Santa Maria vor der Nordküste von Boa Vista auf Grund. Seitdem trotzt das Stahlgerippe der Brandung, ist aber schon in zwei Teile gebrochen.

An die einsamen Sandstrände kommen Schildkröten zur Eiablage.

Eintauchen

Seite 45
Deserto de Viana

Dünen, soweit das Auge reicht. Hier lassen sich hervorragend Wüstenabenteuer schnuppern.

Seite 46
Rabil

Die Töpfertradition wird hier aufrechterhalten – eine prima Gelegenheit zum Souvenir-Shopping.

Seite 47
Praia de Santa Mónica ✪

Diesen fast weißen und fast menschenleeren Strand halten viele für den schönsten der Kapverden.

Seite 49

Kapverdisch durch und durch

Kapverdisches Essen, kapverdische Livemusik und ganz viel kapverdische Lebensfreude erleben Sie in der Bar Fon' Banana in Povoação Velha.

Seite 50

Fast wie die Route 66

Auf der Pflasterstraße von Rabil nach Cabeço dos Tarafes fühlt man sich in eine andere Welt versetzt.

Seite 51

Odjo d'Mar

Ausgerechnet auf der Wüsteninsel Boa Vista liegt der einzige natürliche Süßwassersee der Kapverden. Das Odjo d'Mar (›Meeresauge‹) liegt südwestlich von Cabeço dos Tarafes und kann auf einer kurzen Wanderung erreicht werden.

Seite 52

In den einsamen Südosten

Die Lagunen und Salzseen um Curral Velho im Südosten der Insel erreicht man nur zu Fuß oder mit einem Geländewagen. Hier treffen Sie auf Palmenoasen, eine bizarre Flora und seltene Vogelarten.

Bitte nicht mit dem Jeep über die Strände fahren, der Pflanzen und der Tierwelt wegen.

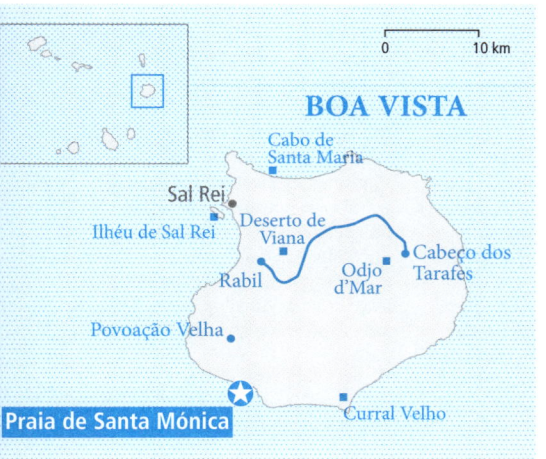

BOA VISTA

Cabo de Santa Maria

Sal Rei

Ilhéu de Sal Rei

Deserto de Viana

Rabil

Odjo d'Mar

Cabeço dos Tarafes

Povoação Velha

0   10 km

Curral Velho

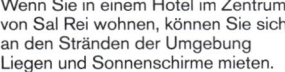

Praia de Santa Mónica

Wenn Sie in einem Hotel im Zentrum von Sal Rei wohnen, können Sie sich an den Stränden der Umgebung Liegen und Sonnenschirme mieten.

erleben

Sand, Sand und noch mehr Sand

T

Trotz der rasanten Tourismusentwicklung auf der Insel ist ein großer Teil von Boa Vista unberührt. Wüstenfans kommen hier voll auf ihre Kosten, und das ohne die Strapazen zu erleiden, die die Erkundung derlei Landschaften für gewöhnlich mit sich bringt. Wer an seine Grenzen gehen möchte, meldet sich beim Boa Vista Ultra Trail (s. S. 54) an. Gemütlicher ist das Dasein in der geschützten Bucht der Hauptstadt Sal Rei, der Praia de Diante, wo sich das Meer meist spiegelglatt präsentiert. Nach Süden hin schließen sich die lange Praia de Estoril, die Praia Carlota und die Praia das Dunas an. Hier sind in den letzten Jahren weitläufige Hotelanlagen entstanden.

Der zweite größere Ort auf der dünn besiedelten Insel ist Rabil, das im Landesinneren über einem fruchtbaren Oasental thront. Auch wenn in unmittelbarer Nähe mit der Dünenlandschaft Deserto Viana ein wichtiger Besuchermagnet liegt, geht das Leben in Rabil einen ruhigen Gang. Sonst gibt es auf Boa Vista nur kleine Dörfer, alle abseits der großen Hotelresorts gelegen. Einsame Strände finden Sie im Süden und Osten, mit einer Ausnahme. Die Praia de Carquejinha an der Südküste wird vom RIU Touareg vereinnahmt,

eine Ferienstadt für sich. Wer sich hier einmietet, ist schon nach wenigen Metern in einer Gegend, die sich als Sahara *light* bezeichnen lässt – das perfekte Revier für Abenteuer auf Sandpisten. Nach Regenfällen macht sich hier eine einmalige Wüstenflora breit. Und an den abgelegenen Strandabschnitten legen Meeresschildkröten im Sommer ihre Eier ab.

ORIENTIERUNG **O**

Infos: Die Website der Inselverwaltung lautet www.municipiodaboavista.com (Port.). Außerdem gibt es private Seiten, die z. T. auch auf Deutsch informieren, u. a. www.cabokaitours.com, www.mybaobabtour.com, www.boavistaofficial.com, www.localvista.tours.
Transport: Direktflüge nach Europa sowie nach Sal und Praia, per Schnellfähre nach Sal und Santiago, per Fährschiff nach Sao Nicolau. Die wichtigsten Orte auf der Insel sind mit Aluguers zu erreichen.
Planung: Wer seinen Radius nicht auf die All-inclusive-Hotelanlage beschränken möchte, sollte sich in der Nähe von Sal Rei einquartieren – nur hier gibt es eine touristische Infrastruktur und auch nur hier findet man individuelle Unterkünfte.

Sal Rei   ♀ Karte 2, R 9

Sehr beschaulich erscheint Sal Rei (›Salzkönig‹) auf den ersten Blick. Bunt getünchte, meist einstöckige Häuser flankieren die Kopfsteinpflasterstraßen – fast wie in alten Zeiten, nur dass die Straßenverkäufer jetzt Souvenirs und keine Gebrauchsgegenstände mehr anbieten. Sobald man jedoch den überschaubaren Ortskern verlässt, wird es offensichtlich: Überall entstehen neue Gebäude, der Tourismusboom hat den Ort fest im Griff. Die großen Ferienresorts liegen zwar außerhalb, doch sind in der Peripherie von Sal Rei zahlreiche Apartments und Hotels entstanden.

Die Bucht der Hauptstadt ist durch eine vorgelagerte Insel geschützt, sodass es sich am Stadtstrand meist gefahrlos baden lässt, ebenso an der südlich anschließenden Praia de Estoril. Auch Wind- und Kitesurfer treffen in Sal Rei auf gute Bedingungen. Den Vollprofis sind Wind und Brandung allerdings zu schwach.

Das Stadtzentrum

Mittelpunkt ist der Platz

Das Zentrum um den **Largo Santa Isabel** ist beschaulich und verströmt kapverdische Gelassenheit. In der **Esplanada Silves** `4` (s. S. 43) sitzen Sie auf einer schattigen Terrasse beim Frühstück, Kaffee oder kühlen Getränken.

An der meerwärtigen Seite des Platzes steht die **Casa Ben Oliel** ❶, das ehemalige Haus der gleichnamigen jüdischen Händlerfamilie. Sie floh 1850 aus dem marokkanischen Rabat nach Boa Vista und investierte in die Kalkindustrie. Zwei große Frachtschiffe transportierten in ihrem Auftrag Kalk und Dachziegel sowie Fleisch und Zie-

Lieferung frei Haus geht in Sal Rei auch so: Direkt vom Lastwagen über den Balkon und hinein ins Haus. Ein gewisses Standvermögen und akrobatische Fähigkeiten seitens der Lieferanten sind dabei von Vorteil.

Im 19. Jh. war Sal Rei die wirtschaftlich bedeutendste Stadt der Kapverden. Um 1810 entstanden große Handelshäuser, zumeist von Engländern geführt, weshalb der Ort auch zunächst Porto Inglês (›englischer Hafen‹) hieß. 1820 erfolgte die Umbenennung in Sal Rei. Der Export von Kalk, Salz, Baumwolle, Vieh und dem Naturfarbstoff der Färberflechte (*urzela*) florierte. Doch ab 1860 versandeten die Salinen und Ende des 19. Jh. kamen künstliche Teerfarben auf den Markt. Anfang des 20. Jh. wurde, bedingt durch sinkende Weltmarktpreise, der Baumwollanbau aufgegeben. Was blieb, war die Kalkindustrie, deren Niedergang ab den 1940er-Jahren Sal Rei in einen Dornröschenschlaf fallen ließ. Aber dann kamen die Touristen …

genkäse nach Mindelo auf São Vicente und Praia auf Santiago.

Auf der gegenüberliegenden Seite erhebt sich die katholische **Igreja de Santa Isabel ❷**, eine außen wie innen sehr schlichte Kirche. Auf der Kanzel steht die Jungfrau von Fátima, die von der Familie Ben Oliel hoch verehrt wurde.

Am Meer

Die Straße der Fischer

Am Meer entlang verläuft die **Avenida dos Pescadores.** Von hier aus genießt man einen Blick zur vorgelagerten Ilhéu de Sal Rei (s. S. 40). Der **Cais ❸**, der alte Hafenkai aus dem 19. Jh., war der erste seiner Art auf den Kapverden. Nördlich angrenzend befindet sich eine kleine **Bootswerft.** Die Fischerboote

werden dort komplett von Hand mit altertümlich wirkenden Werkzeugen gezimmert. Für Kiel, Planken oder Spanten finden verschiedene Holzsorten Verwendung.

Vom alten Hafenkai aus lohnt es sich, auf der Avenida Richtung Norden entlang dem Stadtstrand **Praia de Diante** zu spazieren. Zum Baden gibt es schönere Plätze, denn hier ziehen die Fischer ihre Boote an Land. Die Straße macht der Bezeichnung ›Avenida‹ alle Ehre: Sie ist breit und wird von hohen Akazien gesäumt, in deren Schatten Frauen frisch gefangenen Fisch verkaufen. Knallbunt sind die meisten Häuser gestrichen, jedes in einer anderen Farbe.

Vom Ende der Avenida dos Pescadores blickt man hinüber zum modernen Hafen. An seinem Betonkai legen Versorgungsschiffe und Ausflugsboote an.

10 km Strand

Schönster Strand von Sal Rei ist die südlich an die Praia de Diante angrenzende **Praia de Estoril,** die nach Süden in die **Praia das Dunas** übergeht. Diese Strandzone ist etwa 10 km lang. Mehrere Beach Clubs verleihen in ihren windgeschützten Arealen Strandliegen und sorgen mit Bars und Restaurants fürs leibliche Wohl.

Ein Spaziergang am Meer drängt sich geradezu auf. Unterwegs lassen sich in den angrenzenden Dünen mit etwas Glück versteinerte Korallen entdecken. Nach etwa 2 Std. ist die ehemalige Ziegelei mit dem Hotel Parque das Dunas Village erreicht, wo sich die Umkehr anbietet.

Via Pitoresca

Dünen, Palmen, Wasservögel

Die **Via Pitoresca** zwischen Sal Rei und dem Flughafen durchschneidet ein interessantes Dünengebiet, die sogenannte

Oásis. Dort bildet die endemische Kapverden-Dattelpalme einen regelrechten Urwald. Bei ihr wachsen aus einem Wurzelstock oft mehrere Stämme, woran sie von der Echten Dattelpalme zu unterscheiden ist. Die Trockenheit zu Beginn der Jahrtausendwende machte den Bäumen schwer zu schaffen. Viele sind in den letzten Jahren verdorrt. Das Dünengebiet eignet sich gut für Streifzüge zu Fuß oder für Erkundungen per Jeep oder Quad.

Von Norden her ist die Via Pitoresca nur schwer zu finden, aus südlicher Richtung ist sie ab dem Kreisverkehr an der Abzweigung nach Bofareira ausgeschildert. Nach 2,2 km auf der Via Pitoresca zweigt rechts eine sandige Piste ab, die nach gut 1 km die **Floresta Clotilde** erreicht, eine Baumschule für die Aufzucht von Akazien, die sich auch der Holzkohlegewinnung widmet.

Im Mündungsbereich des Flusses **Ribeira Grande,** den sowohl die Hauptstraße von Sal Rei nach Rabil als auch die Via Pitoresca kurz vor dem Flughafen queren, hat sich eine Brackwasserlagune gebildet, die ein Dorado für Wasservögel ist. Birdwatcher, die oft speziell deswegen nach Boa Vista reisen, haben hier schon zahlreiche interessante Zugvögel gesichtet.

Nördlich der Stadt

Wo das Salz gewonnen wurde

Die Straße, die im Nordosten aus der Stadt herausführt, passiert die **Praia de Atlánta** und den neuen **Mercado Municipal 1.** Hier befanden sich einst die Salinen der Stadt. Salz wurde bis 1979 produziert. Es war von ›königlicher‹ Qualität, so erklärt sich auch der Name von Sal Rei (*sal* = ›Salz‹, *rei* = ›König‹). Heute ist der Tourismus einträglicher. Die Straße endet an der Ferienanlage Marine Club.

Großen Namen auf der Spur

Am Parkplatz des Marine Club befindet sich, hinter einer Steinmauer versteckt, der **Cemitério Judeu 5** (›Jüdischer Friedhof‹), auf dem mehrere Mitglieder der Händlerfamilie Ben Oliel (s. S. 37) ruhen. Nebenan steht in einer hufeisenförmigen Anlage der steinerne Sarkophag der an Gelbfieber verstorbenen Engländerin Julia Maria Louisa

BEDIENEN IM LUXUS, LEBEN IM DRECK B

Was Terra Boa (s. S. 274) für Sal, ist das **Bairro da Boa Esperança 4** (›Viertel der guten Hoffnung‹) für Boa Vista. Auch hierher strömten arbeitsuchende Menschen, als der Tourismus zu wachsen begann. Sal Rei platzte aus allen Nähten, es gab weder ausreichend Wohnungen noch die nötige Infrastruktur. So entstand in der Peripherie, bei den ehemaligen Salinen, eine slumartige Siedlung. In den sogenannten Barracas leben an die 10 000 Menschen, einige Ältere harren schon seit 20 Jahren hier aus. Die Tourismusindustrie der Insel ist auf sie angewiesen: »Bedienen im Luxus, leben im Dreck« *(servir no luxo, viver no lixo),* titelte die Zeitung »Expresso das Ilhas« im März 2018 – und selbst das Bedienen war 2020 und 2021 größtenteils nicht mehr möglich. Der schwächsten Glieder in diesem Elend, der Kinder, nahm sich Pater Paulo Borges Vaz an und gründete das **Centro Educativo da Boa Esperança,** das Schule und Kindergarten vereint.

Pettingal (1825–45). Sie war die Tochter von Charles Pettingal, einem Mitglied der portugiesisch-britischen Kommission zur Abschaffung der Sklaverei, deren Sitz ab 1843 in Boa Vista war. Juden und auch Anglikaner durften damals nicht auf katholischen Friedhöfen beigesetzt werden.

›Himmlischer‹ Blick übers Meer

Auch nördlich des Marine Club kriegt man es mit der Familie Ben Oliel zu tun. Hier thront oberhalb der Felsküste die **Capela Nossa Senhora de Fátima**  auf einem Minihügel. Vom Hotelparkplatz aus sind es nur rund 10 Min. dorthin: Nehmen Sie den Pfad, der links vor dem – nicht öffentlich zugänglichen – Resort beginnt und parallel zur Küste verläuft.

Ursprünglich ließen zum katholischen Glauben übergetretene Nachkommen der Ben Oliels das Gotteshaus 1930 nach einer Pilgerreise zum portugiesischen Wallfahrtsort Fátima erbauen. Doch schon 1948, nach dem Aussterben des Familienzweigs, wurde die Kapelle nicht mehr genutzt. Vor einigen Jahren hat man sie restauriert und 2015 neu geweiht. Den schlichten, weiß getünchten Bau umgibt eine Aussichtsterrasse mit Blick über die einsame Küstenlandschaft rundum.

Möwen und fossile Dünen

Boa Vistas Nordspitze, die **Ponta do Sol** (📍 Karte 2, R 8), steht als Reserva Natural unter Schutz. Möwen fühlen sich hier wohl, sie haben in dem felsigen, von verwitterten Lavaströmen durchzogenen Gelände ihre Nistplätze. Auch fossile Dünen können Sie am Kap entdecken – allerdings müssen Sie dafür mit rund 4 Std. Gehzeit (hin und zurück) rechnen. Startpunkt der ausgeschilderten Wanderung ist die Capela Nossa Senhora de Fátima (s. links), von wo aus Sie einfach dem Küstenverlauf folgen.

Ilhéu de Sal Rei

Ein Fort und ein Leuchtturm

Mit einem Seekajak oder im Rahmen einer organisierten Tour kommt man zur **Ilhéu de Sal Rei.** An der Sal Rei zugewandten Felsküste der flachen, maximal 27 m hohen Insel zieht eine säulenförmige Basaltformation die Blicke auf

Sal Rei

Ansehen

❶ Casa Ben Oliel
❷ Igreja de Santa Isabel
❸ Cais
❹ Bairro da Boa Esperança
❺ Cemitério Judeu
❻ Capela Nossa Senhora
de Fátima

Schlafen

■ Migrante Guesthouse
■ Dunas
■ Ca Bonita

Essen

■ Morabeza Beach Bar
& Restaurant
■ Blue Marlin
■ Cabo Café
■ Esplanada Silves

Einkaufen

■ Mercado Municipal

Bewegen

● Wind Sports Center

Ausgehen

✦ Wakan Bar

---

sich. Im Süden des Eilands findet man kleine, zum Baden geeignete Strände sowie die Fundamente des ehemaligen **Forte Duque de Bragança,** von inzwischen rostigen Kanonen bewacht. Die Festung wurde 1818 angelegt, nachdem die Besatzungen brasilianischer Schiffe im Jahr zuvor mehrfach die Insel angegriffen hatten – die gegen die portugiesische Kolonialherrschaft gerichtete Rebellion in Brasilien wirkte sich bis zu den Kapverden aus.

Auf dem Höhenrücken der Ilhéu de Sal Rei steht die Ruine des alten **Farol** (›Leuchtturm‹) neben einem modernen Leuchtfeuer. Ein Rundweg (etwa 45 Min.), für den sich festes Schuhwerk empfiehlt, verbindet die beiden Sehenswürdigkeiten.

Seekajakverleih im Boa Vista Wind Club (s. S. 43), organisierte Touren bieten mehrere Veranstalter (s. S. 43)

Schlafen

Die großen Ferienanlagen in der Umgebung von Sal Rei bucht man am günstigsten im Rahmen einer Pauschalreise. Individuelle Unterkünfte finden Sie auf den einschlägigen Buchungsportalen, ein Großteil der Vermieter spart sich inzwischen die Kosten für eine eigene Website.

Kolonial und stilvoll
■ **Migrante Guesthouse:** In dem gediegenen Stadthaus aus der Kolonialzeit werden vier geschmackvoll im leicht arabisierenden Stil eingerichtete Zimmer (Standard oder Superior) vermietet. Zentraler Treffpunkt ist der idyllische Innenhof. Av. Amílcar Cabral, T 251 11 43, www. migrante-guesthouse.com, €€

Sonnenverwöhnt
■ **Dunas:** Ideal am alten Hafen gelegenes Hotel mit 19 Zimmern, zentral und doch strandnah. Besonders schön sind die Balkonzimmer zum Meer hin. Sonnenterrasse auf dem Dach. Av. Amílcar Cabral, T 251 12 25, sara dunashotel@gmail.com, €€

Perfekte Lage
■ **Ca Bonita:** Die Apartments sind mit einer kleinen Küche ausgestattet und liebevoll eingerichtet. Fahrräder, Autos und Ausflüge können gebucht werden. Praia Estoril, Sal Rei, T 956 58 83, www. cabonita.it, €€

TOUR
Cabo de Santa Maria – völlig abgewrackt!

Jeeptour in den einsamen Norden von Boa Vista

Infos

Start:
Sal Rei,
Karte 2, R 8/9

Dauer:
ca. 4 Std.

Hinweis:
In den vergangenen
Jahren kam es am
Strand von Boa
Esperança vereinzelt
zu Überfällen. Erkun-
digen Sie sich vor
Ort über den Stand
der Dinge und neh-
men Sie im Zweifel
an einer geführten
Tour teil.

Ein geisterhaft aussehendes Schiffswrack ist das Ziel dieses Ausflugs, die Piste dorthin beginnt an der Zufahrt zum **Hotel Marine Club.** Zunächst passiert man die Bergkuppe **Rochinha** zur Linken und den ehemaligen **Katholischen Friedhof** von Sal Rei zur Rechten. Hinter einer Linkskurve hält man sich an einer Gabelung rechts (links ginge es zur Fátima-Kapelle, s. S. 40). Über eine öde Fläche geht es nordwärts. An einer weiteren Gabelung 3 km ab dem Marine Club – unmittelbar nachdem eine flache Senke durchquert wurde – biegt man rechts ab auf eine undeutlichere, recht holprige Spur. Bald kommt das Wrack der **Cabo de Santa Maria** in Sicht, unmittelbar vor der **Praia de Boa Esperança** gelegen. Die Piste beschreibt einen Bogen nach rechts und entfernt sich ein wenig von der Küste. Einen mit Flugsand bedeckten Hang hinab geht es dann aufs Meer zu, teilweise an einer Mauer gegen Sandaufwehungen entlang. 2 km hinter der Gabelung steht man am Strand.

Zu Fuß geht's nun weiter bis zum Wrack. Seit 1968 schon trotzt es hier der schäumenden Brandung, ist 2002 allerdings in zwei Teile zerbrochen. Mit Konservendosen, Getränkeflaschen und Olivenöl an Bord lief das spanische Frachtschiff auf dem Weg nach Brasilien aus unerfindlichen Gründen an der Nordküste von Boa Vista auf Grund – schon Dutzenden anderen Booten war es an dieser Stelle so ergangen. Warum gerade hier? Man spricht von mangelhaften Seekarten, magnetischen Anomalien, fehlenden Leuchttürmen und ungünstigen Meeresströmungen. Jedoch sollen auch die Bewohner Boa Vistas gelegentlich ›nachgeholfen‹ haben, indem sie falsche Leuchtfeuer entzündeten.

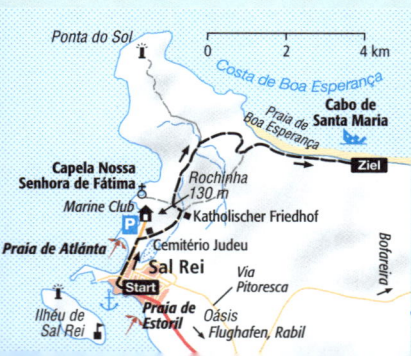

Essen

Edles Essen und Coole Bar

1 **Morabeza Beach Bar & Restaurant:** Auf den ersten Blick nur eine Strandbude, doch weit gefehlt: Hier speisen Sie in einem der besten Restaurants der Kapverden, vornehmlich Meeresfrüchte.

Praia de Estoril, knapp 2 km südlich von Sal Rei, www.morabezaboavista.com, tgl. geöffnet, €

Eng, klein, kommunikativ

2 **Blue Marlin:** Dem winzigen Kneipenrestaurant am Hauptplatz sehen Sie von außen nicht an, dass hier hervorragend gekocht wird. Innen glaubt man sich in einer schummrigen Hafenbar. Was auf den Tisch kommt, ist jedoch edel und lecker.

Largo de Santa Isabel, T 251 10 99, tgl. geöffnet, €€

Lässig, locker, italienisch

3 **Cabo Café:** Einer von zahlreichen Italienern auf Boa Vista, allerdings gibt es weder Schlabberpizza noch pappige Nudeln, sondern Fisch und Meeresfrüchte auf leichte mediterrane Art. Vom Essen und von Gastfreundschaft versteht man hier etwas.

Rua do Emigrante, T 599 25 24, nur abends, €€

Entspannt

4 **Esplanada Silves:** Tagsüber ein netter Platz zum Verweilen, an Wochenenden In-Treff mit Musik und Tanz. Gute Getränkeauswahl, Sandwiches, leckere Fisch- und Fleischgerichte, Pasta, Pizza.

Largo de Santa Isabel, T 997 12 64, zum Zeitpunkt der Recherche noch geschl., €

Einkaufen

Vom Erzeuger

1 **Mercado Municipal:** Städtische Markthalle für Obst und Gemüse.

Schmuck und Bilder aus ›lokaler Produktion‹: Wo Touristen vorbeikommen, sind Souvenirs nicht weit.

An der Straße Richtung Hotel Marine Club, tgl. vormittags

Bewegen

Wassersport wird groß geschrieben. Fast jedes Hotel hat Kontakt zu Surf- und Tauchschulen und vermittelt Ausflüge.

Surfen & Kajakfahren

1 **Wind Sports Center:** Die vielseitige Surfbasis bietet außer Windsurfen auch Kitesurfen, Wingfoiling, SUP und Wellenreiten an.

Praia Carlota, www.windsportscenter.com

Aktivsport & Touren

Franca Mineo, die Chefin von **Baobab Tours** (T 251 11 11, WhatsApp 952 30 07, www.mybaobabtour.com), weiß, was die Urlauber wünschen, entsprechend umfassend ist ihr Programm, darunter klassische Inseltouren, Angebote für Sportler (Kitesurfen, Tauchen etc.) und Schildkrötenbeobachtung. Bei Ceran Abuhan von **Local Vista** (www.localvista.tours) können Sie sich eine individuelle Inseltour zusammenschneidern lassen. Außerdem sind Geocaching, Schnorcheln, Angeltouren, Vermittlung von Quad- oder Buggytouren und Fisch-BBQ am Strand Santa Mónica im Angebot. Inselausflüge im offenen Pick up, Quadtouren und Schildkrötenbeobachtung (vgl. auch S. 52, 256) bietet **Cabo Kai Tours** (T 979 30 90, www.cabokaitours.com).

Ausgehen

In einigen Restaurants gibt es regelmäßig Livemusik – lassen Sie sich treiben.

Der Klassiker
✹ **Wakan Bar:** Sie sieht aus wie ein an der Uferstraße gestrandeter Fischtrawler. Kaum jemand, der nicht schon in dieser Bar war und hier einen Cocktail getrunken hat.
Mo–Sa 13.30–22.30 Uhr

Infos

- **Tourist Information Center:** Largo Santa Isabel, T 980 27 83.
- **Flugzeug:** Sals Flughafen liegt ca. 6 km südlich von Sal Rei in Rabil (s. S. 49).
- **Schiff:** Ab Sal Rei verkehren Schnellfähren mehrmals pro Woche nach Sal und Santiago, außerdem gibt es eine Fährverbindung nach São Nicolau (www.cvinterilhas.cv).
- **Transport vor Ort:** Aluguers bedienen die Strecke nach Rabil (ca. 100 ECV), als Alternative kann man ein Taxi (ca. 1 100 ECV) nehmen. Unter www.turismo.cv/page/rent-car stehen örtliche Mietwagenanbieter.

Der Südwesten

Neben Sal Rei sind einzig Rabil und Povoação Velha Siedlungen mit nennenswerten Einwohnerzahlen im Südwesten. Das verwundert nicht wirklich, denn der Landstrich wird bestimmt durch Steine, vereinzelte Palmen, genügsame Akazien – und Sand. Viel Sand. Der zieht aber zumindest an der Küste viele badefreudige Besucher an, die hier auch herrliche Strandwanderungen unternehmen können.

Praia da Chave ♥ Karte 2, R 9

Urlaubsidyll statt Industrieareal
An der **Praia da Chave** westlich vom Flughafen verteilen sich mehrere große Ferienanlagen. In der Nähe des Hotels Parque das Dunas Village liegen die Überreste der **Antiga Telheira,** der ›alten Ziegelfabrik‹. Weithin sichtbar ist ein Schornstein, doch die restlichen Gebäude der **Fábrica de Chave,** darunter die Häuser der Mitarbeiter, eine Krankenstation und eine Bar, sind größtenteils von Sand bedeckt. Nur vereinzelt lugen ein paar verrostete Maschinenteile aus den Dünen heraus und bilden einen skurrilen Kontrast zum benachbarten Urlaubsidyll aus blauem Meer und weißem Sand.

Errichtet wurde die Ziegelei Ende des 19. Jh. von – Sie ahnen es sicherlich bereits – der Familie Ben Oliel. Ihr Handelsunternehmen produzierte hier hochwertige Ziegel und Backsteine, die von einem inzwischen verschwundenen Schiffskai am Strand auf die anderen Inseln sowie aufs afrikanische Festland transportiert und dort verkauft wurden. Die Kohle für die Brennöfen kam aus São Vicente. Schon 1910 wurde die Produktion wieder eingestellt. Es gab noch einen kurzen Aufschwung mit modernen Maschinen aus Portugal, aber 1928 war endgültig Schluss. Die Ziegel aus der Fabrik trugen als Erkennungszeichen übrigens einen eingeprägten Schlüssel (chave).

Lieblingsort

Vom Winde verweht

Wie aus dem Bilderbuch wirkt der weiß glitzernde **Deserto de Viana** (⚲ Karte 2, R 9) mit seinen hohen, feinsandigen Dünen. Diese hält der Passatwind ständig in Bewegung und so verwehen die Spuren der Besucher schnell. Pflanzen haben kaum eine Chance, in der Sandwüste Fuß zu fassen, auch wenn dürre Akazien und Palmen versuchen, das Gegenteil zu beweisen. Kurz vor Sonnenuntergang ist das Licht übrigens am schönsten. Die Wüste liegt östlich des Flughafens und kann von Rabil aus über eine schmale Straße erreicht werden. Betreten ist erlaubt, Befahren verboten!

Rabil

📍 **Karte 2, R 9**

Rabil thront auf einem Bergrücken, die einzige Straße wird von kleinen alten Häusern gesäumt. Seine Schokoladenseite zeigt der Ort von Osten her betrachtet, wo sich das Tal der Ribeira do Rabil tief eingeschnitten hat. In der dadurch entstandenen Steilwand lagert unten dunkler Plateaubasalt, der horizontal wie mit dem Messer abgeschnitten wirkt. Darüber liegt eine helle, 10 bis 15 m dicke Flugsandschicht, ein eindrucksvoller Farbkontrast. Der Flusslauf ist eine regelrechte Oase, auch wenn es seit einigen Jahren sichtlich an Wasser mangelt. Zahlreiche Kokospalmen ragen hier mit ihren schlanken Stämmen auf und daneben, etwas niedriger, auch Dattelpalmen. Im Talgrund selbst war der Boden stets zu wertvoll, um darauf zu siedeln, daher entstanden die Ortschaften Rabil und das gegenüberliegende **Estância de Baixo** auf dem trockenen Plateau beiderseits des Tals. Die Zeiten, als die Landwirte in der Oase noch Bananen und Zuckerrohr ernten konnten, sind allerdings vorbei. Einige Bauern ringen ihren Feldern noch Bohnen ab, doch im Wesentlichen wurde die Landwirtschaft wegen Wassermangel aufgegeben.

Bei Angriff ging's in die Kirche

Durch seine privilegierte Lage war Rabil bis 1810 Inselhauptstadt. Davon zeugt die älteste Kirche der Insel, die **Igreja São Roque** am Nordrand des Ortes. Ihr genaues Erbauungsdatum ist jedoch umstritten, 1801 meinen die einen Experten, 1806 die anderen.

Rabil lässt nicht unbedingt darauf schließen, dass es mal Inselhauptstadt war. Immerhin besitzt es eine wehrhafte Kirche, die älteste der Insel, in die sich die Bevölkerung früher bei drohender Gefahr zurückzog.

Wie die meisten kapverdischen Kirchen kommt sie sehr schlicht daher, andererseits auch ziemlich klobig. Es wird daher vermutet, dass sie die Funktion einer Wehrkirche hatte.

Tradition bewahren

Rabil besitzt eine alte Keramiktradition und viele Bewohner beherrschen noch die Kunst, Gefäße ohne Drehscheibe herzustellen. Am südlichen Ortsende sorgt die **Olaria di Rabil** dafür, dass dieses Handwerk nicht ausstirbt. Die Werkstatt ist in einem unscheinbaren Natursteinhaus untergebracht, davor steht ein traditioneller Steinofen. Er geht jedoch nur selten in Betrieb, da die meisten Produkte im modernen Ofen im Inneren gebrannt werden. Der steht übrigens allen Bewohnern von Rabil zur Verfügung, um ihre in Heimarbeit gefertigten Keramiken zu brennen.

Da Töpfe und Schüsseln nur selten verlangt werden, haben sich die Töpfer auf Schmuckschalen, kleine Gefäße, Seesterne, Schildkröten, Fische und andere Tiermodelle spezialisiert – sie eignen sich besser als Mitbringsel.

Riba Rocha, ausgeschildert ›Artesanato‹, auf Facebook, Mo–Sa 8.30–16 Uhr, Eintritt frei

Povoação Velha und Umgebung 📍 Karte 2, R 10

Ursprünglicher geht kaum!

Povoação Velha ist ein typisch kapverdisches Dorf, in dem niedrige Steinhäuser die Straßen säumen. Hier und da blättert der Putz von den Fassaden, doch fast alle Gebäude sind hübsch pastellfarben gestrichen. Ein Erkundungsgang lohnt sich, auch ohne große Sehenswürdigkeiten.

Mittel- und Treffpunkt des Ortes bildet die mit bescheidenen Blumenrabatten geschmückte **Praceta de Santo António.** Am südlichen Ortsrand erhebt sich auf einem Hügel die **Igreja Nossa Senhora da Conceição.** Der heutige Bau stammt aus dem Jahr 1828, doch ruht das Kirchlein auf den Fundamenten einer Kapelle von 1680.

Povoação Velha heißt übersetzt ›Alte Siedlung‹ und ist tatsächlich der älteste Ort der Insel. Er wurde vor ca. 500 Jahren an dieser Stelle abseits der Küste gegründet, um vor Piratenüberfällen geschützt zu sein. Anfang des 18. Jh. lebten hier etwa 1000 Menschen vornehmlich von der Ziegenhaltung und vom Salzhandel. Heute zählt Povoação Velha nur mehr ca. 300 Einwohner.

Bewegung zwischendurch

Am Nordwestrand von Povoação Velha erhebt sich der 354 m hohe **Rocha Estância,** der als Naturdenkmal unter Schutz steht. Von seinen Hängen ziehen sich vulkanische Aschefächer die Flanken hinunter– ziehen Sie sich also feste Schuhe an, wenn Sie den Felsklotz besteigen wollen. Es ist die Mühe wert, denn von oben bietet sich bei gutem Wetter ein Blick bis Maio und sogar São Nicolau.

Die Praia de Santa Mónica ⭐

Ein Bilderbuchstrand: Türkisblau schimmert das Meer vor dem hellen Sand. Nur baden können Sie an der **Praia de Santa Mónica** nicht, da die Brandung und die Unterströmungen zu stark sind. Aber neiderweckende Fotos können Sie machen und spazieren gehen.

Von Povoação Velha aus erreichen Sie den Strand auf einer ca. 8 km langen Piste, für die ein geländegängiges Fahrzeug nötig ist. Fahren Sie zunächst nach Süden in Richtung Friedhof (weiße Außenmauer), davor biegen Sie links auf eine Erdpiste ein (Schild ›Santa Mónica‹). Bevor der Strand erreicht wird, queren Sie eine breite Salzwiese und einen mit Libellen bevölkerten Akaziengürtel. Die anspruchslosen Bäume spenden Schat-

Für Ausflüge in die Umgebung von Povoação Velha sind geländegängige Fahrzeuge die richtige Wahl.

ten und Windschutz und laden zu einer Pause ein.

Im Höhlenschatten dösen

Mit der **Praia da Varandinha** besitzt Povoação Velha einen weiteren wunderschönen Strand ganz in seiner Nähe. Die vom Westrand des Ortes ausgeschilderte Piste ist bis zum sogenannten **Portão Pastor** (›Hirtenportal‹, ein Mauerdurchlass) gut befahrbar, aber nur mit einem Jeep. Halten Sie sich danach rechts und stellen Sie den Wagen rechtzeitig ab, sonst scheitern Sie nach knapp 4 km an einem breiten Dünengürtel. Bis zum Strand sind es dann noch ca. 1,5 km zu Fuß, wofür Sie wegen des sandigen Untergrunds rund 30 Min. einplanen sollten.

Auch an diesem Strand heißt es nur schauen, fotografieren und spazieren gehen. Baden ist zu gefährlich. Bizarre Felsformationen, durch Wasser und Wind zerfressen und ausgehöhlt, gliedern den Sandstreifen. Eine dieser Höhlen ist so groß, dass sie Schutz vor der brennenden Sonne bietet.

Schlafen

Bewährte Qualität weltweit

RIU Karamboa: Großzügiges All-inclusive-Clubhotel mit 750 Zimmern, mehreren Restaurants, schönen Poolanlagen, Animation und großem Sportangebot. Günstige Lage direkt am Strand.

Praia de Salinas, am Nordrand der Praia da Chave, ca. 7 km von Sal Rei entfernt, www.riu.com, €€€

Mit Nachtleben

Fon' Banana: In dem Restaurant werden auch Zimmer mit Bad vermietet.

Im gleichnamigen Restaurant, s. rechts, €

Essen

Gutes Essen am Strand

Perola da Chaves: Direkt am Schornstein der ehemaligen Ziegelfabrik liegt dieses edle Strandlokal. Fisch, Meeresfrüchte, Cocktails – alles wird ansprechend serviert. Der Ausflug hierher lohnt sich.
Praia da Chave, 10–18, teils auch bis 24 Uhr, €€€

Kapverdische Nächte

Fon' Banana: Cristina Brito und ihr Team veranstalten im familiären Rahmen kapverdische Abende mit ländlichem Essen und Folklore, die über Reiseagenturen und Hotelrezeptionen buchbar sind. Auch tagsüber eine gute Adresse.
Povoação Velha, T 251 18 71, www.fonbanana.com, kapverdische Abende Di, Do, Sa, sonst Di–So ab 10 Uhr, €€

Feiern

• **Nossa Senhora da Conceição:** 8. Dez. Dorffest zu Ehren von Mariä Empfängnis, der Schutzheiligen von Povoação Velha.

Infos

• **Flugzeug:** Boa Vistas Flughafen liegt bei Rabil. Die Insel ist von Europa aus gut mit Ferienfliegern zu erreichen. Mit Bestfly (www.bestfly.aero) kommen Sie ca. 2 x wöchentl. nach Sal und ca. 4 x wöchentl. nach Praia. Am Flughafen stehen bei der Ankunft genügend Aluguers und Taxen bereit.
• **Transport vor Ort:** Aluguers bedienen regelmäßig Rabil und Povoação Velha.

Der Osten

Abgesehen von Sal Rei und Umgebung ist der Rest der Insel dünn besiedelt und wüstenhaft. Es erwarten Sie kleine Dörfer und altertümliche Pflasterstraßen, sandige und steinige Hügel sowie weite karge Ebenen. Die Oasen und Strände sind teilweise nur über abenteuerliche Pisten oder Fußwege zu erreichen. Hier ist das Revier von Ziegen, Vögeln und – im Sommer an den Stränden – Schildkröten. Die wenigen Bewohner kriegen

BEGEHRTES WEISSES PULVER

Als auf den Inseln ab 1820 eine enorme Bautätigkeit einsetzte, brauchte man **Kalk** – und den gab es auf Boa Vista. In der Hochphase des Abbaus um 1939 wurden jährlich 21 000 t des weißen Pulvers hergestellt. Ab den 1940er-Jahren dann machte importierter Zement Konkurrenz und die Produktion von Kalk sank bis 1956 auf knapp 700 t, bis sie irgendwann ganz einschlief. Was auf Boa Vista zurückblieb, war eine kahle Landschaft, denn die Akazien, die einst den Inselnorden bedeckten, waren in den Kalköfen verfeuert worden. Viele sind gut erhalten (s. S. 50), sodass man sich ein Bild vom Produktionsprozess machen kann. Abwechselnd wurden Lagen von Kalk und Holz in den Ofen geschichtet. Das durch die Hitze freigesetzte Kohlendioxid ließ das Gestein zerfallen, es fiel durch ein Gitter nach unten und konnte noch heiß entnommen werden. Dann breitete man es aus und löschte es mit kaltem Wasser ab, woraufhin es zu Pulver, dem Löschkalk, zerfiel. Dieser wurde gesiebt und für den Verkauf in Säcke abgepackt. Jetzt konnte man ihn zur Herstellung von Mörtel und für Kalkanstriche verwenden.

nur ein kleines Stück vom Tourismuskuchen ab: Sie verkaufen Ziegenkäse und stellen in Heimarbeit Souvenirs her.

Bofareira und Umgebung
📍 **Karte 2, R/S 9**

Eines der ältesten Inseldörfer
Rund um **Bofareira** häufen sich die Ruinen von Kalköfen (s. S. 49), über 500 gab es hier einst. Nach Aufgabe dieses Industriezweiges verarmte die Gegend und die Jungen wanderten ab. Erst der Tourismus bot wieder eine Perspektive, vor allem die großen Hotelanlagen benötigen Arbeitskräfte. Und auch in Bofareira versucht man, aus den vielen Besuchern etwas Kapital zu schlagen. Die **Mercearia Elvis** an der Durchgangsstraße hat sich auf die neue Kundschaft eingestellt und versorgt hungrige und durstige Ausflügler.

Haie sichten
Wie auch auf Sal gibt es auf Boa Vista eine Bucht, in der sich Haie tummeln, vornehmlich Zitronen- und Ammenhaie. Um die charakteristischen dreieckigen Finnen – vom sicheren Strand aus – durchs Wasser kreuzen zu sehen, müssen Sie sich

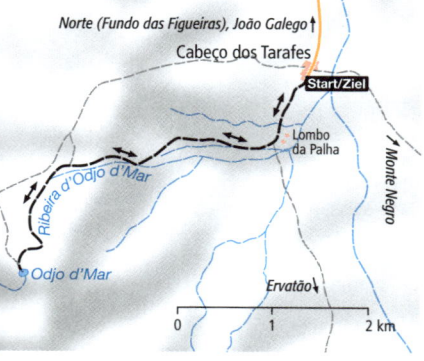

Wanderung zum Odjo d'Mar

zur **Ponta Derrubado** mit dem gleichnamigen Strand aufmachen. Östlich von Bofareira zweigt eine alte Pflasterstraße ab, die bald in eine Piste übergeht und in **Espinguera** an der – aktuell zum Verkauf stehenden – Ecolodge Spinguera endet. Von dort aus geht es auf Fahrspuren weiter nach Norden auf eine Landspitze, die sich in vier Finger auffächert – der westlichste ist die Ponta Derrubado. Das gesamte Gebiet gehört bereits zum **Parque Natural do Norte,** der den gesamten Nordwesten von Boa Vista unter Schutz stellt. Die beste Zeit zur Beobachtung der Haie ist übrigens im Frühsommer.

Norte
📍 **Karte 2, S 9**

Auf der ›Route 66‹ nach Norte
Die größte Ortschaft im Nordwesten, Norte, können Sie entweder direkt von Bofareira oder aber über eine Pflasterstraße von Rabil aus ansteuern. Da holpern Sie dann durch eine weitläufige, von faustgroßen schwarzen Vulkangesteinsbrocken übersäte Ebene. Diese unfruchtbare, nur schütter mit Kameldorn bewachsene Landschaft ist rundum von einem Gebirgszug umgeben und erinnert an einen großen Kraterboden. **Kapverdische Route 66** wird diese ›Straße‹ gerne genannt, ein Begriff, den das Betreiberpaar von Baobab Tours ursprünglich geprägt hat. Nachdem Sie den **Passo Conde** gequert haben, wird es etwas grüner. Nun ist das wesentlich feuchtere Einzugsgebiet der **Ribeira do Norte** erreicht. Zwar sind die Flussläufe meist ausgetrocknet, doch immerhin gibt es genügend Grundwasser, um Palmen am Leben zu erhalten und ein paar Felder zu bewässern.

Drei Flecken, ein Ort
Norte besteht aus drei Ortsteilen, die sich kurz hintereinander an der Straße entlang aufreihen: **João Galego, Fundo Figueiras**

Der zu Norte gehörende Weiler Fundo Figueiras wirkt noch richtig lauschig. Und auch die Anfahrt ist ein Landschaftserlebnis, sonst würde die Straße wohl nicht Kapverdische Route 66 genannt ...

und **Cabeço dos Tarafes.** Hauptort ist das mittlere Dorf, Fundo das Figueiras, mit der katholischen **Igreja São João Baptista.** Die Johannes dem Täufer geweihte Pfarrkirche wurde zwischen 1850 und 1870 erbaut und ähnelt im Baustil der Igreja São Roque von Rabil. Alle drei Dörfer machen mit ihren sauberen Straßen und schmucken, bunten Häusern einen gepflegten, fast schon wohlhabenden Eindruck. Da sie inzwischen von Touristen mit Mietwagen oder im Rahmen organisierter Ausflüge öfter besucht werden, sind ein paar Souvenirläden und Lokale entstanden.

Odjo d'Mar ♀ Karte 2, S 9

Baden im See

Ausgerechnet in der Wüste südwestlich von Cabeço dos Tarafes liegt der einzige natürliche Süßwassersee der Kapverden. Das impliziert natürlich schon, dass das **Odjo d'Mar** keine Verbindung zum Meer hat, wie es die Übersetzung des kreolischen Namens, ›Meeresauge‹, glauben machen mag. Während der Regenzeit im Herbst füllt sich der See ordentlich mit Wasser, weniger spektakulär zeigt er sich während des restlichen Jahres. Das Odjo d'Mar liegt am Ostrand eines bis zu 360 m hohen Gebirgszuges, der vergleichsweise viel Regen und Nebelfeuchtigkeit abbekommt. Unterirdische Quellen sorgen dafür, dass es nie austrocknet, sondern an der tiefsten Stelle einen Wasserstand von stets etwa 3,70 m hält. Baden ist jedoch nur nach der Regenzeit möglich.

Von Cabeço dos Tarafes führt eine beschilderte Piste Richtung Westen bis zur kleinen Siedlung **Lombo da Palha.** Von dort steigt man in den Talgrund der Ribeira d'Odjo d'Mar hinab. In dem nur nach starken Regenfällen Wasser führenden Flussbett läuft man stromaufwärts und erreicht nach ca. 30 Min. den See. Die Wanderung ist auch Bestandteil vieler organisierter Inselfahrten.

Monte Negro   ♀ Karte 2, S 9

Ein Berg als Leuchtturm
Eine andere Piste führt von Cabeço dos Tarafes nach Osten. Sie quert eine flache Steinwüste und steigt dann leicht zu einem Parkplatz direkt unterhalb des 154 m hohen **Monte Negro** an. Für die alten Seefahrer markierte diese Erhebung aus dunklem Basaltgestein die Ostspitze von Boa Vista, wenngleich zwei Landspitzen und einige Felsinseln noch weiter östlich liegen. Auf dem Monte Negro steht ein Leuchtturm von 1931, der über einen Pflasterweg erreichbar ist. Von seinem Vorhof bietet sich ein eindrucksvoller Blick auf die wilde Küsten- und Wüstenlandschaft.

Ervatão   ♀ Karte 2, S 10

Lust auf Unbequemlichkeit?
10 km können so unendlich lang sein … Von Cabeço dos Tarafes weist ein komfortables Straßenschild in Richtung der Oase von Ervatão. Was Besucher jedoch erwartet, fordert ein robustes Fahrzeug und funktionstüchtige Bandscheiben. Teilweise säumen Steinmännchen die Piste, die mal besser, mal schlechter zu befahren ist. Nach ca. 7 km trifft man auf Reste einer ehemaligen Straßenpflasterung. Rechter Hand erhebt sich in einiger Entfernung der spitze **Monte Estância.** Die Fahrt führt durch eine Halbwüste, in der der sandfarbene Rennvogel Jagd auf Insekten macht – seinen langen Beine und sein nach unten gebogener Schnabel verraten ihn.

Der Lohn der Mühe
Nach gut 8 km öffnet sich erstmals der Blick auf den Atlantik. Links unten an einer Flussmündung erstreckt sich ein schöner Palmenhain, die Oase von **Ervatão.** Obwohl das Bachbett fast immer ausgetrocknet ist, finden die Bäume hier genügend Grundwasser zum Überleben. Wie so oft auf den Kapverden bilden die endemische Kapverden-Dattelpalme und Echte Dattelpalme einen Mischbestand. Die nur etwa 10 m hohe Kapverden-Dattelpalme können Sie daran erkennen, dass aus einem Wurzelstock fünf bis zehn Stämme herauswachsen, während die Echte Dattelpalme immer nur einen schlanken, hohen Stamm ausbildet. Letztere war auf dem Archipel ursprünglich nicht heimisch und kam vermutlich mit arabischen Seefahrern auf die Kapverden. Zwar wurden Palmen auf den Inseln nie gezielt kultiviert, aber ihre Früchte dienen Mensch und Tier als Nahrung, ihre Blätter finden als Viehfutter und für Flechtarbeiten Verwendung.

Westlich an den Palmenhain grenzt die knapp 1 km lange, hellsandige **Praia de Ervatão,** eine wichtige Kinderstube für Meeresschildkröten (s. S. 256). Eine Weiterfahrt auf eigene Faust Richtung Süden empfiehlt sich wegen des schlechten Pistenzustands nicht.

Curral Velho   ♀ Karte 2, S 10

Hotel und Schildkröten
Mitten in der Einsamkeit am südlichen Ende der Insel liegen ein ›alter Stall‹ und ein modernes Feriendorf. Bei Ersterem handelt es sich um die ehemalige Siedlung **Curral Velho,** von der nichts mehr übrig blieb, bei Zweiterem um das Hotel RIU Touareg. Die gesamte Strandzone von hier bis ins nordöstliche Ervatão steht als Feuchtgebiet im Rahmen der Ramsar-Konvention unter Naturschutz.

AUF VOGELPIRSCH

In den Salzlagunen um Curral Velho sind häufig Brauntölpel *(Sula leucogaster)* zu beobachten, gänsegroße Seevögel mit dunklem Kopf und Rücken, auffällig kräftigem hellem Schnabel und weißem Bauch. Auf dem der Küste vorgelagerten Felseiland **Ilhéu de Curral Velho** brüten einige Paare des Prachtfregattvogels *(rabil)*. Dieser mit bis zu 2,20 m Spannweite gewaltige rabenschwarze Vogel besucht zwar zeitweise auch Nordeuropa, zieht seinen Nachwuchs in der Alten Welt aber nur auf den Kapverden auf. Ansonsten ist er an den tropischen Küsten Amerikas von Baja California bis Ecuador verbreitet.

Auf nationaler Ebene ist es ein Schildkrötenschutzgebiet, das den Namen **Reserva Natural da Tartaruga** trägt.

Es flattert …

Das von Lagunen und Salzseen durchsetzte Areal, das man am besten vom Hotel aus zu Fuß erreicht, umfasst 120 ha und stellt einen wichtigen temporären Lebensraum für Wasservögel dar. Da Boa Vista von allen Inseln dem afrikanischen Kontinent am nächsten liegt und hervorragende Voraussetzungen bietet, werden hier besonders viele Zugvögel gesichtet. Rund 25 Arten hat man hier bislang gezählt, für die gesamten Kapverden sind rund 135 Arten belegt. Die meisten ruhen sich nur vorübergehend aus und gehen auf Nahrungssuche. Etwa 30 Arten verbringen den gesamten Winter auf den Inseln.

… und wächst hier so schön

Um die Strandseen gedeihen ein paar eigenartige Pflanzen, die mit viel Salz im Boden zurechtkommen müssen. Zwei Buscharten bilden stellenweise dichte Bestände: die zu den Gänsefußgewächsen zählende Wurmförmige Sode mit kleinen, fleischigen, graugrünen bis purpurnen Blättern und das Desfontaines-Jochblatt, dessen Blätter ebenfalls fleischig, aber eiförmig sind. Bei anhaltender Trockenheit vergilben sie und werden schließlich abgeworfen. Besonders auffällig sind die gelben Blütenkerzen der Senegal-Cistanche, ein Sommerwurzgewächs, das keine eigenen Blätter besitzt, sondern an der Wurmförmigen Sode schmarotzt. Außerdem kommt Brunners Strandflieder vor, dessen kleine, rosafarbene Blüten vor allem im Spätwinter erscheinen.

Schlafen

Fast schon ein Dorf für sich

RIU Touareg: Anlage mit ca. 900 Zimmern in einer menschenleeren Landschaft und an einem langen Strand. Mietwagenverleih, Taxi nach Sal Rei ca. 30 €.
Praia Carquejinha, www.riu.com, €€€

Essen

Typischer geht's kaum

Izilda: Ein einfaches Haus, ein schlichter Speiseraum und große Portionen. Spezialität ist ein deftiger Zickleineintopf. Am Wochenende oder an Feiertagen essen hier auch schon mal Einheimische, die sich sonst nur wenig leisten können.
Bofareira, auf Facebook, derzeit geschl.

Einkaufen

Alles handgefertigt

Izilda: Hochwertiger Grogue und Ponche, Kräuter und Gewürze, Muschelschmuck, Accessoires. Die Taschen stammen aus einem Nähprojekt auf Boa Vista.
beim gleichnamigen Lokal, s. oben

Zugabe
Wahnsinn in der Wüste

Ultra-Marathon auf Boa Vista

Temperaturen über 30 °C, starker Wind, tiefer Sand, scharfe Felsen, glühender Asphalt und Pflasterstraßen, die die Gelenke malträtieren – das erwartet die Teilnehmer des Boa Vista Ultra Trail (www.boavistaultratrail.com). Die meisten halten es wahrscheinlich für absolut bekloppt, unter diesen Bedingungen um eine Insel zu rennen, wenige finden darin eine Erfüllung. Das Event findet jedes Jahr im Dezember statt. Drei Läufe stehen auf dem Programm: der Ultra Marathon mit 150 km, der Salt Marathon mit 75 km sowie der Eco Marathon mit der klassischen Marathondistanz von 42 km, wofür die besten Läufer etwas über 4 Std. brauchen (der Weltrekord im Straßenmarathon liegt bei knapp über 2 Std.). Für die 75 km liegen die Spitzenzeiten bei 12 bis 13 Std. Wenn Sie in den Ultra einsteigen möchten, müssen Sie die 75 km in 16 Std. schaffen, nur dann dürfen Sie weitermachen. Der beste Läufer braucht für die 150 km rund 20 Std. Wer es in 60 Std. nicht geschafft hat, wird eingesammelt. ■

São Nicolau

Sie dämmert im Abseits — und wartet noch auf ihre Entdeckung. São Nicolau ist klein, gleichzeitig sehr vielfältig. Hier können Sie auf alten Saumpfaden durchs Gebirge wandern und sich abschließend an einem herrlichen Strand erholen.

Seite 59
Ribeira Brava

Zwar ist Ribeira Brava die Hauptstadt von São Nicolau, sie hat aber den Charakter eines Bergdorfes und dazu ein ungewöhnliches Markenzeichen: Überall stehen öffentliche Mülleimer herum, alles ist blitzeblank.

Seite 65
Buraco Azul

Durch ein Loch im Lavagestein spritzt die Gischt bei hohem Seegang wie eine riesige Fontäne nach oben – ein tolles Schauspiel. Zu diesem Geysir im Meer können Sie von Ribeira Brava aus hinwandern.

Auf São Nicolau finden Sie Ruhe ohne abzuhängen.

Eintauchen

Seite 67
Relaxen im Osten

Der Osten von São Nicolau ist eine Welt für sich. Abgeschieden und völlig ruhig. Hier scheint die Zeit stehen geblieben zu sein. Idyllisch liegt Carriçal, der östlichste Inselort, an einem dunklen Sandstrand.

Seite 70
Cachaço

Ausblicke vom Feinsten: Cachaço hat gleich zwei tolle Aussichtspunkte zu bieten. Sowohl von der Dorfkapelle als auch von dem mächtigen Betonkreuz überblicken Sie die dörfliche Hauptstadt.

Seite 71

Dragoeiros de Cachaço

An den Hängen des Monte Gordo auf São Nicolau wachsen Drachenbäume, die fast einen Wald bilden und unter Schutz stehen. Auf den anderen Inseln sind sie so gut wie ausgerottet.

Seite 72

Praia da Luz

Baden Sie im Sand der Praia da Luz bei Tarrafal – er soll heilende Wirkung bei Gelenkbeschwerden haben.

Seite 73

Carberinho

Die Küstenformation Carberinho zählt zu den Sete Maravilhas (›Sieben Naturwunder‹) der Kapverden. Dennoch kommen nur wenige Besucher hierher, oft sind Sie mit den Felsen, dem Wind und den Wellen allein.

Seite 76

Rocha Scribida

Geheimnisvolle Zeichen zieren den ›Schreibfelsen‹ bei Ribeira da Prata. Kein Mensch weiß, was sie bedeuten. Handelt es sich um prähistorische Felsritzungen oder um das Ergebnis natürlicher Erosion?

10 km

Ribeira da Prata
Rocha Scribida
Buraco Azul
Carberinho
Cachaço
Ribeira Brava
Praia da Luz
Tarrafal
Carriçal
Dragoeiros de Cachaço

SÃO NICOLAU

Die Samen der Drachenbaumblüte dienen als Spielsteine für das Ouril, eine nationale Leidenschaft.

erleben

Ich schlafe noch …

Eine grandiose Landschaft und kaum Besucher machen den Charme dieser kleinen gebirgigen Insel aus, die vor allem von Menschen mit Freude an der Natur besucht wird. Auf alten Saumpfaden können Sie zwischen urweltlichen Drachenbäumen und bizarren Felstürmen wandern. Bis auf ein paar Einheimische, die zwischen den abgelegenen Dörfern mit ihren Eseln unterwegs sind, werden Sie kaum jemanden treffen. Und wenn doch, dann wissen Sie zumindest, dass Sie nicht der einzige Europäer auf der Insel sind.

Durchaus auch historisch interessant ist Ribeira Brava, das sich ziemlich großspurig Cidade nennen darf, also den Titel einer Großstadt trägt. Von Urbanität ist in der Inselhauptstadt jedoch nichts zu spüren, im Gegenteil: Es geht hier außerordentlich beschaulich zu. Wer sich in einer der wenigen einfachen Unterkünfte einbucht (das sind vor allem Wanderer), steckt mitten im normalen Alltagsleben, das vom Tourismus bislang nur wenig tangiert wird. Unmittelbar westlich von Ribeira Grande erhebt sich mit dem 1312 m hohen Monte Gordo der Bergriese von São Nicolau. Vom Gipfel können Sie bis ins südliche Tarrafal blicken. Vor dem Fischerdorf erstreckt sich ein herrlicher

ORIENTIERUNG

Infos: www.saonicolau.de (private Seite mit den umfassendsten Infos zur Insel). Die beiden Gemeinden auf São Nicolau, Câmara Municipal da Ribeira Brava und Município do Tarrafal de São Nicolau, kündigen auf Facebook Veranstaltungen an.
Transport: São Nicolau wird von Sal und Santiago aus 3–4 x wöchentl. angeflogen, von São Vicente aus 1 x wöchentl. Fähren gibt es nach Sal, Boa Vista, Santiago und São Vicente. Mit Aluguers kommt man in die wichtigsten Inselorte.
Planung: Wanderer quartieren sich in Ribeira Brava ein, Badeurlauber in Tarrafal. Unterkünfte gibt es aber auch ganz abgelegen auf der östlichen Landzunge.

Sandstrand, der sich vor allem im Sommer mit Emigranten auf Urlaub füllt. Eine der interessantesten Küstenformationen im gesamten Archipel liegt ganz im Westen. Am Carberinho stapeln sich Gesteinsschichten wie Pfannkuchen, die Erosion hat hier wahre Kunst erschaffen. Suchen Sie absolute Ruhe, ist die Landzunge im Osten die richtige Wahl. Hier wohnen kaum Menschen, aber in Carriçal gibt es eine tolle Unterkunft.

Ribeira Brava

📍 Karte 1, H6

Die Hauptstadt **Ribeira Brava** (2000 Einw.) liegt eingebettet in eine herrliche Gebirgskulisse. In der Hitze des Nachmittags und am Wochenende scheint der ganze Ort vor sich hinzudösen und wirkt wie ausgestorben, doch an Werktagen öffnen vormittags die kleinen Geschäfte und Mercearias ihre Holzverschläge. Dann füllen sich die wenigen schmalen Pflasterstraßen mit Menschen, die ihre Einkäufe oder Behördengänge erledigen.

Sie hat ihren Status verloren
Geradezu pompös für kapverdische Verhältnisse und vor allem für die Dimension von Ribeira Brava ist die **Igreja Nossa Senhora do Rosário** ❶ (›Rosenkranzkirche‹) auf der zentralen **Praça do Terreiro.** Die Kirche blickt auf eine glorreiche Vergangenheit zurück. Von Bischof Cristóvão de São Boaventura, der 1784 bis 1798 auf São Nicolau residierte, wurde sie zur Kathedrale erhoben. Diesen Status behielt sie bis 1943, als der Bischofssitz nach Praia verlegt wurde. Von 1891 bis 1898 wurde das Gotteshaus gründlich erneuert, damals schuf ein portugiesischer Baumeister den neobarocken Altar. Ansonsten ist die Inneneinrichtung eher spartanisch.

Auf der anderen Seite des Platzes steht das **Monumento a Dr. Júlio José Dias** ❷ (s. S. 60), der sich um das Priesterseminar verdient gemacht hat.

Mails checken im Park
Westlich des Zentrums liegt im Tal der **Ribeira Brava** ein kleiner **Park** ❸ mit herrlichen tropischen Bäumen. Die Jugendlichen, die sich hier treffen, haben

Mangels anderer Treffpunkte in der Hauptstadt von São Nicolau spielt sich alles Leben auf dem Hauptplatz ab. Hier verpasst man nichts, was in Ribeira Brava vor sich geht.

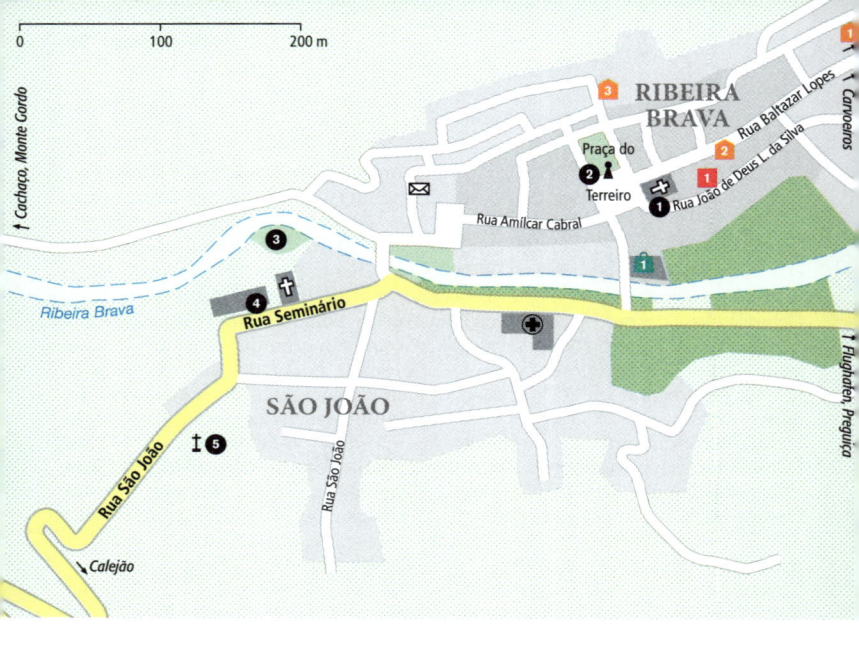

allerdings nur Augen für ihr Smartphone, denn die Gemeinde hat hier einen WLAN-Sender installiert. Wenn Sie in Ihrer Unterkunft keinen Netzzugang haben, probieren Sie es hier. Besonders schnell und stabil ist die Verbindung nicht, aber besser als nichts.

Intellektueller Aufbruch

Versteckt hinter hohen Mauern, neben einer Kapelle, liegt am Südufer der Ribeira Brava das **Seminário-Liceu de São Nicolau** ❹, ein ehemaliges Priesterseminar und Lyzeum. 1866 wurde es auf Initiative des damaligen Bischofs José Luis Alves Feifó gegründet. Er hatte der portugiesischen Regierung den Vorschlag unterbreitet, eine gemeinsame Institution zu schaffen, in der sowohl Priester als auch Kandidaten für eine gehobene weltliche Laufbahn in der Kolonialverwaltung ausgebildet werden konnten. Der einheimische Arzt Dr. Júlio José Dias (1805–73) stellte sein Haus dafür zur Verfügung und zog sich

nach Cachaço zurück. Den Lehrbetrieb nahmen im Dezember 1866 zwei Gelehrte aus Portugal sowie zwei weitere Professoren vom Lyzeum in Praia auf.

Die Abgänger dieser Schule waren ein wichtiges Bindeglied zwischen Portugal und seinen afrikanischen Kolonien, nicht zuletzt deshalb, weil auch zahlreiche Priesteranwärter aus Guinea-Bissau in São Nicolau studierten. Ironischerweise ging aus dem Seminário ein Großteil der Intellektuellen hervor, die Ende des 19. und Anfang des 20. Jh. den Weg für die spätere Unabhängigkeit der portugiesischen Kolonien bereiteten, u. a. der in Calejão geborene Dichter Baltasar Lopes (1907–89).

Schwierigkeiten zwischen der Kirche und den neuen republikanischen, antiklerikal eingestellten Regierungen in Lissabon führten ab 1910 zu einer Aufspaltung des Lehrangebots. Für weiterführende Studien mussten die Schüler nun nach Mindelo auf São Vicente übersiedeln. 1917 wurde das

Ribeira Brava

Ansehen

1 Igreja Nossa Senhora
do Rosário

2 Monumento a Dr.
Júlio José Dias

3 Park

4 Seminário-Liceu de
São Nicolau

5 Cruzeiro de
Penedo

Schlafen

1 Jardim

2 Bela Sombra

3 Santo António

Essen

1 Bela Sombra Dalila

Einkaufen

1 Mercado Municipal

Seminar vorübergehend geschlossen. Erst sechs Jahre später konnte wieder Unterricht stattfinden. Damals wurde der Lehrer Juvenal Cabral, Vater des Revolutionsführers Amílcar Cabral, hier ausgebildet.

1931 landete in Preguiça an der Südküste das Regiment Mandinga mit über 50 Soldaten, die vom afrikanischen Kontinent hierher verlegt worden waren. Das Seminário wurde endgültig aufgelöst und in ein Gefängnis für 200 politisch Verbannte aus Madeira umgewandelt, die dort die sogenannte Hungerrevolte gegen die Militärdiktatur in Lissabon angeführt hatten. Zu ihrer Bewachung wurde das Regiment abgestellt.

Zu Beginn war es der Bevölkerung verboten, sich dem ehemaligen Seminar nach 21 Uhr zu nähern. Später erhielten die Exilanten gewisse Freiheiten und übernahmen soziale Funktionen. Sie integrierten sich in das Gemeinwesen, einige blieben für immer. Die berühmte Bibliothek des Seminars ging im Verlauf dieser Ereignisse spurlos verloren.

2004 wurde das Seminário in renoviertem Zustand von der Regierung an die Katholische Kirche zurückgegeben. Derzeit dient es als Pfarrhaus und kann daher nur von außen besichtigt werden. *Rua Seminário*

Verschnaufen und gucken

Gegenüber dem Priesterseminar, oberhalb der Kapelle, erhebt sich der **Cruzeiro de Penedo 5** (›Felsenkreuz‹). Das Kreuz ragt auf dem obersten von mehreren imposanten Basaltfelsen auf. Einen direkten Weg dorthin gibt es nicht. Man muss entlang von Schweinepferchen und Hühnerställen hinaufsteigen. Von oben bietet sich Richtung Osten ein schöner Blick über die verwinkelten Gassen des Stadtteils **São João.** Neben strohgedeckten alten Natursteinhäusern stehen improvisierte Bauten aus Zementbacksteinen sowie einige neue, große Häuser von aus Übersee zurückgekehrten Emigranten.

Schlafen

Viele Übernachtungsmöglichkeiten gibt es in der Hauptstadt nicht. Und die wenigsten Unterkünfte sind im Internet vertreten, sodass man vorab buchen könnte. Hier einige Ausnahmen:

Wie bei Muttern

1 Jardim: Die Pension ist bewährt, beliebt und gut, von der Terrasse genießen Sie einen prächtigen Bick über die Stadt. Alle Zimmer sind unterschiedlich groß, bei einem öffnet sich das Fenster zur Terrasse, die allen Gästen zur Verfügung

Blumen, die durch Straßen wandeln, gibt es in Ribeira Brava nur an Karneval – der wird ausgiebig gefeiert, auch von den Jüngsten. Die Schulen organisieren, die Schüler inszenieren.

steht. Frühstück und Abendessen stehen unter dem Motto gut, reichlich und ohne Schnickschnack.
Cházinha, in Hanglage am östlichen Ortsrand, T 235 19 50, www.residencial jardim.cv, €

Neu und gepflegt
2 Bela Sombra: Durchaus komfortable Unterkunft im Zentrum, die Zimmer verfügen über Bad, Warmwasser, Kühlschrank und TV. Internetzugang, Wäscheservice und Restaurant (s. S. 63).
Rua Baltazar Lopes, nahe der Tankstelle, T 235 18 30, www.belasombra.cv, €

Pension im altem Stadthaus
3 Santo António: Das noble Stadthaus liegt oberhalb des zentralen Platzes und besitzt 14 große und helle Zimmer, die sich über drei Stockwerke verteilen. Von den meisten hat man einen Blick über die Stadt.
Terreiro, T 235 22 00, www.facebook.com/ pensaosantoantonio, €

Essen

Da in Ribeira Brava nur wenige Touristen absteigen, haben die Restaurants selten etwas vorrätig. Wenn Sie eine warme

Mahlzeit möchten, müssen Sie vorbestellen, was jedoch ziemlich unkompliziert abläuft: Einfach bis zum Mittag hingehen oder anrufen (lassen) und das Essen bestellen – was möglich ist, wird gemacht. Eine Spezialität ist Modje de São Nicolau, ein Eintopf mit Ziegenfleisch, Gemüse und Kartoffeln. Dazu muss aber erst mal eine Ziege her, weshalb man dieses Gericht rechtzeitig ordern sollte.

Gute Hausmannskost I

1 Jardim: Auch wenn Sie in dieser Pension nicht wohnen, können Sie hier essen. Die Chefin macht Vorschläge, meist hat sie zwei oder drei Gerichte in petto.
In der gleichnamigen Unterkunft, s. S. 61, €

Gute Hausmannskost II

1 Bela Sombra Dalila: Das Restaurant gehört zur Unterkunft Bela Sombra, liegt aber in einer südlichen Parallelstraße (vom Hauptplatz rechts von der Kirche die Straße rein, dann gleich auf der linken Seite). Bis auf ein wackeliges Schild über der Tür ist es nicht als Restaurant zu erkennen. Auch hier gilt: Serviert wird, was es gibt. Fisch oder Huhn bekommt man fast immer, Zicklein manchmal.
Rua João de Deus L. da Silva, Öffnungszeiten nach Bedarf, €

Im Verlies

3 A Caverna: Grobe Natursteinmauern und ein verwinkelter Eingang hinterlassen den Eindruck, man steige in einen Kerker hinab. Drinnen sieht es dann ›normal‹ aus, wenn man mal von den altertümlichen Stühlen absieht, die auch in einem Rittersaal stehen könnten. Das Essen ist gut, reichhaltig und deftig.
In der Pension Santo António, s. S. 62, €

Einkaufen

Souvenirgeschäfte gibt es keine. Mit etwas Glück bekommen Sie die Wander-

karte »São Nicolau« aus dem AB-Kartenverlag (www.ab-kartenverlag.de) in der Pension Jardim. Sollten Sie etwas Wichtiges vergessen haben, werden Sie evtl. in den kleinen Geschäften um die Kirche fündig. Am Westrand des Zentrums liegt in der Nähe der Post eine Bäckerei.

Von Fisch bis Fashion

1 Mercado Municipal: In der Straße, die von der Kirche aus nach Süden führt, findet man die städtische Markthalle. Bananen, Papayas, Kartoffeln, Mais, Maniok, Süßkartoffeln und Fisch bilden die Grundlage für die Ernährung der Inselbewohner. Aber auch Chilischoten, Tabakblätter und sogar Kleidung werden offeriert.
Mo–Sa vormittags

Bewegen

Wer in Ribeira Brava wohnt, möchte wahrscheinlich die Insel zu Fuß erkunden. Wandertransfers bieten alle Unterkünfte an.

Feiern

- **Carnaval:** Der Karneval wird fast so ausgelassen gefeiert wie in Mindelo. Von Sonntag bis Fastnachtsdienstag finden Umzüge, Bälle und die Wahl der Karnevalskönigin statt.
- **Festa São Nicolau:** 6. Dez. Zu Ehren des Inselpatrons Sankt Nikolaus feiert ganz Ribeira Brava. Am 6. Dezember 1461 soll die Insel zum ersten Mal von portugiesischen Seefahrern betreten worden sein.

Infos

- **Flugzeug:** Der Flughafen von São Nicolau liegt an der Straße von Ribeira Brava nach Preguiça, knapp 5 km von Ribeira

Brava entfernt. São Nicolau wird von Sal und Santiago aus 3–4 x wöchentl., von São Vicente aus 1 x wöchentl. angeflogen (www.bestfly.aero).

- **Fähre:** s. S. 77
- **Transport vor Ort:** Von der Praça do Terreiro im Zentrum fahren tagsüber mehrere Aluguers nach Tarrafal (350 CVE, 1 Std.), nach Juncalinho nur an Werktagen (meist 1 x tgl., also morgens in die Stadt und nachmittags wieder heraus, 250 CVE). Auch nach Preguiça bestehen mehrmals tgl. Verbindungen. Reine Taxis gibt es auf der Insel nicht, aber die Aluguerfahrer bieten Taxidienste an (Ribeira Brava–Flughafen ca. 600 CVE, Ribeira Brava–Tarrafal ca. 2500 CVE, Ribeira Brava–Juncalinho ca. 2500 CVE).

Wanderungen in der Umgebung von Ribeira Brava

Rund um Ribeira Brava 📍 Karte 1, H 5–6

Die Gegend um die Hauptstadt lässt sich am besten zu Fuß erkunden. Vor allem in Internetkarten sind zwar reichlich ›Straßen‹ zu sehen – und werden von älteren Einheimischen auch noch als solche (*estrada*) bezeichnet –, doch die meisten dieser Wege sind definitiv nicht befahrbar.

Auf eine Hochebene

Richtung Westen aus Ribeira Brava heraus führt die **Rua Amílcar Cabral.** Sie endet nach ca. 30 Gehmin. im Ortsteil **Água das Patas** und mündet in einen alten, gepflasterten Verbindungsweg. In Serpentinen wandern Sie nun immer steiler talaufwärts. Insgesamt sind ab dem Stadtzentrum über 600 Höhenmeter zu bewältigen, von denen man sich knapp 200 sparen kann, wenn man sich bis Água das Patas fahren lässt. Nach rund 2 Std. ab Ribeira Brava ist das Dorf **Cachaço** (s. S. 70) erreicht. Von hier aus bietet sich gleich die Besteigung des Monte Gordo an (s. S. 68), der sich in einem relativ dichten Waldgebiet versteckt. Wer sich fürs Umdrehen entscheidet, geht entweder den gleichen Weg zurück oder wartet auf ein Aluguer.

In ein kleines Bergdorf

Sehr ursprünglich ist's hier, dabei sehr gepflegt, das Bergdorf **Calejão** weiß zu überraschen. Auch mit seiner einstigen Bedeutung, denn in dieser Einsamkeit entstand Ende des 19. Jh. ein Ableger des **Seminário-Liceu de São Nicolau** (s. S. 60). Das auffallend breite Seminargebäude erhebt sich etwas oberhalb des Ortes. Es war nur wenige Jahre als solches in Betrieb, bereits 1911 wurde dieser (weltliche) Teil der Schule nach

Wer Ribeira Brava als Ausgangspunkt für Wanderungen nimmt, muss erst mal aufsteigen – in fast jede Richtung.

Praia auf Santiago verlegt. Danach richtete die Regierung ein Waisenhaus ein – zwei portugiesische und fünf spanische Nonnen kümmerten sich um rund 150 Kinder. Seit der Schließung 1968 steht das ehemalige Seminar leer.

Calejão ist ab dem Flughafen über eine Pflasterstraße zu erreichen. Von Ribeira Brava aus gelangt man in rund 1 Std. zu Fuß hierher. Am Cruzeiro de Penedo (s. S. 61) vorbei geht es auf einer staubigen Piste aus der Stadt heraus. Nach einigen Kurven erreicht man einen Pass mit Sendeanlage, von dem aus schon die Häuser von Calejão zu sehen sind. Am nördlichen Ortsrand von Calejão, wo der von Ribeira Brava kommende Fußweg in die gepflasterte Dorfstraße übergeht, steht die ehemals zum Seminar gehörige **Kapelle.**

Zum blauen Loch

Ein Felsen vulkanischen Ursprungs am Meer, der von der Brandung zuerst unterspült wurde und dann an einer Stelle in sich zusammenkrachte. So kam es zu dem Loch. Sein Attribut ›blau‹ erhielt es, weil je nach Seegang und Wasserstand die Gischt wie ein Geysir nach oben ge-

presst wird und als riesige Fontäne aus der Höhlung aufsteigt. Machen Sie sich also am besten bei hohem Wellengang auf den Weg zum **Buraco Azul** (›blaues Loch‹), dann ist das Wasserschauspiel am beeindruckendsten.

Dazu wandern Sie von Ribeira Brava zunächst bis Água das Patas (s. S. 64) und biegen dort nach einer öffentlichen Wasserstelle, etwa 50 m vor dem darauffolgenden Talgrund, rechts ab (30 Min.). Der Weg ist anfangs von Steinmauern gesäumt und mit einer weißen Markierung versehen. Nach Passieren einer Häusergruppe und eines einzeln stehenden Hauses wird nach 50 Min. ein verlassener Bauernhof erreicht. Etwa 100 m weiter treffen Sie auf einen breiten Pflasterweg, auf dem es in engen Serpentinen aufwärts geht. Über eine Passhöhe hinweg (70 Min.) senkt sich der Weg zum Ort **Queimada de Cima** ab, der rechter Hand liegen bleibt. Am unteren Dorfrand wandern Sie an einer Gabelung links hinab. Durch weitere Ortsteile von Queimada gelangen Sie nach 2 Std. an eine Straße, wo Sie sich rechts halten. Eine Viertelstunde später mündet sie in die Hauptstraße, auf der es nach links nur 30 m bis zur Zufahrtspiste zum Buraco Azul sind. Nach 2.30 Std. sind Sie am Ziel.

Auch per Auto lässt sich das ›blaue Loch‹ erreichen. Auf der Straße in Richtung Tarrafal geht es zunächst nach **Carvoeiros,** das auf einer felsigen Anhöhe über der Nordküste liegt. In der Umgebung des Dorfes gedeihen Bananen. Wenig später ist das Tal der **Ribeira de Queimadas** erreicht, von wo eine Piste, die unmittelbar im Talgrund rechts abzweigt, zum Meer und zum Buraco Azul führt.

Zu strohgedeckten Häusern

Teils verlassene Natursteinhütten in einer kleinen Bucht, die sogar mit einem – wenn auch nicht zum Baden geeigneten – kleinen Strand aufwarten kann, das ist das Ziel dieser Wanderung entlang der Küste von Estância Brás nach **Ribeira Funda.** Der Weiler liegt hinter Bergrücken verborgen und kann tatsächlich nur zu Fuß erreicht werden.

Mit dem Aluguer geht's zunächst nach **Estância Brás,** einem Ort etwas abseits der Hauptstraße, der im Wesentlichen aus Ferien- und Altersruhesitzen von Emigranten besteht. Von hier führt eine alte Pflaster›straße‹ nach Westen. Nach knapp 20 Min. beginnt ein Serpentinenweg zur Mündung der meist Wasser führenden **Ribeira da Covoada,** an deren Ufern tropische Früchte und Gemüse angebaut werden. Ein schmaler Bergrücken trennt dieses Tal von dem der Ribeira Funda mit dem gleichnamigen Weiler, den Sie nach weiteren 20 Min. erreichen. Planen Sie für Hin- und Rückweg ca. 2 Std. ein. Es gibt übrigens auch einen Zugang von Fajã de Cima (s. S. 69) aus, der ist aber mühsam und weit.

Preguiça und der Osten

Der lang gestreckte Ostteil von São Nicolau ist dünn besiedelt, nur etwa 400 Menschen leben hier. Steile Täler, Steinwüsten und bizarre Gebirgsformationen beherrschen die Szenerie.

Preguiça   📍 Karte 1, H/J6

Die Zeiten waren mal besser. **Preguiça** ist nach Cidade Velha auf Santiago der älteste Hafen der Inseln: Am 22. März 1500 ankerte hier die Flotte des Seefahrers Pedro Alvés Cabral, der zu diesem Zeitpunkt noch nicht ahnte,

dass er einen Monat später Brasilien ›entdecken‹ sollte. In der Folge mauserten sich die Bucht – und später die Siedlung Preguiça – zu einem wichtigen Stützpunkt. Noch bis 1986 wurden hier Waren angelandet und verschifft. Und bis in die 1980er-Jahre war Preguiça zudem Walfangstation. Und das muss man sich mal vorstellen: Der Kai war mit Marmor gepflastert! Reste sind heute noch zu erkennen. Nach der Unabhängigkeit des Landes verlagerte sich der Schiffsverkehr immer mehr nach Tarrafal und Preguiça geriet ins Abseits, der Handelshafen schrumpfte zum Fischerhafen. Was hier an Meeresgetier ankommt, geht zumeist an die Restaurants in Ribeira Brava und Tarrafal.

Überreste der Kolonialzeit
Am Beginn der Kaimauer befindet sich die Ruine des Zollhauses von 1890, die **Alfândega.** Bis zum Ende der portugiesischen Herrschaft 1975 war sie in Betrieb. Nahebei stehen direkt am Meer drei große englische und französische **Handels- und Lagerhäuser** aus der Zeit um 1870. Ausländische Kaufleute bauten damals den Hafen aus und exportierten Leder, Orangen und Zuckerrohr. Heute bieten die Gebäude Fischerfamilien ein einfaches Zuhause.

Nach Juncalinho
📍 Karte 1, H–J6

Von Ribeira Brava führt eine holprige Pflasterstraße an der Nordküste entlang durch ein landschaftlich schönes Gebiet nach Juncalinho.

Durch Erosion geschaffen
Zunächst geht es durch eine Steinwüste vorbei am **Monte Bissau** mit seinen gleichmäßigen Flanken. In der Ebene **Chã de Norte** verteilen sich ein paar klei-

ne Gehöfte, eine Häuserverdichtung gibt es erstmals wieder in **Belém,** doch auch hier wohnen nur rund 100 Menschen. In Zeiten großer Trockenheit leben sie von der Viehhaltung. Schweine, Hühner und Ziegen laufen frei herum. Lassen es die Niederschläge zu, werden Mais und Bohnen angepflanzt.

Hinter der **Ponta Coruja** wird der Blick frei auf bizarre Gebirgsformationen. Schmale, tief eingeschnittene Täler ziehen sich von den Bergen bis zum Meer hinunter. In dieser Gegend fällt zumeist an wenigen Tagen die gesamte Jahresniederschlagsmenge, was eine intensive Erosion zur Folge hat und u. a. dafür sorgt, dass auf den Geröllhängen riesige Steinblöcke liegen.

In Gottes Namen

In **Juncalinho** selbst sind einige traditionelle, strohgedeckte Häuser sehr gut erhalten. Hübsch herausgeputzt ist die **Capela da Sagrada Família,** die 1960 auf Initiative des italienischen Kapuzinermönchs Gesualdo Fiorini unter schwersten Bedingungen errichtet wurde. Da es noch keine Straßenverbindung gab, musste sämtliches Material auf dem Rücken von Eseln herbeigeschafft werden oder Frauen trugen es in Körben auf dem Kopf.

Carriçal ⚲ Karte 1, K 6

Ruhe vorprogrammiert

Sie suchen Ruhe und absolute Abgeschiedenheit? Dann auf nach Carriçal! Von Juncalinho aus ist Carriçal auf einer 17 km langen Piste zu erreichen, die sogar Mountainbikern einiges abfordert. Mit geländegängigen Fahrzeugen kann man sie mehr schlecht als recht befahren. Sie verläuft zunächst entlang der Küste

Es ist keine Wolke, die auf diese Hauswand in Juncalinho gemalt wurde. Es sind wohl eher Heimatgefühle, die in dem Umriss von São Nicolau, eingefasst von erdigen Tönen, gezeigt werden.

TOUR
Auf den Gipfel, fertig, los!

Gebrauchsanweisung zur Erkundung des Monte Gordo

Infos

Start und Ziel:
Cachaço,
📍 Karte 1, H 6

Dauer: 5 Std.

Anfahrt:
Nach Cachaço
(s. S. 71) kommen
Sie mit Aluguers.

Hinweise:
Für die Wande-
rung ist Kondition
und Trittsicherheit
erforderlich. Auch
wenn die Strecke
nur knapp 9 km lang
ist, sollten Sie mit
Pausen ausreichend
Zeit einplanen, denn
insgesamt sind rund
700 Höhenmeter zu
bewältigen.

Der **Parque Natural de Monte Gordo** gehört zu den sieben offiziellen Maravilhas de Cabo Verde (›Natur-schönheiten der Kapverden‹). Den Gipfel und seine botanisch interessanten Flanken kann man auf einem gut markierten Weg erwandern.

In **Cachaço** führt eine Pflasterstraße zum futuristisch wirkenden **Besucherzentrum.** Hier muss man sich an-melden und eine Gebühr von 100 ECV zahlen. Dafür kriegt man dann auch – zumindest wenn vorrätig – ein Kartenfaltblatt mit einer Übersicht der Wege. Am längsten, aber auch am schönsten ist der Gelbe Weg, markiert mit »Percurso Pedestre Principal«.

Vom Besucherzentrum folgt man der Pflasterstraße aufwärts. Nach gut 20 Min. und etwa 200 Höhenme-tern ist ein **Forsthaus** erreicht. Von dort steigt man ca. 15 Min. und 100 Höhenmeter weiter auf bis zu einer Gabelung im Wald. Hier den breiten Weg nach links, also in südlicher Richtung verlassen. Auf einem ange-legten Pfad erreicht man (trotz der auf einem Pfosten angegebenen 50 Min.) in etwa 30 Min. den mit Sende-masten garnierten Gipfel des **Monte Gordo.**

Dann auf demselben Weg zurück zur Gabelung im Wald absteigen und dem Forstweg in nordwestlicher Richtung folgen. Nach 15 Min. passiert man einen **Botanischen Gar-ten** mit endemischen Ge-wächsen. Ca. 10 Min. danach gelangt man an eine x-förmige Kreuzung. Dort den un-scheinbarsten Pfad wählen, der in nordwestlicher Rich-tung abzweigt. Dieser zieht sich mit Zwischenanstiegen hinab zum Besucherzentrum, das man in 1 Std. erreicht.

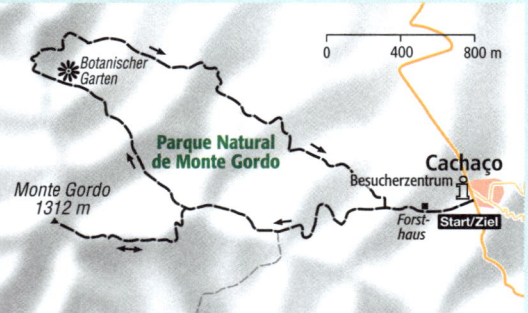

und passiert vier geologisch junge Vulkankegel, die in einer Reihe angeordnet sind. Vor der **Ribeira Alta** biegt der Fahrweg ins Landesinnere ab und quert die wüstenhafte östliche Landzunge über einen 490 m hohen Pass. **Carriçal** liegt an der Mündung zweier ausgetrockneter Flussbetten in einer Oase mit Bananenplantagen. Der dunkelsandige, von Kokospalmen gesäumte Strand gilt als der schönste von São Nicolau, doch wegen der umständlichen Anfahrt finden nur wenige Badegäste den Weg hierher.

Schlafen und Essen

Aus Italien zurückgewandert
Maria do Céu: Maria do Céu hat in Italien als Köchin gearbeitet und führt nun diese kleine Pension. Die schattige Terrasse lädt zum Verweilen ein, selbstredend wird man hervorragend bekocht. Aufgrund von Corona aktuell geschlossen, die Zukunft ist ungewiss.
Preguiça, im oberen Ortsteil, T 235 15 82, €

Ruhe pur
Casa Tartaruga, Casa Pardal: Zwei renovierte traditionelle Steinhäuser an der Bucht von Carriçal in einzigartiger Lage – eines 30 m vom Wasser entfernt, das andere mit Terrasse direkt über dem Meer. Beide sind komplett für die Selbstversorgung eingerichtet, die Casa Tartaruga hat sogar einen Natursteinofen im Hof. Ein Transport von Ribeira Brava oder Tarrafal ist möglich (Fahrer Djodge, T 981 64 46). Selbstversorger sollten sich in Ribeira Brava mit allem Nötigen eindecken, in Carriçal gibt es zwar Grundnahrungsmittel und Getränke, aber kaum Gemüse. Traumhaft gelegen ist auch das angeschlossene Restaurant Beramar, dort kann man Halbpension bekommen. Die Unterkunft muss per Mail gebucht werden (deutschsprachig).
Carriçal, www.saonicolau.de, €€

Infos

• **Transport vor Ort:** Sporadische Aluguers nach Preguiça, kaum nach Juncalinho. Eine Taxifahrt von Ribeira Brava nach Carriçal kostet ca. 5500 ECV.

Das zentrale Bergland

Westlich von Ribeira Brava erstreckt sich ein relativ flaches und grünes Gebiet, aus dem der Monte Gordo aufragt, mit 1312 m ist er São Nicolaus höchster Gipfel. Seine gesamte Umgebung wurde als **Parque Natural de Monte Gordo** (s. S. 68) unter Schutz gestellt.

Fajã de Baixo und Fajã de Cima   ♥ Karte 1, H 6

Der fruchtbarste Inselstrich
Der Weg in die Höhe führt durch die Ebene **Fajã,** wo Landwirtschaft das Leben bestimmt. Im tiefer gelegenen und somit wärmeren Ortsteil **Fajã de Baixo** (›Unteres Fajã‹) gedeihen Bananen, Zuckerrohr, Papaya und Brotfruchtbäume. Entlang der Straße können Sie in kleinen Mercearias Verpflegung für unterwegs und gekühlte Getränke erstehen.

Weiter oben, in **Fajã de Cima** (›Oberes Fajã‹), wird es dann merklich frischer. Für tropische Früchte ist das Klima zu rau. Die Landwirte kultivieren deshalb in diesem Teil der Ebene vorwiegend Mais und Bohnen. Während der portugiesischen Herrschaft ließen Großgrundbesitzer hier Kaffee produzieren. Das lohnt schon seit Jahrzehnten nicht mehr, aber immerhin haben die überalterten Stau-

Cachaço liegt mittendrin in der bizarren Felsgipfelwelt von São Nicolau und ist Startpunkt für eine Tour auf den Monte Gordo, aber keine Sorge, das hier ist er nicht – der höchste Inselberg lässt sich leicht besteigen.

den weiterhin einen Job: Sie dienen den Bohnen als Rankgerüst.

Eine große betonierte Fläche nördlich von Fajã de Cima dient zum Sammeln von Wasser. Beim Bau der Anlage wurde mittig eine Lücke ausgespart, aus der ein Drachenbaum herauswächst – abholzen wäre ein Frevel gewesen, denn diese Urzeitgewächse sind ziemlich selten geworden.

Cachaço ♦ Karte 1, H 6

Geniale Aussichtspunkte
Noch einen Stock höher geht es nun, und zwar nach **Cachaço.** Nicht der Ort selbst ist's, der zum Anhalten bewegt, sondern seine Lage und die Umgebung. Spazieren Sie doch zuerst einmal zur kleinen **Capela Nossa Senhora do Monte Cintinha** am Ostrand des Dorfes. Vom Vorplatz der 1919 errichteten Kapelle kann man in aller Ruhe die herrliche Aussicht genießen. An diesem idyllischen Ort verschnaufen auch gerne die Wanderer, die von Ribeira Brava aufgestiegen sind (s. S. 64) – sie sind nur zu bewundern.

Und noch einen Aussichtspunkt gibt es, gar einen der prächtigsten des Archipels. Ein mächtiges Betonkreuz markiert einen namenlosen **Miradouro,** der etwa 500 m südlich von Cachaço an der Straße Richtung Tarrafal liegt und von dem der Blick bis nach Ribeira Brava reicht.

Dragoeiros de Cachaço
📍 **Karte 1, H 6**

Ein Wald voller Drachen

Sie waren hoffentlich vorgewarnt! Davor, dass Schusters Rappen auf São Nicolau immer wieder herhalten müssen, und davor, dass in den durchaus überschaubaren Inselwäldern seltene Geschöpfe hausen. Wandern Sie also los und besuchen Sie die Drachen, die an den Flanken des **Monte Gordo** (s. S. 68) ihre Heimat haben. Zuvor sollte der Weg ins **Besucherzentrum** des Nationalparks (s. S. 68) führen, um sich über die Wege zu informieren.

Tatsächlich gibt es um Cachaço den archipelweit größten Bestand an Drachenbäumen *(dragoeiros)*. Sie sind entfernt verwandt mit den Agaven und Lilien und können auf São Nicolau bis zu 10 m hoch werden. Die ältesten sind über 600 Jahre alt. Drachenbäume kommen auf den Inseln von Natur aus vor, ebenso wie auf den Kanaren, Madeira und den Azoren. Ihre harzigen Ausscheidungen liefern einen roten Farbstoff, der lange Zeit exportiert wurde und ein wichtiger Wirtschaftsfaktor der Kapverden war. Allerdings bluteten die so genutzten Bäume regelrecht aus und starben früher oder später ab. Auf allen anderen Inseln sind sie selten geworden.

Essen

Restaurants gibt es im Inselzentrum nicht. Alles, was Sie essen und trinken möchten, sollte dabei sein. Mercearias an der Straße bieten eine Grundversorgung.

Feiern

• **Pascoela:** Eine Woche nach Ostern feiert man in Fajã den sogenannten ›Weißen Sonntag‹. Es finden Prozessionen und Pferderennen statt, auch Tabanca-Tänze (s. S. 159) werden aufgeführt.

Infos

• **Transport vor Ort:** Cachaço liegt auf der Strecke Ribeira Brava–Tarrafal, sodass von hier regelmäßig Aluguers in beide Richtungen fahren, nach Einbruch der Dunkelheit jedoch nur noch sporadisch.

Tarrafal und der Westen

Die Fahrt vom Gebirge hinunter zum Strand verläuft zunächst einmal ernüchternd: aus vergleichsweise üppigem Grün in steppenhaftes Wüstengebiet. Einzig Akazien ertragen die Trockenheit, ansonsten wächst nichts. Dass sich in einer solchen Region ein – zumindest für die Verhältnisse von São Nicolau – Touristenort befindet, liegt allein an den herrlichen Stränden.

EIN MÖNCH GIBT ENTWICKLUNGSHILFE

1955 kam der italienische Kapuzinermönch **Gesualdo Fiorini** (1923–2007) nach Tarrafal, nahm sich des Ortes und seiner Bewohner an. Er sammelte Geld in Rom, ließ Häuser bauen, schuf Arbeitsplätze und initiierte den Bau der **Igreja São Francisco.** Außerdem sorgte er dafür, dass der Kirchplatz zum sozialen Mittelpunkt des wachsenden Ortes wurde. Heute erinnert ein Denkmal im Zentrum an den hoch geschätzten Mann.

Tarrafal ♀ Karte 1, H 6

Der lange Sandstrand ist das touristische Kapital des Ortes. Lange Zeit war **Tarrafal** nur ein unbedeutendes Fischerdorf in einer heißen Einöde. Wenn die Urlauber alle wieder abgereist sind, ist es das immer noch, auch wenn sich hier der Fähr- und Handelshafen von São Nicolau befindet.

Dann ist die Esplanada am Strand geschlossen, leere Bars warten auf Kundschaft und die Betreiber der Pensionen sind froh um jeden Gast. Aber in der Zeit um Weihnachten, Ostern und vor allem im Sommer belebt sich die Szenerie. Emigranten auf Heimaturlaub besuchen ihre Verwandten und verbringen in Tarrafal ihren Urlaub, aber auch Touristen aus Europa sind gelegentlich anzutreffen.

Sand gegen Rheuma

Die weitläufige **Praia da Luz** nordwestlich der Stadt ist der einzige wirkliche Badeplatz der Insel. Doch nicht nur das. Dem schwarzen Sand, der reichlich Titan und Jod enthält, wird auch lindernde Wirkung bei Gelenkbeschwerden und Rheuma nachgesagt. Einfach ein Tuch auf die erkrankten Körperstellen legen und den warmen Sand drauf schaufeln – fertig ist die Anwendung.

Inseln in der Ferne

Wenn Sie von Tarrafal aus in Richtung Westen blicken, erspähen Sie zwei Inselchen: Ilhéu Branco (weiter im Westen) und Ilhéu Razo (näher an São Nicolau). Die beiden unbewohnten Eilande stehen seit 2003 unter strengem Naturschutz, wurden von BirdLife International zu Important Bird Areas (IBAs) erklärt und dürfen nur mit Sondergenehmigung, die ausschließlich Wissenschaftlern erteilt wird, betreten werden. Auch Privatjachten müssen zu den Inseln einen genau festgelegten Abstand einhalten.

Die 3 km² kleine **Ilhéu Branco** ist ein wichtiges Rückzugsgebiet für bedrohte Seevögel. Auch auf der 7 km² messenden **Ilhéu Razo** brüten seltene Vogelarten, u. a. die Razo-Lerche *(Alauda razae)*, deren Bestand durch Nachstellungen, insbesondere der Jungvögel, bis auf wenige Exemplare dezimiert wurde. Ein interessantes Reptil kommt ebenfalls nur auf den beiden Inseln vor, der 30 cm lange Riesengecko *(Tarentola gigas).*

Praia Branca ♀ Karte 1, H 6

Schneller zu Fuß

Völlig ab vom Schuss im Nordwesten der Insel liegt **Praia Branca** geschützt in einem Tal. Unterhalb des Dorfes erstreckt sich die savannenartige Ebene **Chã de Curralin**, wo Akazien in der flimmernden Hitze stehen. Dagegen ist es im rund 300 m hoch gelegenen Praia Branca vergleichsweise kühl und grün. Einfache Läden und Bars bieten das Notwendigste an. Die Bewohner leben von der spärlichen Landwirtschaft auf kleinen Feldterrassen und dem Handel mit der fruchtbaren Ebene von Fajã (s. S. 69). Um diese zu erreichen, müsste man mit dem Wagen um die halbe Insel kurven. Zu Fuß ist nur ein Katzensprung vorbei an den Zwillingsfelsen Tope de Matim (1057 m) und Tope de Moca (939 m, s. S. 74).

Ribeira da Prata ♀ Karte 1, H 5

Ziemlich staubig

Ein Schlagloch folgt dem nächsten auf dem Weg von Praia Branca nach **Ribeira da Prata.** Die Häuser des abgelegenen Dorfes an der Nordküste verteilen sich entlang des gleichnamigen Flusses. Straßen gibt es keine, nur Pflasterwege und staubige Pfade. Beeindruckend wirkt die

Lieblingsort

Pfannkuchen auf Pfannkuchen

Die Brandung tost, der Wind pfeift, die Gischt spritzt, das Gestein, von Erosion kunstvoll zernagt, strahlt in warmen Brauntönen. Der Küstenabschnitt von **Carberinho** zählt zu den Sete Maravilhas (›Sieben Naturwunder‹) der Kapverden und doch kommen nur selten Besucher hierher, denn die Anfahrt ist beschwerlich: Etwa 12 km nordwestlich von Tarrafal zweigt eine beschilderte Piste zur Küste ab. Nach etwa 2 km Fahrt durch wüstenhafte Landschaft wird das Gelände steiler und es geht nur noch zu Fuß weiter (♀ Karte 1, H 6, GPS-Daten: 16° 38' 278 ha 20.66"N, 24° 25'35.94"W).

TOUR
Quer durchs Gebirge, ab in die Botanik

Zu Fuß über Stock und Stein von Praia Branca nach Fajã

Ein alter Pflasterweg führt über das zentrale Gebirge von São Nicolau. Maultiere transportieren auf ihm die Feldfrüchte der feuchten Fajã-Ebene in den trockeneren Teil der Insel. Mit der Höhenlage wechseln auch die Vegetationszonen, also ab in die Botanik!

Die Wanderung beginnt an der Kirche von **Praia Branca.** Man folgt der gepflasterten Dorfstraße aufwärts, überquert bald einen kleinen Platz und biegt nach einer Linkskurve in die nächste Pflasterstraße rechts ein. Voraus erheben sich die markanten Zwillingsfelsen **Tope de Matim** (links) und **Tope de Moca** (rechts). In diese Richtung steigen Sie auf.

Wie bei fast jeder Wanderung auf den Kapverden gilt auch hier: Es kann richtig heiß werden und unterwegs gibt es nichts zu kaufen, packen Sie ausreichend Trinkwasser ein!

Die Zwillingsfelsen
Die Hänge am Fuß der Zwillingsfelsen sind mit Felsterrassen überzogen und leuchten je nach Jahreszeit in sattem Grün. Dies verdanken sie der Passatbewölkung, die den Nordhängen der Kapverdischen Inseln oberhalb von 300 m regelmäßig eine gewisse Feuchtigkeit bringt. Bauern aus Praia Branca nutzen die kleinen Felder für den Anbau von Mais und Bohnen. An unzugänglichen Stellen gedeiht noch der Federbusch, eine Vegetationsform, die mit der Flora der Kanaren und des Mittelmeerraums verwandt ist. Häufigster Strauch ist die Kapverden-Wolfsmilch, ein

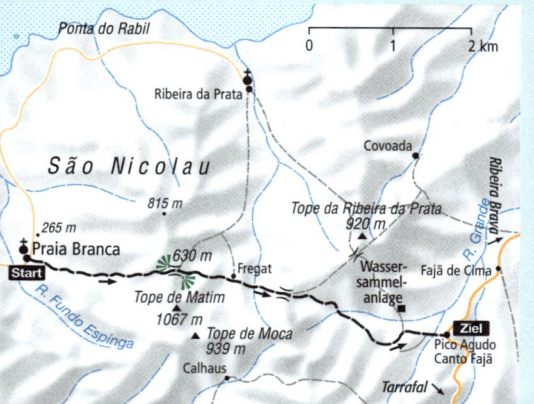

Infos

Start:
Kirche in Praia Bran-
ca (Anfahrt mit dem
Aluguer),
♀ Karte 1, H 6

Ziel:
Pico Agudo Canto
Fajã (Rückfahrt mit
dem Aluguer)

Dauer:
Reine Gehzeit
2.30 Std., besser
3 Std. einplanen

Anspruch:
Mittelschwere Tour
auf alten Verbin-
dungswegen, die die
Einheimischen täglich
nutzen.

Endemit, der sonst nirgendwo auf der Welt vorkommt.
Der Weg schwenkt nach links, quert ein Seitental, das
seinen Ursprung am Tope de Moca hat, und steigt dann
bald steiler an. Auf einem schmalen Bergrücken links
unterhalb der Zwillingsfelsen führen enge Serpentinen
aufwärts. Nach 45 Min. ist eine **Passhöhe** (630 m) erreicht. Beeindruckende Blicke zurück nach Praia Branca
und voraus auf zerklüftete Landschaft sind der Lohn für
rund 400 anstrengende Höhenmeter Anstieg.

Felswände und seltene Pflanzen
Auf dem Pass hält man sich rechts. Der Weg verläuft
nun fast höhenparallel unterhalb der Steilwand des
Tope de Matim. An den nach Norden orientierten
Felsen gedeihen dekorative Blütenpflanzen wie die
an einen überdimensionalen Löwenzahn erinnernde
Gänsedistel, die Kapverdische Glockenblume und das
Dickblattgewächs *Aeonium gorgoneum*. Links unten
sitzen kleine Dörfer auf schmalen Felsvorsprüngen.
Voraus erkennt man das nächste Ziel, den Weiler
Fregat. Doch zunächst geht es bergab bis zu einer
T-Kreuzung (1.15 Std.). Links könnte man nun nach
Ribeira da Prata (s. S. 72) abzweigen, Sie aber laufen
rechts hinunter (ab hier sind Sie auf dem Weg Ribeira
da Prata–Fajã) und queren einen Talgrund. Nun geht
es wieder bergauf. Kurz vor **Fregat** passiert der
Pflasterweg eine Kuppe und umgeht den Ort an seinem oberen Rand. Danach senkt er sich noch einmal
in ein steiles Tal ab und steigt dann zu einer zweiten
Passhöhe an (2.15 Std.).

Drachenbäume in der Ebene
Nach Überschreiten des Passes öffnet sich voraus die
flache, ackerbaulich genutzte Senke von **Fajã**. Zahlreiche
Drachenbäume gedeihen hier. Nach Passieren zweier
Gehöfte wird der Weg zu einer befahrbaren Piste. Diese
führt durch Felder und an immer mehr Häusern vorbei.
An einer T-Einmündung wandert man links hinunter.
Bevor die Piste wieder beginnt anzusteigen, biegt man
rechts in eine Pflasterstraße ein. Bald endet die Pflaster-
decke. Eine von rechts einmündende Sandpiste bleibt un-
beachtet. An der nächsten T-Einmündung geht es rechts
aufwärts. Jetzt ist nach wenigen Metern die Hauptstraße
bei dem Ortsteil **Pico Agudo Canto Fajã** erreicht (3 Std.).
Sie führt links nach Ribeira Brava, rechts nach Tarrafal.

Gebirgslandschaft über Ribeira da Prata. Auf Felsspitzen hängen wie Adlernester kleine Häusergruppen. Ein Verbindungsweg führt über einen rund 800 m hohen Pass in etwa 4 Std. nach Fajã (s. S. 69).

Rätselhafte Schriftzeichen

Im unteren Teil des Tals von Ribeira da Prata gibt es eine sogenannte **Rocha Scribida** (›Schreibfelsen‹). Ob es sich bei den im Gestein sichtbaren Linien wirklich um prähistorische Felsritzungen handelt oder ob sie auf natürliche Weise durch Verwitterung und Erosion entstanden sind, ist wissenschaftlich nicht gesichert. Eindeutig nachgewiesene Petroglyphen finden sich nur auf Santo Antão (s. S. 128). Die Bewohner von Ribeira da Prata weisen jedoch gerne den Weg zu ihrem mystischen Stein, der nur zwei Gehminuten vom Straßenende entfernt auf der anderen Seite des Flussbetts liegt. Eine willkommene Abwechslung, denn ansonsten passiert nicht viel im Dorf.

Schlafen

Eine Auswahl an privaten Unterkünften finden Sie auf www.airbnb.de.

Der Klassiker

Alice: Der Familienbetrieb war einer der ersten in Tarrafal. Im Erdgeschoss befindet sich ein kleiner Supermarkt. Der Speiseraum im ersten Stockwerk wirkt wie das Wohnzimmer. Die Zimmer sind ordentlich, einige haben einen Balkon. Das Alice liegt direkt an der Uferstraße und am Strand, am Nordrand des Zentrums. Wegen Corona derzeit geschlossen.
Tarrafal, Praia Luz, T 236 11 87, €

Für Selbstversorger

Edifício Magico: Die Apartments verteilen sich auf zwei Stockwerke. Alle sind groß, sauber und haben eine komplett ausgestattete Küche. Frühstück können Sie bestellen, entweder aufs Zimmer oder auf die Dachterrasse, die eine grandiose Aussicht bietet. Der italienische Gastgeber bietet Wander- und Flughafentransfers an.
Tarrafal, Av. Assis Cadorio, T 236 19 41, www.edificiomagico.com, €

Wohlfühloase

Casa Patio: Erst 2017 wurde die Unterkunft eröffnet, alles ist blitzeblank. Die Zimmer gruppieren sich um einen gepflegten Innenhof und sind in reduziertem Schick gemütlich eingerichtet. Transfers werden organisiert. Das auffallend farbige Haus liegt am Südrand des Zentrums, ca. 100 m vom Strand entfernt.
Tarrafal, Alto Calheta, T 973 70 27, www.casa-patio.de, €€

Den Hafen im Blick

Zena Star Apartments: In dem gepflegten Haus mit Blick auf den Hafen können Sie große Apartments mit komplett ausgestatteter Küche mieten. Angeschlossen ist ein italienisches Restaurant.
Tarrafal, Ribeira Algodoeiro, T 976 24 64, www.zenastar.com, €

Den Wellen lauschen

Bed & Breakfast Regina: Genial ist die Lage am Meer, wohin die Balkone der vier Apartments weisen. Einfach eingerichtete, aber angenehme Unterkunft mit einer hilfsbereiten Gastgeberin, die auf Wunsch auch ein preisgünstiges, landestypisches Frühstück serviert. Etwas außerhalb in einer Wohngegend, das Ortszentrum ist bequem fußläufig zu erreichen.
Tarrafal, Av. Assis Cadório, buchbar z. B. über Booking.com und Airbnb.de, €

Ruhe, oh diese Ruhe

Farinha de Pau: Entspannte ländliche Unterkunft für kontaktfreudige Menschen am westlichen Ortseingang.
Praia Branca, T 915 39 16, www.farinhadepau.com, €€

Essen

Nicht nur Pizza
Makaroni and Brothers: Dieses italienische Restaurant gehört zu einer Unterkunft. Fühlen Sie sich auf den Kapverden wie in Italien und genießen Sie leichte mediterrane Küche.
Tarrafal, im Gebäude der Zena Star Apartments, s. S. 76, €€

Bewegen

Wanderungen, Transfers & mehr
Rotxa Skribida: António Lopes hat viele Wanderungen im Angebot. Er beschränkt sich nicht auf das Gebiet um Tarrafal, sondern erwandert mit Ihnen die ganze Insel.
Tarrafal, Telha, T 236 18 27, 994 51 46, rotxa skribida@gmail.com, www.caboverde.com

Ausgehen

Abends ist wenig los in Tarrafal. Gelegentlich spielt eine Musikgruppe in den Restaurants, im Sommer öffnet eine Strandbar.

Infos

● **Fähre:** Fährschiffe verkehren nach Sal, Boa Vista, Santiago und São Vicente (www.cvinterilhas.cv).
● **Transport vor Ort:** Mit Aluguers tgl. mehrmals von Tarrafal nach Ribeira Brava (ca. 350 ECV), meist morgens hin und nachmittags bzw. abends zurück. Praia Branca und Ribeira da Prata werden nur selten von Aluguers angefahren, können aber von Tarrafal aus mit dem Taxi erreicht werden (1200 bzw. 2500 ECV).

Tarrafal ist das Einfallstor für diejenigen, die übers Meer kommen, und eigentlich der einzige wirkliche Urlaubsort der Insel, doch selbst zur Hauptsaison geht es auf der örtlichen Flaniermeile eher beschaulich zu.

Zugabe
Strategie
mit Steinen

Über eine kapverdische Sucht

Man nehme zwei Kontrahenten, ein Brett mit jeweils sechs sich gegenüberliegenden Kuhlen sowie 48 Spielsteine – und schon kann man loslegen mit einem der ältesten Strategiespiele der Welt, Ouril bzw. Ourin wird es auf den Kapverden genannt. Wollen Sie's auch mal ausprobieren? Hier die Regeln: Zu Beginn liegen in jeder Mulde vier Steine, gespielt wird immer abwechselnd. Bei einem Zug wählt der Spieler eine Kuhle seiner Seite, entnimmt ihr alle Steine und verteilt sie entgegen dem Uhrzeigersinn auf die folgenden Kuhlen, auch auf die des Gegners. In jede Vertiefung wird nur ein Stein gelegt. Wird ein Spielzug mit einer Kuhle begonnen, in der mehr als elf Steine liegen, muss die Startkuhle bei der Verteilung der Steine ausgelassen werden. Landet der letzte Spielstein auf der Seite des Gegenspielers und befinden sich nach Ende des Spielzugs zwei oder drei Steine in der Kuhle, hat der Spieler die Steine gewonnen und darf sie aus dem Spiel nehmen. Befinden sich in Gegenrichtung, also im Uhrzeigersinn, in den an die letzte Kuhle angrenzenden Vertiefungen jeweils zwei oder drei Steine, so darf der Spieler auch diese zu seinem Gewinn zählen und entnehmen, aber nur auf der Seite des Gegners. Die Steinentnahme ist an einer Kuhle mit einem oder vier und mehr Steinen zu Ende. Dann ist der andere Spieler dran. Gewonnen hat, wer zuerst mehr als 24 Steine besitzt. ∎

São Vicente

São Vicente ist Mindelo — das stimmt nicht ganz, ist aber auch nicht ganz gelogen, denn sonst gibt es hier wirklich nicht viel. Die Stadt besitzt einen wichtigen Hafen und ist entsprechend lebendig. Ein Hotspot des Nachtlebens überdies.

Seite 83
Mindelo ⭐

In der Hafenstadt mischen sich portugiesischer Kolonialstil und afrikanisches Flair. Außerdem gilt Mindelo als Kulturmetropole der Kapverden. Jede Menge Zutaten also für einen abwechslungsreichen Aufenthalt – tagsüber und abends.

Seite 84
Alliance Française

Ein Ruhepol ist der gemütliche Innenhof des französischen Kulturzentrums mit Café und Restaurant. Wie eine Oase der Stille liegt er mitten im quirligen Treiben der Hauptstadt.

Mindelo ist die Stadt der Musik. Sie müssen aber lange aufbleiben!

Eintauchen

Seite 85
Alles fischig

Raue Seebären putzen ihn, resolute Frauen preisen ihn an, Katzen sind hinter ihm her. Im Mercado de Peixe dreht sich alles um den Fisch.

Seite 89
Treffpunkt

Die Rua Libertadores d'África ist Mindelos zentrale Achse, mittendrin die nette Terrasse der Pastelaria Algarve.

Seite 89
Gemüse satt

Das Angebot im Mercado Municipal ist für kapverdische Verhältnisse geradezu enorm.

Seite 90

Cesária Évora

Die barfüßige Diva ist eine Nationalheilige. In einem Museum können Sie ihre Bühnenoutfits betrachten, Videos über ihr Leben ansehen und natürlich auch ihrer Musik lauschen.

Seite 98

Baía das Gatas ⭐

Ein heller, flach abfallender Sandstrand in einer windgeschützten Bucht, so sieht die Badewanne der Insel aus. Jeden Sommer findet hier ein großes Musikfestival statt.

Seite 95

Kunsthandwerk

Kein anderer Ort der Kapverden hat so viele schöne Souvenirläden wie Mindelo. Bummeln Sie los!

Seite 102

São Pedro

Als würde er künstlich aufgedreht – auf den Wind ist Verlass in diesem Küstenort, weswegen sich hier auch die Surfszene der Welt trifft.

Fotografieren Sie im Mercado de Peixe nur den Fisch, die Verkäuferinnen und die Fischer werden ungern abgelichtet.

Machen Sie es sonntags wie die Einheimischen: Verlassen Sie die Stadt und gehen Sie an den Strand. Wenn alles geschlossen hat, ist Mindelo ziemlich langweilig.

erleben

Mit künstlerischer Ader

São Vicente wird oft auf Mindelo reduziert – Mindelo ist die kapverdische Hauptstadt der Musik, der Kultur, der Kunst. Die weltbekannte Musikerin Cesária Évora wurde hier geboren und ist hier gestorben. Sie war die Wegbereiterin für viele junge Künstler, die sich aus dem Schatten ihrer armen Vergangenheit gelöst haben und nun mit einem bis dato unbekannten Selbstbewusstsein von sich reden machen.

Über der Stadt weht der Hauch des Urbanen, wenngleich São Vicentes ›Kapitale‹ – zumindest gemessen an ihrer Einwohnerzahl – eher klein zu nennen ist. Immerhin steht sie in dem legendären Ruf, das Zentrum des Nachtlebens der Kapverden zu sein. Dem wird sie in den vielen schummrigen Musikkneipen locker gerecht, allerdings ändern die ihre Namen und Örtlichkeiten so schnell, dass kein Reisebuchautor hinterherkommt. Lassen Sie sich nächtens also am besten treiben und folgen Sie Ihren Ohren. Auch tagsüber ist viel los in Mindelo. Auf den Märkten geht es laut und sehr ursprünglich zu, in der Altstadt herrscht größte Geschäftigkeit.

Ganz anders das Inselzentrum und die felsige Südküste. Hier ist es extrem

ORIENTIERUNG

Infos: www.mindelo.info (private Seite mit den umfangreichsten Infos zur Insel, auch zu Kulturveranstaltungen, Unterkünften, Aktivitäten etc., nur auf Frz.). Lucete Fortes betreibt in Mindelo einen Infokiosk (s. S. 97).
Transport: Vom Flughafen regelmäßig mit TAP nach Europa. Mit Bestfly kommen Sie auf alle anderen Inseln, oft mit Stopover auf Santiago oder Sal. Per Fähre gelangt man von Mindelo tgl. mehrmals nach Santo Antão, seltener auch nach Santiago und São Nicolau. In Mindelo verkehren Stadtbusse und Taxen. Der auf den anderen Inseln übliche Aluguerverkehr ist hingegen eingeschränkt. Mietwagen sind vorhanden.
Planung: Die Unterkünfte der Insel konzentrieren sich in Mindelo. Alle Kategorien sind vorhanden. Ruhiger wohnen Sie z. B. in São Pedro.

karg und daher fast menschenleer. Aber auch der Rest von São Vicente lässt keine Hektik aufkommen. Im Norden und Osten finden Sie traumhafte, teils völlig unerschlossene Strände, und im Südwesten liegt mit São Pedro ein Treffpunkt der Profisurfer, die ein bisschen Leben in den Fischerort bringen.

Mindelo Karte 1, D4

Sie sind gleich da! Schon nach kurzer Fahrt vom Flughafen biegen Sie in die große Bucht ein, in der **Mindelo** liegt. Erste Auffälligkeit: die verrosteten Schiffswracks im Meer. Sie zeugen davon, dass es an Geld fehlt, auch eine Verschrottung kostet. Modern und schick dagegen erstrahlt der neue Jachthafen, gleich daneben liegt der urige Fischmarkt. Alles ist ganz nah beieinander in Mindelo: aparte Restaurants, prachtvolle Gebäude aus der Kolonialzeit, morbider Charme und neureiches Gehabe.

Am Meer

Erinnerung an Pioniere
Dreh- und Angelpunkt der Meerespromenade ist ein Kreisverkehr auf Höhe des Jachthafens, wo ein auffallender

FAKTENCHECK **F**

Einwohner: 80 000, zweitgrößte Stadt von Cabo Verde
Bedeutung: Kulturhauptstadt der Republik, Sprungbrett nach Santo Antão
Stimmung auf den ersten Blick: Hafenstadt
Stimmung auf den zweiten Blick: Hafenstadt mit viel Flair
Besonderheiten: große Musik- und Kunstszene, Heimat der Sängerin Cesária Évora

Steinadler auf einem Sockel steht. Die **Águia do Mindelo** ❶ erinnert an die beiden portugiesischen Piloten Carlos Viegas Gago Coutinho und Artur de Sacadura Freire Cabral, die 1922 als Erste die Südatlantikroute von Lissabon nach Rio de Janeiro flogen. Auf der Strecke machten sie mit ihrem Flugboot Lusitânia in Mindelo Station.

Das obligatorische Bild in einem kapverdischen Küstenort: Ein Strand mit Booten und Fischern. Aber nachts spielt die Musik in Mindelo nicht dort. Nachts lohnt es sich, im Ort um die Häuser zu ziehen.

Lieblingsort

Oase der Ruhe

In der Stadt ist es hektisch und heiß. Die Luft flimmert. Der Verkehr ist laut. Jeder sucht sich seine Ruheinsel. Meine ist der kühle Innenhof des Restaurants La Pergola in der **Alliance Française de Mindelo** ❷. Ich kann mir eine ruhige Ecke am Rand suchen, kommunikativ in der Mitte sitzen, egal wo, ich genieße den kühlen Schatten. Die Stadt, so interessant sie ist, sie bleibt draußen. In der Ruhe hole ich Luft. Angeschlossen an das französische Kulturzentrum ist eine Bibliothek mit zahlreichen Büchern über die Kapverden, die meisten natürlich auf Französisch. In einem kleinen Laden können Sie Landkarten kaufen, oft finden Livekonzerte statt und wunderbar essen können Sie hier auch (s. S. 94, Praça Dom Luis, Rua Libertadores d'Africa, Ecke Rua Santo António, T 232 11 49, www.afmindelo.org, Mo–Fr 10–19 Uhr).

Ein ehrwürdiger Platz

Die **Praça Dom Luis** bekam erst in den letzten Jahren ihr altehrwürdiges Aussehen zurück. Nun sind die kolonialen Häuser restauriert und gestrichen. In einem befindet sich die **Casa Café Mindelo** 1 (s. S. 92), beliebter Treffpunkt der Künstler und Intellektuellen der Stadt.

Das prächtige Gebäude an der Südseite des Platzes war einst der Sitz der englischen Kohlehandelsgesellschaft **Cory Brothers** 3, die ab 1875 in Mindelo tätig war (und heute eines der führenden Schifffahrtslogistikunternehmen weltweit ist). Wegen ihr legten immer mehr Schiffe im Hafen von Mindelo an, verhalfen der Stadt zu Reichtum, aber auch zu einem zweifelhaften Ruf (s. S. 88). Heute befinden sich hier eine Schifffahrts- und Reiseagentur sowie im Erdgeschoss ein großer Supermarkt der kapverdischen Kette Fragata.

Alte und moderne Seefahrer

Weiter südlich säumen die Uferstraße die **Armazénes de Ingleses** 4, ehemalige Handelshäuser von englischen und schottischen Kaufleuten. Sie machten im 19. und Anfang des 20. Jh. gute Geschäfte in der Stadt.

Auf der seewärtigen Seite liegen die teils maroden Holzboote der Fischer am Strand. Auf den Rümpfen trocknet der Fisch, Netze werden geflickt, der ganz normale Alltag eben. Als Kontrast dazu erhebt sich mitten unter ihnen das **Monumento a Diogo Afonso** 5, der mit einem Sextanten in der Hand dargestellt ist. Um die Jahreswende 1461/62 erkundete er von Santiago aus den Norden des Archipels und entdeckte dabei u. a. am 22. Januar 1462 São Vicente. Das Denkmal errichtete man 1955 zur Zeit der Salazar-Diktatur. Es trägt bis heute das portugiesische Wappen, denn die Regierung der Kapverden bemüht sich um die Bewahrung des kulturellen Erbes aus der Kolonialzeit.

EIN KÖNIG UND DIE KUNST

Ende des 15. Jh. war die Zeit der großen Entdeckungsfahrten, Portugal ganz vorne mit dabei – und reich. Das spiegelte sich auch im Baustil wider. Nach dem damaligen König Manuel I. wurde der **Manuelismus** benannt, dessen auffallendste Merkmal die Verzierungen sind, die die Seefahrt symbolisieren. So wurde auch der Turm von Mindelo gestaltet: Verschlungene Schiffstaue aus Stein umranden die Fenster, schmückende Funktion haben auch die Kreuze des Christusritterordens und die verspielten Türmchen.

Museum mit Ausblick

Um die Stadt ›portugiesischer‹ zu machen, ließ Diktator Salazar 1937 auch den wuchtigen **Torre de Belém** 6 errichten, ein exakter Nachbau des Turms in Lissabon. Im **Museu do Mar**, das hier untergebracht ist, können Sie Schiffsmodelle anschauen und sich über die Geschichte der Stadt informieren. Und vergessen Sie nicht, ganz nach oben hinaufzusteigen und den schönen Blick über die Stadt zu genießen.

Av. da República, Mo–Fr 9–18, Sa 9–13 Uhr, 100 ECV

Olfaktorische Herausforderung

Der penetrante Fischgeruch wabert bis hinaus auf die Straße vor dem **Mercado de Peixe** 7. Drinnen ist es laut, eng und heiß. Im hinteren Teil liegen die großen Thun- und die kleineren Gelbflossenthunfische, häufig an den Ständen sehen Sie verschiedene Makrelenarten. Auffallend rot sind die Papageienfische, rot mit schwarzen Punkten präsentiert sich die Haut der Garoupa (ein wohlschmeckender Zackenbarsch, der oft auf den

Mindelo

Ansehen

❶ Águia do Mindelo
❷ Alliance Française de Mindelo
❸ Cory Brothers
❹ Armazénes de Ingleses
❺ Monumento a Diogo Afonso
❻ Torre de Belém
❼ Mercado de Peixe
❽ Alfândega Velha/Centro Cultural de Mindelo
❾ Jachthafen
❿ Mercado Municipal
⓫ Palácio Presidencial
⓬ Wohnhaus von Cesária Évora
⓭ Museu Cesária Évora
⓮ Cemitério do Mindelo
⓯ Igreja Nossa Senhora da Luz
⓰ Mercado
⓱ Monumento a Luis Camões
⓲ Praia da Laginha

Schlafen

1 Casa Café Mindelo
2 Avenida
3 Gaudi
4 Kira's
5 The Casamarel

Essen

1 Chez Loutcha
2 O Cocktail
3 La Bodeguita de Mindelo
4 Café Royal

Einkaufen

1 Centro Nacional de Artesanato
2 Joana Pinto
3 Capvertdesign & Artesanato

Bewegen

❶ Vista Verde Tours
❷ boatCV
❸ Dive Tribe

Ausgehen

❶ Casa da Morna
❷ Caravela
❸ Zero Point Art

Speisekarten zu finden ist). Die Muräne erkennen Sie an ihrem gefleckten Körper und an ihren langen spitzen Zähnen. Allzu Neugierige sollten aufpassen: Die Fischverkäufer nehmen keinerlei Rücksicht auf empfindliche Touristen, sie putzen den Fisch, dass die Schuppen nur so spritzen. Und auch beim Fotografieren ist Vorsicht angebracht: Fragen Sie die Fischer und Verkäuferinnen, bevor Sie auf den Auslöser drücken, manche haben entschieden etwas dagegen, abgelichtet zu werden.

Av. da República, Mo–Sa vormittags

Kunsthandwerk im alten Zoll

Wenn Sie Kunsthandwerk kaufen und dabei auch die einheimischen Künstler unterstützen möchten, gibt es kaum etwas Besseres als die **Alfândega Velha** ❽ (›altes Zollhaus‹) bzw. das darin untergebrachte **Centro Cultural de Mindelo.** Aber nicht nur einen Laden gibt es hier, sondern auch die **Galeria Art d'Cretcheu,** die in den Sälen und im Innenhof Ausstellungen und Konzerte veranstaltet. Im Eingangsbereich hängen oft Bilder von einheimischen zeitgenössischen Künstlern.

Das ehrwürdige Gebäude wurde in der Blütezeit des Porto Grande (s. rechts) zwischen 1858 und 1860 errichtet. An der Fassade prangt das portugiesische Wappen mit den sieben Burgen, die repräsentativ für die während der mittelalterlichen Reconquista von den Mauren zurückeroberten Kastelle stehen. Zwei Tafeln mit Inschriften nennen die unter König Pedro V. für den Bau verantwortlichen Beamten.

Av. Amílcar Cabral, www.artdcretcheu. wordpress.com, auf Facebook, wechselnde Öffnungszeiten, Eintritt frei

Garant für Wohlstand

Unmittelbar vor dem alten Zollhaus beginnen die Kais des modernen **Jachthafens** ❾. Hier finden Sie zahlreiche schicke Bars und Restaurants. Der Ausbau bot sich an, nachdem der alte Hafen immer weniger Einnahmen versprach.

Ursprünglich war es der **Porto Grande,** der die Stadt reich machte. Er gilt als sicherster Hafen des Landes, war lange Zeit sogar der größte zwischen Lissabon und dem Kap der guten Hoffnung. 1875 lagerte hier ein Gutteil der Kohlevorräte für die Schifffahrt im mittleren Atlantik.

Angefangen hat alles 1838, als der Hafen per Dekret ausgebaut wurde. 1850 erhielten die Briten die Erlaubnis zur Schaffung einer Kohlebunkerstation. Weitere Einrichtungen unter englischer Regie kamen bald hinzu. Schon 1810 hatte sich Großbritannien von Portugal vertraglich das Vorrecht auf den Handel mit der portugiesischen Kolonie Brasilien einräumen lassen. São Vicente entwickelte sich zur Versorgungsstation für Schiffe auf dem Weg von und nach Südamerika. Mindelo erfuhr einen enormen Bevölkerungszuwachs, die Neubürger kamen vor allem von den Nachbarinseln Santo Antão und São Nicolau. Jahrzehntelang wurden zwei Drittel der gesamten Einnahmen des Archipels in Mindelo erwirtschaftet. Portugal verdiente durch die Zolleinnahmen kräftig mit.

Ende des 19. Jh. galt Mindelo als eine der verderbtesten Städte der Welt. Damals versorgten sich jährlich bis zu 2000 Schiffe im Porto Grande mit Kohle und Wasser. Seeleute aus aller Welt hatten hier Landgang, das Geschäft mit der Prostitution blühte. Bis heute blieb dieser Ruf erhalten, auch wenn die Realität eine andere ist.

Mit zunehmender Konkurrenz der Häfen von Las Palmas auf Gran Canaria und dem senegalesischen Dakar ging die Zahl der Schiffe ab etwa 1890 zurück. In den 1950er-Jahren schlossen sich die letzten britischen Kohlegesellschaften zusammen, um vor nun an nur noch Dieselkraftstoff an die immer seltener in Mindelo vorbeischauenden Ozeanriesen zu verkaufen. Auf den drohen-

Auf vielen kleinen Märkten im Zentrum finden sich die Zutaten für ein Picknick, ein Büschel Bananen oder ein paar Tomaten etwa. Die beste Auswahl hat der Mercado Municipal.

den Niedergang des Hafens antwortete das portugiesische Salazar-Regime mit dem Bau einer 900 m langen Mole und moderner Hafeneinrichtungen. Man versuchte den Handel mit den eigenen in Afrika verbliebenen Kolonien zu intensivieren, speziell mit Angola. Nach der Unabhängigkeit wurde der Hafen weiter ausgebaut und kann nun Schiffe bis 12 m Tiefgang aufnehmen (www.enapor.cv).

Altstadt

Der ältere Teil der Stadt liegt im Karree Uferstraße, Rua Libertadores d'África, Rua do Coco und Praça Estrela. Sechs parallel verlaufende Gassen mit unter-

schiedlichem Charakter durchziehen das Viertel. Zentraler Treffpunkt ist die **Rua Libertadores d'África** (früher Rua Lisboa). Hier liegen der Mercado Municipal und viele Cafés, darunter solche Klassiker wie das **Café Royal** [4] (inzwischen Restaurant und Café) und die **Pastelaria Algarve**. Dort trifft man sich seit Jahrzehnten am Vormittag oder auch mittags zum Essen.

Was man zum Leben braucht

Jeder mitteleuropäische Supermarkt hat eine größere Gemüseabteilung, aber dafür keinen Mais oder Bohnen in Säcken, Bananen inklusive Stauden, Chilischoten in Bündeln oder aber zu scharfem Piri-Piri verarbeitet. Und auch keine Verkäufer*innen, die ihre Ware lauthals anpreisen. Der **Mercado Municipal** [10],

TOUR
Eine barfüßige Diva

Auf den Spuren von Cesária Évora

Infos

Dauer:
1–2 Std.

Hinweise:
Die Fahrt per
Taxi zum Friedhof
dauert vom Museum
keine 10 Min. und
kostet hin und
zurück inkl. Wartezeit
400–600 ECV. Das
Museum (100 ECV)
ist montags ge-
schlossen.

Die Sängerin ist eine Nationalheilige. Durch ihre Musik hat sie das kapverdische Lebensgefühl in die Welt
getragen. Sie trat bevorzugt ohne Schuhe auf.

Lange Zeit hat sie bescheiden in der Avenida Fernando
Ferreira Fortes 20 gewohnt. Folgen Sie der breiten
Straße vom **Palácio Presidencial** ⓫ (s. S. 91) nach
Westen. Nach knapp 200 m stehen Sie vor dem ehemaligen **Wohnhaus von Cesária Évora** ⓬. Es liegt
auf der rechten Straßenseite, kann aber leider nur von
außen besichtigt werden.

Vom Wohnhaus gehen Sie zurück in Richtung Gouverneurspalast und biegen die zweite Straße links ein. Die
Rua Henrique Sena geht über in die Rua Guerra Men-
des. Nach gut 100 m liegt auf der linken Straßenseite das
kleine **Museu Cesária Évora** ⓭, wo Sie Einblick in das
Leben der Diva bekommen. Es werden
Bühnenoutfits gezeigt (selbstredend keine Schuhe), Videos von Auftritten und
auch von ihrer Beerdigung. Das Ganze
ist von ihrer Musik untermalt. Über
Kopfhörer können Sie bekannte Titel
von ihr hören.

Viele Fans pilgern auch zu ihrem Grab
auf dem **Cemitério do Mindelo** ⓮. Er
liegt am Südrand der Stadt, am Ende der
Avenida Manuel Matos. Das Grab von
Cesária Évora liegt in Straßennähe in
der mit ›Rua N° 4‹ bezeichneten Reihe,
ca. 20 m vom Haupteingang entfernt.
Für die große Dame der kapverdischen
Musik ist es sehr bescheiden. Es handelt
sich um ein Gemeinschaftsgrab mit ihrer Mutter Joana Maria Medina, genannt
Dona Joana, die 1999 starb. Fahren Sie
zum Friedhof am besten mit dem Taxi.

in einer zweistöckigen Halle untergebracht, besitzt all dies. Gehen Sie gucken und schnuppern. Im Hochparterre residiert der Gemüsemarkt, wobei ein Großteil des Angebots von Santo Antão stammt, denn São Vicente ist für den Anbau zu trocken. Vom Obergeschoss haben Sie auch den besten Blick über das Geschehen.

Rua Libertadores d'África, Mo–Sa vormittags

Englisches Erbe
Die Rua Libertadores d'Africa endet im Osten vor dem ehemaligen **Palácio Presidencial** ⓫ (›Gouverneurspalast‹). Das imposante Gebäude wurde 1874 von den in Mindelo ansässigen Engländern als Musikhalle genutzt. Der Stil ist klassizistisch mit Anklängen an die Bauweise der damaligen britischen Kolonie in Indien. Das Obergeschoss kam erst 1929 hinzu.

Vom Dorf zur Stadt
Die **Pracinha da Igreja** bei der **Igreja Nossa Senhora da Luz** ⓯ bildete lange Zeit das Ortszentrum. Um diesen Platz gruppierten sich die wenigen Behausungen, aus denen das Kaff damals bestand – noch Ende des 18. Jh. lebten hier nämlich gerade mal 20 Ehepaare und 50 Sklaven. Als dieser Winzling, inwischen auf knapp über 300 Menschen angewachsen, 1838 von der Kolonialverwaltung wegen seines sicheren Hafens zur Hauptstadt gekürt werden sollte, regte sich in der bisherigen Kapitale der Kapverden, Praia auf Santiago, heftigster Widerstand. Und siehe da: Die Pläne wurden fallen gelassen. Nichtsdestotrotz ließ die englische East India Company einen ersten Kohlebunker in dem Dorf errichten, das wenig später seinen aktuellen Namen erhielt – in Erinnerung an die Landung der Truppen von Pedro IV., König von Portugal und Kaiser von Brasilien, im portugiesischen Mindelo.

Mit dem Hafen (s. S. 88) wuchs auch die Stadt und 1862 ersetzte man die Kapelle durch die heutige Kirche. Auf dem schattigen Platz davor verbringen einheimische Familien gerne ihre Mittagszeit. Links neben der Kirche steht die **Casa Benfica,** ein ehemaliges Traditionskaufhaus, das auf eine von mehreren Handelsgesellschaften zurückgeht, die in Mindelo während der Salazar-Zeit gegründet wurden. Das Art-déco-Gebäude ist nicht zu verwechseln mit dem Store Benfica am Jachthafen: Dabei handelt es sich um den Fanshop des Fußballvereins aus Lissabon!

Der buntere Teil der Altstadt
In den Gassen südlich der Pfarrkirche wird Mindelo ›afrikanischer‹, das Leben weit bunter. Auch die Gerüche intensivieren sich. Fliegende Händler bieten die verschiedensten Waren an.

Die Grenze der Innenstadt bildet die **Praça Estrela.** Auf dem weitläufigen Platz steht ein Pavillon mit mehreren Bars, von deren Tischen aus man das Treiben ringsum verfolgen kann. Für die afrikanischen Händler, die sich zuvor provisorisch hier eingerichtet hatten, wurden im Jahr 2000 mit Hilfe der portugiesischen Partnerstadt Porto feste Marktstände geschaffen. Sehenswert sind die handgemalten, klassisch blau-weißen Fliesenbilder *(azulejos)* an den Ständen, die Ansichten des alten Mindelo zeigen. Das Angebot der Händler umfasst Kleidung, Sonnenbrillen, Sandalen und allerlei Krimskrams.

Auf der meerwärtigen Seite der Praça Estrela bieten Frauen auf einem kleinen überdachten **Mercado** ⓰ Obst und Gemüse feil. Die Zeiten, in denen Lebensmittel unorganisiert auf der Straße verkauft werden durften, sind vorbei. Wenn Sie auf dem Mercado Municipal nicht fündig werden, können Sie hier schauen.

SICHERHEIT

Die östlichen Außenbezirke der Stadt sollten Sie nur im Rahmen einer geführten Tour besuchen. Immer wieder hat die Polizei dort mit rivalisierenden Gangs zu tun. Um nicht zwischen die Fronten zu geraten, bleiben Sie am besten im Innenstadtbereich.
Nachts sollten Sie sich auch für kurze Strecken im Zentrum besser ein Taxi nehmen.

Nördlich des Zentrums

Hier wohnen die Wohlhabenden

Auch die jüngeren Stadtviertel von Mindelo sind inzwischen schon beinahe 100 Jahre alt. Ein nobles Viertel, **Alto Mira,** entstand in den 1920er-Jahren um die **Praça Nova** (auch Praça Amílcar Cabral). Auf dem gepflegten Platz steht ein fotogener Pavillon im Jugendstil mit Café. Seine Bauweise spiegelt den damaligen angelsächsischen Geschmack wider. Mit Schuhen durften früher nur reiche Leute auf dem leicht erhobenen Platz flanieren, die Armen mussten barfuß – und eine Stufe weiter unten – ihre Kreise ziehen.

Im Zentrum der Praça Nova steht das **Monumento a Luis Camões 🔞**. Der Herr war der berühmteste Dichter Portugals. Seine Büste thront auf einem Sockel, den das Kreuz des Christusritterordens ziert. Ganz unten ist sein berühmtes Epos »Os Luziados« in Form eines Buches in Stein gefasst. Camões (1524–80) beschreibt darin in zehn Gesängen – nach dem Vorbild von Vergils »Aeneis« – die Fahrt Vasco da Gamas nach Indien. Das Denkmal wurde nach der Unabhängigkeit der Republik zunächst entfernt, ist aber inzwischen an seinen Platz zurückgekehrt.

In den nördlich anschließenden Straßenzügen wohnen die wohlhabenderen Bürger Mindelos in gepflegten, pastellfarbenen Villen aus der Kolonialzeit mit schmiedeeisernen Gittern an Fenstern, Türen und Balkonen sowie oft mit Stuck verzierten Balustraden. Die umliegenden Geschäfte im europäischen Stil rechnen mit zahlungskräftiger Kundschaft.

Städtischer Strandspaß

Der Weg zum Badevergnügen führt am Fährhafen und an der Ruine des **Fortim d'El Rei** vorbei. Anhalten lohnt sich nicht, denn das Gemäuer ist nicht zugänglich und es kam hier auch schon zu Überfällen. Aber zurückblicken sollten Sie: Auf der Westseite der Bucht ragt ein Berg in den Himmel, der wie ein menschliches Gesicht aussieht – es ist der 490 m hohe **Monte Cara** (›Gesichtsberg‹).

Feiner, heller Sand, der teilweise von der Insel Sal importiert wurde, ziert die Bucht nördlich des Fährhafens. Besonders am Wochenende ist an der **Praia da Laginha 🔞** enorm viel los. Zwar brummt im Hintergrund ständig die städtische Entsalzungsanlage, doch die Einheimischen stören sich nicht daran. Für sie ist der Strand ein Zeichen des Fortschritts. Und wie es sich gehört, sorgen eine Musikbar für Unterhaltung, zwei Strandrestaurants für Verpflegung und Liegen können Sie auch mieten.

Schlafen

Die Auswahl ist groß und vielseitig, auf den gängigen Buchungsplattformen findet sich für jeden Geschmack etwas. Aufgeführt sind hier deshalb nur die stilvollen Unterkünfte, die Klassiker sowie ein ungemein praktisches Aparthotel.

Kommunikatives Haus

🟧 **Casa Café Mindelo:** Das Stadthaus aus dem 19. Jh. in der Altstadt bietet stil-

volle, große Gästezimmer. Es gibt großzügige und gemütliche Aufenthaltsräume, auf der Terrasse dürfen die Gäste selber grillen. Im Erdgeschoss befindet sich ein beliebtes Café mit Restaurantbetrieb am Abend, häufig gibt es Livemusik. Nichts für Frühinsbettgeher. WLAN steht im ganzen Haus zur Verfügung.
Rua Governador Calheiros 6, T 231 37 35, buchbar über Booking.com, €€

Zentral, praktisch und ordentlich
2 Avenida: Alles, was Sie dringend brauchen, liegt im Umkreis von ca. 100 m: Restaurant, Supermarkt, Bank und Post. Das professionell geführte Aparthotel vermietet zehn Zimmer sowie zehn Suiten mit kleiner Küchenzeile. Am ruhigsten schläft man in den oberen Stockwerken mit Blick auf die Hafenbucht.
Av. 5 de Julho, T 232 34 35, www.aparthotel avenida.com, €€

Mitten im Leben
3 Gaudi: In dem Hotel nahe der Markthalle wohnen Sie stilvoll, auch wenn die Standardzimmer recht klein sind. Die Deluxezimmer sind deutlich größer, haben einen Balkon und kosten nur wenig mehr. Angeschlossen ist das gleichnamige Restaurant, in dem abends zu Livemusik ein Mix aus portugiesischer und afrikanischer Küche serviert wird.
Rua Senador Vera Cruz, Ecke Rua Lisboa, T 231 89 54, www.hotelgaudi.cv, €€

In einem gepflegten Stadthaus
4 Kira's: Zentrumsnahes stilvolles Boutiquehotel in einem ehemaligen Wohnhaus mit elf unterschiedlich eingerichteten Zimmern. Den Gästen stehen Aufenthalts- und Rückzugsräume, eine Dachterrasse und ein begrünter Innenhof zur Verfügung.
Rua de Arbélia 24, T 230 02 74, www. kirashotel.com, €€

Am Wochenende Sardinenbüchse, sonst Fußballplatz, Aussichtspunkt und einiges andere mehr: Die Praia da Laginha ist einer der beliebtesten Freizeittreffs der Mindelinhos.

Über den Dächern der Stadt

5 The Casamarel: In einem liebevoll restaurierten Haus von 1910 ist diese stilvolle Unterkunft untergebracht, die auf einem Felsen über der Stadt liegt und ökologisch bewirtschaftet wird (u. a. Solaranlage, Salzwasserpool, wassersparende Systeme, Recycling). Das Frühstück wird im Atrium serviert, mit einem Kaffee oder Drink kann man es sich in der netten Lounge gemütlich machen, auch Abendessen ist möglich. In den Gästesuiten wird jeder erdenkliche Komfort geboten. Ins Zentrum sind es fünf Minuten zu Fuß.

Alto Santo António 263, T 232 13 00, www.casamarelhotel.com, €€€

Ein Klassiker

1 Chez Loutcha: Die Pension gehört zum gleichnamigen Restaurant im selben Haus, beides ist eine Institution in Mindelo. Vermietet werden 30 Zimmer.

Im gleichnamigen Restaurant, s. rechts, €€

Essen

Dasselbe wie für die Unterkünfte gilt auch für die Restaurants: Die Auswahl ist groß. Schick-modernes Ambiente finden Sie in den Lokalen am Jachthafen, während es im Zentrum eher klassisch, kreativ oder rustikal zugeht. Bringen Sie Zeit mit, denn in den meisten Restaurants dauert es relativ lange, bis etwas auf den Tisch kommt.

Lauschig und lecker

2 La Pergola: Sie sitzen in einem gemütlichen Innenhof, der zur Alliance Française de Mindelo gehört. Es gibt frisch gepresste Säfte, ausgefallene Vorspeisen sowie kreative Fisch- und Fleischgerichte. Auch Vegetarier werden satt. Wer es deftig und sättigend mag, bekommt eine Cachupa oder eine deftige Feijoada.

s. S. 84, T 982 76 75, Mo–Fr 10–19, Sa 10–12.30 Uhr, €€

Mit gleichbleibender Qualität

1 Chez Loutcha: Sie werden auf alle Fälle zu günstigen Preisen satt: mit gegrilltem Fisch, Curryhuhn, Eintöpfen und Meeresfrüchten. Gewürzt wird dezent kapverdisch mit einem scharfen Touch vom afrikanischen Festland. Für sonntags können Sie einen Ausflug nach Calhau (s. S. 98) buchen, wo Sie mit einem umfangreichen Buffet verköstigt werden (12–ca. 16 Uhr, Essen und Transfer ca. 17 €).

Rua de Coco, T 232 16 36, www.chez loutcha.com, tgl. abends geöffnet, €€

Pizzeria, in der Fisch besser ist

2 O Cocktail: Sicher, die Pizza ist gut, aber die klassischen kapverdischen Gerichte und der gegrillte Fisch schmecken besser. Man sitzt auf einer luftigen Dachterrasse und kann beim Kochen zuschauen. Oft spielen Bands auf. Wenn Sie früh kommen und sonst kaum Gäste da sind, bekommen Sie Ihr Essen ungewöhnlich schnell – meistens jedenfalls. Aktuelle Infos bei Facebook.

Av. 5 de Julho, T 232 72 75, tgl. geöffnet, €€

Nicht abschrecken lassen

3 La Bodeguita de Mindelo: Die schmale Holztür verlockt nicht unbedingt zum Eintreten. Drinnen sind Sie dann erst einmal gefangen genommen von den über und über bemalten Wänden, ganz im Stil der berühmten Bodeguita del Medio im kubanischen Havanna – nur dass Che Guevara hier von Amílcar Cabral und Gandhi begleitet wird. Dann das dicke Grinsen des Chefs. Nehmen Sie einen Mojito als Apero, zum Essen vielleicht Meeresfrüchte, Pfannkuchen oder Bruschetta. Und als Absacker gibt's einen zweiten oder dritten Mojito.

Rua Diogo Afonso, Ecke Rua de Camões, T 995 61 13, tgl. 12–15, 19–3 Uhr, €€

Musik zum Essen

1 Casa Café Mindelo: Hier essen Sie teilweise mit Musikbegleitung. Für abends

sollte man sicherheitshalber reservieren, denn es ist oft voll.
In der gleichnamigen Unterkunft, s. S. 92, tgl. geöffnet, €€

Mal was anderes
4 **Café Royal:** Ein klassisches Kaffeehaus, in dem man aber auch speisen kann. Abends wird oft Musik angestimmt.
Rua Lisboa, tgl. geöffnet, €–€€

Einkaufen

Spezielle Einkaufsstraßen gibt es nicht.

Nahrungsmittel
Fragata (www.vasconcelos.cv) ist die lokale Supermarktkette, die über die ganze Stadt verteilt gut sortierte Filialen besitzt. Selbstversorger bekommen frische Ware auf dem **Mercado Municipal** 🔟, im **Mercado de Peixe** ❼ oder auf dem kleinen **Mercado** 🔟 zwischen der Praça Estrela und der Uferstraße.

Kunsthandwerk & Panos
1 **Centro Nacional de Artesanato:** Nach der Unabhängigkeit wurde das Kunsthandwerkszentrum von der Künstlergruppe Resistência gegründet, um die kapverdische Kultur und die Herstellung der berühmten *panos* zu fördern. Heute gibt es hier auch ein **Museum,** das Wandmalereien, Batiken und Wandteppiche zeigt.
Praça Nova, T 231 77 51, Mo–Sa 9–12.30, 15–19, So 18–21 Uhr

Malerei, Batik, Panos
2 **Joana Pinto:** Hier können Sie die hochwertigsten *panos* sowie Wandteppiche und Gemälde kaufen.
Rua do Coco, T 232 66 19, Mo–Sa mit kurzer Mittagspause

Gute Auswahl
8 **Centro Cultural de Mindelo:** Im alten Zollgebäude befindet sich ein gut

VERSCHLOSSENE TÜREN

An Sonn- und Feiertagen sind die allermeisten Geschäfte und Cafés geschlossen. Es ist dann fast unmöglich, in den geisterhaften Straßen etwas zum Essen einzukaufen oder gar eine Einkehrmöglichkeit zu finden.

ausgestatteter Laden für Souvenirs von einheimischen Künstlern.
s. S. 88, tgl. geöffnet

Kaufhaus für Kunsthandwerk
3 **Capvertdesign & Artesanato:** Das Geschäft erinnert an ein großes Kaufhaus, aber hier bekommen Sie die größte Auswahl an hochwertigen Produkten einheimischer Kunsthandwerker vor Ort. Aktuelles bei Facebook.
Rua da Luz 10/12, www.capvertdesign. com, Mo–Fr 9–13, 15–18.30 Uhr, Sa nur vormittags

Bewegen

Stadttouren & Ausflüge
1 **Vista Verde Tours:** Im Programm des Reiseveranstalters sind u. a. ein Stadtrundgang und eine Inselrundfahrt. Sie bekommen mehr Einblicke, als wenn Sie alleine losziehen.
Rua Aurelio Gonçalves, Ecke Av. Baltazar Lopes, www.vista-verde.com, Mo–Fr 8–12, 14 –17, Sa 10–13 Uhr (nur Okt. bis März)

Der Ansprechpartner für Segler
2 **boatCV:** Kompletter Jachtservice, Charter, Mitsegeln. BoatCV ist der Repräsentant der Kreuzer-Abteilung des Deutschen Seglerverbandes e. V. (www. kreutzer-abteilung.org).
Av. Marginal, am Jachthafen, T 232 67 72, www.boatcv.com, Di–Sa 9–12, 15–18 Uhr

Nicht Buena Vista Social Club, sondern typisch kapverdische Musik …
Sie schallt in Mindelo abends aus vielen Türen und Fenstern, es ist eine
Stadt, in der man einfach nur den Ohren folgen sollte.

Tauchen

3 Dive Tribe: Kompetent geführte, portugiesisch- und englischsprachige PADI-Basis, die Tauchgänge etwa bei der vorgelagerten Felsinsel Ilhéu dos Pássaros organisiert und Kurse anbietet. Av. Marginal, am Jachthafen, T 982 94 98, www.dive-tribe.com

Ausgehen

Musik schallt aus allen Türen. Es gibt kaum ein Restaurant, das nicht an einem oder mehreren Tagen Livekonzerte bietet: Schauen Sie auch im Café Royal oder in der Casa Café Mindelo vorbei.

Die besten Musiker der Inseln

Casa da Morna: Die Casa da Morna gehört Tito Paris, einem der erfolgreichsten Musiker der Kapverden. In seiner Musikkneipe treten regelmäßig die Besten auf. Das Ambiente ist gediegen. Wegen Corona auf unbestimmte Zeit geschlossen. Av. Marginal, zwischen dem ›Steinadler‹ und dem Torre de Belém, Veranstaltungen werden auf Facebook angekündigt, Mo–Sa 20–2 Uhr

Strandbar mit Discobetrieb

Caravela: Die meiste Zeit ein ruhiges Strandrestaurant, aber Fr und Sa vibrieren die Boxen bis in den frühen Morgen. Praia de Laginha, auf Facebook

Kunstgalerie mit Konzerten

3 Zero Point Art: Im Keller werden Gemälde von zeitgenössischen Künstlern der Kapverden ausgestellt, das Erdgeschoss ist eine Mischung aus Bistro und Bibliothek, oben befindet sich eine gemütliche Lounge Bar. Unregelmäßig finden Sessions statt. Rua Unidade Africa 62, T 231 25 25, auf Facebook, So geschl.

Feiern

- **Festa de São Vicente:** 22. Jan. Zum Jahrestag der Entdeckung der Insel zieht am Nachmittag eine Prozession mit der Statue des hl. Vincentius durch die Stadt, begleitet von Blasmusik und einer begeisterten Menschenmenge.
- **Carnaval:** Frühjahr. Fast wie in Rio. Am Rosenmontag ziehen abends Sambatänzer durch die Straßen. Am Dienstag findet ein großer Umzug mit Prunkwagen und glamourösen Prinzessinnen statt.
- **Festival do Teatro do Mindelo:** 2. Oktoberhälfte, www.mindelact.org. Eines der größten Theaterfestivals in ganz Afrika, organisiert von der gemeinnützigen Theatervereinigung Mindelact.

Infos

- **Informação Turística Lucete Fortes:** Av. Marginal, Praça Nhô Roque, T 232 42 67, www.bela-vista.net. Privater Infopavillon, auch Verkauf von guten Wanderkarten und Stadtplänen.
- **Flugzeug:** Der internationale Aeroporto Internacional Cesária Évora (VXE) liegt knapp 9 km südwestlich der Stadt. Es stehen immer genügend Taxis bereit. Direktverbindungen nach Europa mit der portugiesischen TAP (www.flytap.com). Bestfly (www.bestfly.aero) fliegt tgl. nach Santiago und Sal, 3 x wöchentl. nach São Nicolau.
- **Fähre:** Etwa 2 x tgl. verkehren Fährschiffe nach Santo Antão, seltener gibt es Verbindungen nach Santiago und São Nicolau. Der aktuelle Fahrplan findet sich unter www.cvinterilhas.cv, Tickets gibt es am Hafeneingang.
- **Transport vor Ort:** Im Stadtbereich fahren Busse der Firma Transcor. Die zentrale Haltestelle ist am Kreisverkehr am östlichen Ende der Rua Lisboa. Aluguers in Richtung São Pedro und Calhau starten

ab Südrand der Praça Estrela. Taxis sind in Mindelo weiß und haben eine Registriernummer am linken Kotflügel (Mindelo–Flughafen ca. 1000 ECV, Mindelo–Monte Verde–Mindelo ca. 2000 ECV). Nachts wird 10 % Zuschlag verlangt.
- **Mietwagen:** Verschiedene Anbieter sind auf der Website www.turismo.cv/page/rent-car aufgelistet.

Der Osten

Wenn Sie sich in den Ostteil der Insel aufmachen, fahren Sie durch unbesiedeltes und wüstenhaftes Gebiet. Nur um den höchsten Berg, den Monte Verde (750 m), sprießt spärliches Grün. An der Nordostküste haben sich aus ehemals armen Fischerdörfern viel besuchte Ausflugsziele entwickelt. Baía das Gatas und Calhau bevölkern sich am Wochenende mit Stadtbewohnern, die es sich leisten können.

Parque Natural de Monte Verde ♀ Karte 1, D–E 4

Wo es gelegentlich regnet

Das Gebiet um den höchsten Berg von São Vicente steht als **Parque Natural de Monte Verde** unter Schutz. Am Gipfel kondensieren manchmal die Wolken, sodass es zu leichten Niederschlägen kommt. Vor Jahrzehnten soll hier noch wesentlich mehr Regen gefallen sein. Das zog die überhitzten Städter an und so entdeckt man heute zwischen verfallenden Gehöften einige Wochenendhäuser, vor allem im Bereich des Ortes **Mato Inglês** (›Busch der Engländer‹) am Südhang des Monte Verde. Der Name deutet an, dass hier früher viele britische Händler aus Mindelo einen Zweitwohnsitz besaßen.

Eine Ahnung von den früheren regenreicheren Zeiten vermittelt das ausgedehnte Gipfelplateau. Die kurvige Pflasterstraße hierher zweigt ca. 5 km östlich von Mindelo von der Straße nach Baía das Gatas ab.

Baía das Gatas

📍 Karte 1, E4

Die Badewanne der Insel
Wunderschön ist die lang gezogene, helle Strandzone im Nordosten von São Vicente. Der Sand wurde vom Wind weit ins Inselinnere getragen und hat gewaltige Dünenfelder geschaffen. Am Nordrand der **Baía do Norte** liegt **Baía das Gatas**. Gleich am Ortseingang können Sie zuschauen, wie die bunten Fischerboote an Land gezogen werden. Das Fangrevier ihrer Eigner sind die als besonders fischreich geltenden Gewässer vor der Nachbarinsel Santa Luzia.

Baía das Gatas besitzt eine durch ein Felsriff geschützte flache Strandbucht, wo auch Kinder gefahrlos ins Wasser gehen können. Es gibt sogar eine kleine Wasserrutsche. Samstags und sonntags kommen viele Familien aus Mindelo hierher, die Wohlhabenderen unter ihnen leisten sich einen Zweitwohnsitz in Baía das Gatas.

Etwas für Strandläufer
Südlich schließt sich die **Praia do Norte** an. Sie ist der Brandung des Atlantiks wesentlich stärker ausgesetzt als der Hausstrand von Baía das Gatas und daher zum Baden nicht geeignet. Von Anglern wird sie hingegen gern aufgesucht. Und von Strandläufern, die hier kilometerweit spazieren gehen können: 7,5 km sind es vom südlichen Ende der Baía das Gatas bis zur Praia Grande do Calhau an der Ostspitze der Insel. Nach Calhau (s. rechts) ist es dann nochmals ein guter Kilometer auf der Straße.

Calhau
📍 Karte 1, E4

Auch zum Baden, aber ruhiger
Eine weitere von den Einheimischen gerne am Samstag und Sonntag aufgesuchte Feriensiedlung ist **Calhau.** Während der Woche geht es in dem Fischerdorf hingegen äußerst ruhig zu. Mit der **Praia Grande do Calhau** am Südostende der Baía do Norte, 30 Min. zu Fuß vom Ort entfernt, verfügt Calhau über einen einigermaßen gut zum Baden geeigneten Strand.

Ilha Santa Luzia
📍 Karte 1, E–F5

No entry für Menschen
Die unbewohnte **Ilha Santa Luzia** ist der Ostspitze von São Vicente gut 10 km vorgelagert und steht als Reserva Natural Parcial unter Schutz. Eine Überfahrt kann nur mit Genehmigung der Umweltbehörde der Kapverden erfolgen. Ökotouristische Ausflugsfahrten werden derzeit noch nicht angeboten, sind aber geplant.

Santa Luzia ist 12 km lang und etwas über 5 km breit. Mit einer Fläche von 39 km² nimmt sie den zehnten Rang der Inseln des Archipels ein. Das Inselinnere beherrschen prägnante Vulkankegel, der höchste von ihnen ist der **Monte Grande** mit immerhin 397 m. Doch damit ist Santa Luzia zu flach für die Bildung von Passatwolken – so fehlt es an Wasser, weshalb die Landschaft nur mehr als wüstenhaft bezeichnet werden kann. Während sich der Norden durch eine raue Felsküste und Dünen auszeichnet, dehnen sich an der Südküste lange einsame Sandstrände aus.

Nicht immer war Santa Luzia menschenleer. Im 19. Jh. hatte ein Großgrundbesitzer die Insel gepachtet und ließ hier seine Ziegen und Schafe weiden, unter Obhut von Hirten, die vor Ort Käse und Wolle produzierten.

Auch züchteten sie Maultiere, die bis nach Lateinamerika exportiert wurden. In Trockenperioden musste Santa Luzia allerdings immer wieder aufgegeben werden, endgültig zu Beginn des 20. Jh.

Schlafen

Modernes Design im Fischerdorf

Goa: Das moderne Residencial unter französischer Leitung pflegt einen gehobenen Standard. Alle Wohneinheiten sind zur Baía do Calhau hin orientiert, sehr geräumig und mit privaten Patios ausgestattet. Zum Frühstück gibt es Ziegenkäse, Papaya und exotische Marmeladen aus kapverdischer Produktion. Wegen Corona aktuell geschlossen, die Zukunft ist ungewiss.
Calhau, T 232 93 55, www.goa-mindelo.com, DZ um 80 €

Essen

Der Name tut nichts zur Sache

Take Away Atlanta: Die Atmosphäre in dem einfachen Strandlokal ist locker, man sitzt auf der schattigen Terrasse und genießt gegrillten Fisch. Wenn es zu windig ist, kann man auch drinnen essen, was die Einheimischen bevorzugen. Am Wochenende meist sehr gut besucht.
Baía das Gatas, am Strand, T 232 75 00, auf Facebook, in der Hochsaison tgl., €

Feiern

• **Festival Baía das Gatas:** Vollmondwochenende im Aug., auf Facebook. Bands aus Cabo Verde, Portugal, Westafrika, Brasilien und den USA spielen die Nächte durch. Außerdem Pferderennen und

Viele Insulaner fahren zum Shoppen aufs Meer hinaus, allerdings kann nicht garantiert werden, dass der Einkaufszettel gänzlich abgehakt wird – auf den Tisch kommt, was sich in den Netzen verfängt.

TOUR
Das Meer (fast) immer im Blick

Dünenwanderung bei Salamansa

Den schier endlosen Stränden im Nordosten von São Vicente folgt diese Wanderung, bei der es seltsame Erosionsformen im Dünensand zu entdecken gibt.

Vom Dorf in die Steinwüste

In **Salamansa** ist Schluss, zumindest mit dem Auto. Das aber kann Sie über die Pflasterstraße bis fast an den Strand fahren. Von nun an sind die Füße gefragt. Eine Sandpiste führt vom Ort ostwärts an der Küste entlang durch eine karge Steinwüste. Sie passiert eine Bucht (10 Min.), in der die Fischer von Salamansa ihre Boote ans Ufer ziehen. Die Piste beschreibt dann eine Kurve um ein mit Solarzellen betriebenes Leuchtfeuer herum und überquert eine kleine Landzunge. Danach ist wieder das Meer erreicht (30 Min.). Weiter geht es entlang der Küstenlinie. Wieder wird eine Landzunge abgeschnitten, die **Ponta de Doca.** Hier befindet sich links ein Feld von Basaltsäulen.

Packen Sie für die Tour unbedingt ausreichend Trinkwasser ein – in Baía das Gatas können Sie noch mal auffüllen, danach bis zur Praia Grande do Calhau nicht mehr.

Essen mit Fisch am Strand

Im weiteren Verlauf der Wanderung gilt es, sich so nahe wie möglich an der Küste zu halten und landeinwärts abzweigende, mehr oder weniger gut erkennbare Fahrspuren zu ignorieren. Es geht an einem **Meerwassertümpel** (1 Std.) vorbei und danach, tendenziell landeinwärts, auf einer deutlichen Fahrspur über ein Geröllfeld. Eine sandige Ebene schließt sich an, wo sich die Piste gabelt (1.30 Std.). Hier halten Sie sich links und an der nächsten Einmündung wiederum links. Dann kommen voraus die Häuser von **Baía das Gatas** in Sicht, wo sich eine Pause im Take Away Atlanta am Strand anbietet (2 Std., s. S. 99).

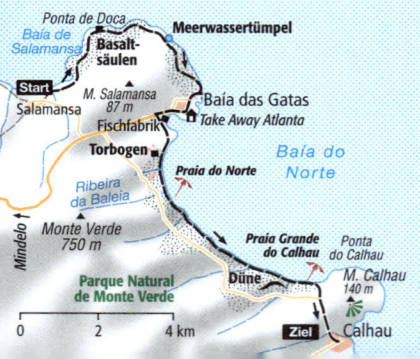

Infos

Start:
Salamansa,
📍 Karte 1, D 4,
Anfahrt mit dem Taxi

Ziel:
Calhau (Rückfahrt mit
vorbestelltem Taxi)

Dauer:
ca. 5 Std.

Anspruch:
lange Wanderung
ohne Höhenunter-
schiede

Immer am Wasser lang

Von der Uferpromenade geht es nun zunächst auf die Straße Richtung Mindelo, vorbei an einigen Ferienhäusern und dem Strand von Baía das Gatas. Jetzt lässt sich die gesamte **Baía do Norte** überblicken. Am Ende der Siedlung, an einer ehemaligen Fischfabrik (2.10 Std.), biegen Sie links in eine Straße ein, die an der Küste entlang bis nach Calhau führt. Sie ist allerdings so wenig befahren, dass Sie relativ ungestört am Strand entlangwandern können. Die Straße mutiert zu einem deutlichen Pfad, der parallel zur Küstenlinie durch den Sand verläuft. Wenig später wird ein einsamer **Torbogen** aus Natursteinen passiert. Voraus liegt ein breites, mit schwarzem Lavagestein gefülltes Tal. Je nach Wasserstand wandern Sie mehr oder weniger weit vom Meer entfernt weiter.

Versteinerte Dünen

Noch ein Tal zieht sich durch die sandige Landschaft (3.15 Std.). Im Kalksandstein sind interessante Erosionsformen zu sehen, vom stetig wehenden Passatwind gebildet. Mit der **Ribeira da Baleia** (3.30 Std.) folgt ein breiteres, flacheres Tal, dessen Grund schwarzes Geröll bedeckt. Ausgedehnte helle Flugsandflächen überziehen den Westhang des Einschnitts. Nach Durchqueren weiterer flacher Täler befinden sich rechts auf einer **Düne** besonders bizarre Erosionsformen (4.10 Std.), es handelt sich um verhärtete Auskristallisierungen in Rissen in der Düne. Härter als der sie umgebende Sand, leisten sie der Abtragung durch den Wind hartnäckig Widerstand.

Und noch ein Fischer-, äh Badeort

Ein rostiger Turm wird passiert, dann ist die **Praia Grande do Calhau** erreicht (4.40 Std.). Beim Baden müssen Sie hier richtig aufpassen, denn die Küste ist der aus Norden heranrollenden Brandung ungeschützt ausgesetzt. An einem Warnschild biegen Sie rechts ins Inselinnere ab, die Landzunge **Ponta do Calhau** mit dem **Monte Calhau** bleibt links liegen. Wenn Sie genau hinsehen, erkennen Sie ›Löcher‹ in der Südseite des Hügels – alte Steinbrüche, die mühselig von Hand angelegt wurden. Nach Überquerung der Landzunge ist voraus wieder das Meer zu sehen, wenig später haben Sie **Calhau** erreicht (5 Std., s. S. 98).

Wahl der Miss Baía. Jedes Jahr kommen ca. 15 000 Zuschauer, viele Emigranten reisen eigens dafür an. 2020 und 2021 fand das Festival online statt.

São Pedro ♥ Karte 1, D 4

Im Westen liegen der Flughafen und **São Pedro,** das die Entwicklung des Tourismus langsam, aber sicher zu spüren bekommt: Im Umfeld des Ortes wird stetig gebaut. Ansonsten ist auch der Inselwesten karg und kaum besiedelt.

Scharfe Brise
Trotz Flughafennähe ist São Pedro noch ein beschaulicher Fischerort. Seine Bewohner beschäftigen sich mit dem Putzen ihres Fangs und der Reparatur der Netze. An der dunkelsandigen **Praia de São Pedro** ziehen sie ihre Boote an Land. Aufgrund des ›Düseneffekts‹ weht hier oft ein scharfer Wind, den die Könner unter den Windsurfern und Wellenreitern zu schätzen wissen.

Zum alten Leuchtturm
Am westlichen Strandende steht, gut 1 km vom Dorf entfernt, das Foya Branca Resort Hotel. Von dort aus ist der Leuchtturm an der **Ponta do Farol** zu sehen, den man auf einem alten Verbindungsweg zu Fuß erreichen kann. Der Verlauf ist eindeutig. Es sind zwar nur 2 km, aber in Summe bewältigen Sie ca. 200 Höhenmeter und der Untergrund ist teilweise geröllig. Kurz vor dem Ziel fällt das Gelände links steil ab, da sollten Sie schwindelfrei sein.

Schlafen

Erholung pur
Foya Branca: Noch ist es hier erstaunlich einsam, vielleicht wegen des starken Windes, der am Strand ständig Sand aufwirbelt. So stellt die Poollandschaft des Resorthotels zum (Sonnen-)Baden eine gute Alternative dar. Die Zimmer sind äußerst ansprechend und man möchte sie so lange wie möglich genießen. Andererseits locken Fitnessraum, Tennisplatz und zwei nette Restaurants, eines davon mit Terrasse über dem Strand. Buchung über Reiseveranstalter.
São Pedro, T 230 74 00, €€

Natürliche Materialien
Aquiles Eco Hotel: Das stilvolle Hotel stört trotz seiner eigenwilligen Architektur nicht das Dorfbild. Es wurde viel Holz verbaut, auch in den Zimmern, die Einrichtung ist im reduzierten Schick gehalten. Zum Frühstück bekommen Sie heimische und, soweit möglich, Bioprodukte. Nach Mindelo fährt Sie der hoteleigene Shuttlebus.
São Pedro, T 232 80 02, www.aquileseco hotel.com, €€

Essen

Vom Meer auf den Tisch
Lua de Mel: In dem Rundbau direkt am Strand bewirtet Sie ein französischer Gastgeber mit frischem, ehrlich zubereitetem Fisch und heimischem Gemüse. Das Ambiente ist locker.
São Pedro, tgl. 9–21 Uhr, €€

Bewegen

Tauchen
Dive Tribe (s. S. 96) hat im Hotel Foya Branca eine Dependance.

Infos

● **Transport vor Ort:** Es bestehen regelmäßige Verbindungen mit Aluguers nach Mindelo.

Zugabe
Die Kunst der Straße

César ›Tche‹ Muller Lizardo

Er hat's geschafft – von der Straße ins Atelier, vom No-Name zu einem beachteten Mann: César ›Tche‹ Muller Lizardo.

César Muller Lizardo wurde 1974 in Mindelo geboren. In seiner Kindheit und Jugend war Cabo Verde eines der ärmsten Länder der Erde.

Sein Atelier hat er in einem Innenhof gegenüber dem Fischmarkt in Mindelo. Ein wackeliges Holztor gewährt Einlass, ›Quintal das Artes‹ steht drüber. Hier haben mehrere Künstler ihre Werkstätten, die von Tche liegt gleich rechts hinter dem Eingang.

Auf den ersten Blick wirkt alles ein wenig chaotisch. Kreativ. Das Atelier entpuppt sich als enge Kammer, fast eine Zelle. Er braucht nicht viel. Die Inspiration kommt aus ihm, aus seinen Beobachtungen, aus seiner Kindheit und Jugend. Die Rohstoffe für seine Werke findet Tche am Strand, im Straßengraben, in den Bergen: Sand und Muscheln, Getränkedosen, Steine, Palmblätter. Daraus entstehen Bilder, Armbänder, Anhänger und Ohrringe.

Tche ist ruhig und besonnen, der Blick konzentriert, seine Handgriffe sind routiniert. Mit der dickrandigen Brille wirkt er bieder. Das war nicht immer so.

Die Militärzeit bedeutete für Tche 29 Monate Drill und Routine. Er war Morsetechniker. Sein kreativer Geist flüchtete sich in die Musik. Nach dem Militär musste er irgendwie überleben.

> »Kunst und Musik halfen mir zu überleben.«

Tche versuchte als Musiker Geld zu verdienen. Er trat beim Festival in Baía das Gatas auf. Finanziell war er erst mal versorgt, aber unglücklich. Das Handwerk lag ihm mehr. In den 1990er-Jahren verkaufte er seinen Schmuck aus Muschelschalen, Fischzähnen und Sand auf der Straße. Die Zeiten waren hart, der Tourismus steckte in den Kinderschuhen. Käufer? Fast keine!

Für Tche folgte eine unstete Zeit: Musik, Kunsthandwerk und Hafenarbeit. 2012 lernte er Silke kennen, die Deutsche war bei einer Atlantiküberquerung in Mindelo hängen geblieben. 2016 wurde Hochzeit gefeiert. Das Atelier im Quintal das Artes betreiben sie zusammen. Tche ist heute solide. Die wilden Zeiten sind vorbei. Die Künstler im Quintal das Artes hoffen, dass sich die Zeiten in ihrem Hof so schnell nicht ändern. Es bestehen Pläne für ein Hotel. ■

Santo Antão

Trekking ist auf Santo Antão angesagt — Den Norden überzieht tropische Vegetation, der Süden präsentiert sich wüstenhaft karg. Grandiose Landschaften erwarten den Reisenden im dünn besiedelten Westen.

Der mühsame Weg der Bauersfrauen

Bei einer Wanderung von den Bergen durch das fruchtbare Vale do Paúl nach Pombas ans Meer passieren Sie Bewässerungsrinnen und Plantagen. Und Sie werden vielen Bäuerinnen begegnen, für die die Strecke der tägliche Arbeitsweg ist.

Espongeiro

In diesem Bergdorf warten Frauen am Straßenrand auf Durchreisende, um ihren Ziegenkäse zu verkaufen. Er schmeckt äußerst mild.

Einst gewann man aus der Pflanze das ›weiße Gold‹: Zucker.

Eintauchen

Wegbaukunst in der Steilwand

Der Küstenweg von Ponta do Sol nach Cruzinha da Garça wurde kühn in den Fels gebaut.

Die singende Wanderführerin

Reiseleiterin Hetty Fortes in Pombas kennt die Wünsche ihrer Gäste – und erfüllt sie gerne auch mal singend.

Vale do Paúl

Christine Mandl vom O Curral erwartet Sie im grünsten Tal der Kapverden im ›Stall‹.

Seite 128

Pedra de Nossa Senhora

Um die Schriftzeichen, die in die Pedra de Nossa Senhora eingeritzt sind, ranken sich zahlreiche Mythen. Wer hat sie geschaffen?

Seite 129

Ribeira das Patas

Die heute meist ausgetrocknete Ribeira das Patas hat im Inselwesten eine bizarre Schlucht mit fast senkrechten Wänden ins Gestein gegraben.

Seite 130

Eine natürliche Wendeltreppe

Steil nach oben geht es auf dem kühn angelegten Pflasterweg von Curral das Vacas die Wand der Bordeira de Norte hinauf. Oben, auf der Hochebene, liegen verstreut einzelne Höfe in der Landschaft.

Seite 132

Tope de Coroa

Der höchste Berg der Insel liegt in einer ganz einsamen Ecke der Insel und wird nur selten bestiegen. Seine bunten Gesteinsschichten leuchten zu allen Jahreszeiten.

0   10 km

SANTO ANTÃO

Cruzinha
da Garça
Ponta do Sol
Pombas
★ **Vale do Paúl**
Espongeiro
Pedra de
Nossa Senhora
Tope de Coroa
Bordeira
do Norte
Porto Novo
Curral das
Vacas
Ribeira
das Patas

SÃO VICENTE

Die Pflasterwege der Insel wären es wert, als Weltkulturerbe anerkannt zu werden. Noch sind sie es nicht – aber dennoch ein Erbe der Kultur.

Die beste Auswahl an frischem Obst und Gemüse gibt es an den Marktständen in Porto Novo.

erleben

Die Wanderinsel schlechthin

S ie ist die grünste, zumindest im Norden! Steil fallen die mit tropischen Pflanzen bewachsenen Hänge von den Bergspitzen zur Küste hin ab, erschlossen sind sie durch kunstvoll angelegte Pflasterwege. Die Einheimischen benutzen sie täglich auf dem Weg zu ihren Feldern. Den relativen Wohlstand verdankt der Norden nicht nur dem Tourismus, sondern auch dem Anbau von Zuckerrohr und Bananen. Ein ausgeklügeltes System von Wasserkanälen *(levadas)* macht es möglich.

Ponta do Sol, Ribeira Grande und das Vale do Paúl sind die Treffpunkte der Wandergemeinde. Sie wohnen dort privat oder in kleinen inhabergeführten Hotels. Riesige Hotelkomplexe gibt es nicht. In Ponta do Sol kann es zu Stoßzeiten schon mal voll werden, genauso auf dem Wanderweg von der Cova de Paúl nach Pombas.

Trocken und karg, aber nicht weniger reizvoll präsentiert sich Santo Antãos Süden. Das Leben spielt sich in Porto Novo ab, dessen Hafen für den physischen Kontakt zur Außenwelt – in diesem Fall São Vicente – zuständig ist. Immer mehr Besucher schlagen auch hier ihre Basis auf.

ORIENTIERUNG

Infos: Auf privaten Websites wie www.bela-vista.net (der Betreiber wohnt auf Santo Antão) und www.kapverden.de.

Transport: Zwischen Santo Antão und São Vicente mit dem nächstgelegenen Flughafen pendeln regelmäßig Fähren. Mit Aluguers erreichen Sie alle wesentlichen Orte auf Santo Antão. In Porto Novo gibt es Taxis und einen Mietwagenverleih.

Planung: Die Straße um den Osten der Insel ist gut ausgebaut, sodass man schnell in den Norden kommt. Eine Auswahl an Unterkünften gibt es in Ponta do Sol, im Vale do Paúl und in Porto Novo.

Im dünn besiedelten Westen bieten das Tal der Ribeira das Patas und die Flanken des Tope de Coroa grandiose Landschaften. Hier ist der Esel Lastenträger Nr. 1, denn die meisten Ortschaften von Alto Mira haben keinen Straßenanschluss. Wanderer finden einfache, aber liebevoll geführte Pensionen. Das Ende der Welt befindet sich übrigens (noch) im Fischerort Tarrafal, der bis Anfang 2021 nur über eine extrem holprige Piste zu erreichen war, jetzt aber an das Straßensystem der Insel angeschlossen ist.

Porto Novo

📍**Karte 1, D 3**

Was soll denn das? Sie erwarten die grünste Insel der Kapverden, kommen in Porto Novo an und sehen rundum nur steinerne Wüste. Selbst die Akazien scheinen Durst zu haben. Das Grün versteckt sich hinter den Bergen im Norden. Beim Blick durch die flimmernde Luft nach oben können Sie es erahnen.

Das lebhafte Porto Novo

Porto Novo ist die Haupt- und Hafenstadt der Insel und das Tor zur Welt. Santo Antão hat keinen Flughafen, der Schiffsverkehr ist daher wichtig. Morgens kommen die Bewohner des Berglandes in den Ort, um sich mit dem Nötigsten zu versorgen. Nachmittags und am Wochenende scheint ganz Porto Novo zu schlafen. Nur wenn die Fähre aus São Vicente anlegt, wird es quirlig. Oberhalb des Hafens verkaufen Frauen dann Orangen, Bananen, Saft, Ziegenkäse, Schnaps und Zigaretten. An der Zufahrtsstraße zum Hafen stauen sich Aluguers und Lastwagen wie in einer großen Stadt.

Das verschlafene Porto Novo

Nach einer Stunde ist der Spuk wieder vorbei und alles geht seinen geruhsamen Gang. An der städtischen **Praia do Bote** liegen die Boote der Fischer, die tagsüber im Schatten sitzen und Karten spielen, während die Kinder mit einem luftleeren Ball am Strand toben und die Frauen den Fisch putzen. Anschließend balancieren sie ihn in bunten Plastikeimern auf ihren Köpfen zu den Kunden. Über allem wacht die große Metallstatue einer winkenden kapverdischen Mutter mit ihrem Sohn. Das Denkmal ist den Frauen gewidmet, die in der Heimat geblieben sind, als ihre Männer das Glück in der Emigration suchten.

Nur wenige Meter vom Hafen entfernt geht in Porto Novo alles seinen normalen Gang, lassen sich stille Plätze entdecken – keine Spur von Hektik oder Touristenscharen, die umsorgt werden wollen.

EMIGRATION ALS WIRTSCHAFTSMOTOR

Hungersnöte und die schlechte Versorgungslage sowie der kaum vorhandene Arbeitsmarkt führten lange Zeit immer wieder zu Auswanderungswellen. Auf den Kapverden leben rund 530 000 Menschen, ihnen stehen 800 000 im Ausland – vorwiegend in den USA und in Portugal – lebende Kapverdianer gegenüber. Daheimgebliebene können oft nur mit Hilfe von Überweisungen der Emigranten überleben. Schätzungen zufolge machen diese immer noch ca. 20 % des Brutto-inlandsproduktes der Kapverden aus. Manche Emigranten kehren zurück, um in der Heimat zu investieren. Sie eröffnen Hotels, Geschäfte, Autovermietungen und Taxiunternehmen, sind stolz auf die positiven Tendenzen in ihrem Land.

Finaçon de Punoi Ramo – Emigration in der Dichtung:
M ta djobé algen ki sa ta ba Merka / k'é pa mandá Maninho Ramo rakadu / ma kalsa dja ka ratxá fepu / kasaku dja ka ratxá fepu / kamisa dja ka ratxá fepu / silora dja ka ratxá fepu (Ich suche jemanden, der nach Amerika fährt / der Maninho Ramo ausrichten kann / dass meine Hose schon total zerrissen ist / meine Jacke schon total zerrissen ist / mein Hemd schon total zerrissen ist / meine Unterwäsche schon total zerrissen ist)

Die Kö von Porto Novo

Die Durchgangsstraße in Ost-West-Richtung ist zugleich die Hauptgeschäftsstraße. Hier findet sich das Wesentliche zum Überleben: Mercearias, ein Markt, Bars, eine Bäckerei und eine Bank. Ehemals herrschaftliche Häuser sind Zeugen einer besseren Zeit. Die Straße überquert zwei meist trockene Flusstäler, dazwischen zweigt die Gebirgsstraße in Richtung Ribeira Grande ab. Weiter nach Westen geht es in die einsamen Ecken der Insel. Nach Osten verläuft eine asphaltierte Schnellstraße ebenfalls nach Ribeira Grande.

Schlafen

In Porto Novo gibt es die ganze Bandbreite an Unterkünften.

Bestes Haus der Insel

Santantao Art Resort: Geboten wird internationales Vier-Sterne-Niveau mit Pool. Die 73 Zimmer sind unterschiedlich groß und nett eingerichtet. Wer abends nicht mehr raus möchte, isst im Hotelrestaurant gehobene einheimische Gerichte.
Av. Marginal do Abufadouro, ca. 2 km westl. des Hafens, T 222 26 75, buchbar über Reiseveranstalter, €€

Erstes Haus nach Ankunft

Antilhas: Das Residencial verspricht zwar keinen Luxus, ist aber die erste Anlaufstation nach der Überfahrt von São Vicente. Wenn die See sehr aufgewühlt war, treffen sich auf der Terrasse des Restaurants die bleichen Ankömmlinge. Die Zimmer sind einfach und ordentlich, im Restaurant können Sie deftig einheimisch essen. Wenn Sie es nicht weit zur Fähre haben möchten, sind Sie hier gut aufgehoben.
Av. Amílcar Cabral, Alto Peixinho, am Hafenausgang, T 222 21 79, €

Essen

Praktisch und gut

Tudo Gostoso: In diesem Restaurant gibt es keinen überflüssigen Schnickschnack, sondern es werden einfache Gerichte zu fairen Preisen serviert. Einige Speisen haben einen regionalen Bezug wie beispielsweise Eintöpfe, andere einen internationalen Touch, etwa Pizza. Centro Comercial, T 530 80 95, €

Einkaufen

Direkt vom Produzenten
Bei Ankunft und Abfahrt der Fähren verkaufen Bäuerinnen direkt am Eingang zum Hafenterminal Obst, Gemüse und Käse. Knapp 200 m westlich davon, an der Ausfallstraße, befinden sich überdachte Marktstände. Zumindest vormittags unter der Woche finden Sie hier das beste Angebot an Frischware auf ganz Santo Antão.

Bewegen

Wandern, Radeln & Tauchen
Wander- und Mountainbiketouren können im **Santantao Art Resort** (s. S. 108) gebucht werden. Dem Hotel ist die Tauchschule **Blue Eden** angeschlossen.

Baden
Etwa 3 km östlich von Porto Novo liegt die Praia das Curraletes (auch Praia de Escoralet) – keine Schönheit, aber zumindest können Sie hier mal ins Wasser springen.

Feiern

• **Festa de São João:** 24. Juni. Zum Johannisfest findet eine laute Prozession mit Trommeln und Pfeifen statt, danach tanzen die Bewohner die rituelle Colá. Der Vortänzer bindet sich ein Schiff um den Bauch und simuliert mit den Hüften heftigen Seegang. Die anderen Teilnehmer stoßen mit allen Teilen ihres Unterleibs rhythmisch aneinander.

Infos

• **Informação Turística Lucete Fortes:** Gare Marítima Porto Novo, T 222 25 17, www.bela-vista.net. Ladenlokal im Fährterminal neben den Ticketschaltern. Verkauf von Wanderkarten, Büchern, Briefmarken und ausgewählten Souvenirs.
• **Schiff:** Nach Mindelo auf São Vicente verkehren Autofähren etwa 2 x tgl. Den Fahrplan findet man unter www.cvinterilhas. cv. Tickets online oder am Hafeneingang (800 ECV einfach, 45–60 Min.).
• **Transport vor Ort:** Mehrmals tgl. Aluguers nach Ribeira Grande, sowohl über Espongeiro als auch über Pombas. In den Westteil der Insel gibt es weniger Verbindungen. Abfahrt an der Avenida Amilcar Cabral. Bei Ankunft der Fähre warten Aluguers am Hafen. Manche Fahrer behaupten, es führen keine Aluguers mehr, weil sie den Wagen komplett als Taxi vermieten möchten. Sie sollten Geduld bewahren, eine Taxifahrt ist immer noch möglich.
• **Mietwagen:** Rent-a-Car Vale & Montanha, Alto Peixinho, T 222 30 32, auf Facebook.

Durch die Berge gen Norden

Die Grenze zwischen Wüste und Grün bildet ein zentraler Gebirgszug. Von Porto Novo führt die EN1-SA-01 in engen Serpentinen die Flanken hinauf. Am unbesiedelten Südabhang haben sich helle vulkanische Aschen im Windschatten von Vulkankegeln gesammelt. Weiter oben wurden die Hänge sorgfältig terrassiert und mit Akazien bepflanzt. Die Aufforstung ist mühselig, von einem Wald kann keine Rede sein. Immerhin dämmen die

TOUR
Wie die Bauersfrauen

Wandertour von den Bergen durchs Vale do Paúl ans Meer

Mais und Bohnen sind Grundnahrungsmittel auf den Kapverden, sie müssen vom Produzenten in den Bergen zum Verbraucher an die Küste. Der Abstieg mit einem 20 kg schweren Sack auf dem Kopf ist mühsam für die Frauen, die diesen Weg sogar mehrmals am Tag gehen. Mais und Bohnen wandern nach unten, Bananen und andere tropische Früchte steigen auf. Trotz Straßenanschluss geht es zu Fuß schneller als mit dem Pick-up – und: Anstrengung ist relativ.

Der Wanderweg ist einer der beliebtesten der Insel. Sie werden nicht allein sein. Trotzdem tauchen Sie in die kapverdische Welt ein.

Der Abstieg nach Pombas beginnt am Ende der Straße, die in die **Cova de Paúl** (s. S. 112) führt, mit einem Aufstieg ... Wandern Sie auf dem hier beginnenden Pflasterweg ca. 100 m weiter nach Westen und schwenken Sie dann scharf rechts ein. An der T-Kreuzung geht es auf dem linken Weg aufwärts, dann gleich noch mal rechts. In etwa 20 Min. haben Sie die 100 Höhenmeter bis zum nördlichen **Kraterrand** geschafft. Hinter Ihnen liegt nun der Krater und vor Ihnen öffnet sich ein weiter Blick ins **Vale do Paúl** (s. S. 126).

Von nun an geht's (fast) nur noch bergab – versprochen! Kunstvoll angelegt, führt der alte Verbindungsweg in Serpentinen an der steilen Außenwand des Kraters Richtung Tal. Unten am Meer ist schon der Ort Pombas zu erkennen, das Ziel der Wanderung. Ein lichter Eukalyptuswald wird durchquert. Dieser weicht einer Graslandschaft mit Akazienbewuchs. Immer näher rücken die Häuser des Vale do Paúl.

Nach den ersten Bananenfeldern kreuzt eine schmale **Bewässerungsrinne** den Weg (1.15 Std.). Diese *levadas* transportieren das aus Gebirgsquellen stammende Wasser mit geringstmöglichem Gefälle an den Hängen entlang ins Tal und führen es dort den Feldern zu. Speziell die Zuckerrohrplantagen werden damit bewässert. Je weiter hinunter Sie kommen, umso dichter sind die Hänge mit Kaffee- und Bananenpflanzungen, vor allem aber mit Zuckerrohrplantagen überzogen. Unvergesslich ist die Zuckerrohrblüte, die man im Winter hier erleben kann. Immer häufiger stehen nun Frauen am Wegrand und verkaufen Kaffeebohnen, Früchte, Marmeladen und dicken Saft aus Mangos oder Guaven.

Oberhalb eines **Fußballfeldes** wird eine Abzweigung erreicht (1.45 Std.). Geradeaus stoßen Sie sogleich auf die Pflasterstraße, die weiter talabwärts führt. Bald liegt die **Bar O Curral** (www.grogue.de, s. S. 127) am Wegrand. Das urige Lokal serviert Kleinigkeiten wie Omelettes, belegte Brote, Käse aus eigener Produktion und Obst aus eigenem Anbau (auch getrocknet und auch zum Mitnehmen) sowie selbst gebrannten Grogue.

Nach der Einkehr geht es bald durch den Ort **Lombinho** (2.30 Std.) mit einigen recht gut erhaltenen Kolonialgebäuden. Im Talgrund sehen Sie vereinzelt Häuser mit Strohdächern, wie sie früher überall auf den Kapverden der ärmeren Mehrheit der Bevölkerung als Behausung dienten. Über zwei Straßenabzweigungen hinweg wandern Sie stets geradeaus weiter. Auch im unteren Bereich ist fast das ganze Tal mit Zuckerrohr bepflanzt. Außerdem gedeihen Avocados, Papayas und Brotfruchtbäume. Nach ca. 3.15 Std. überschreiten Sie die **Ribeira do Paúl**. Jenseits des Flussbetts steigt der Fahrweg in den Ort **Eito** an (3.30 Std.), von hier geht es steil abwärts bis **Pombas** (s. S. 123) am Meer.

Die Bar O Curral in Chã de João Vaz wurde von dem Österreicher Alfred Mandl gegründet, der auf den Kapverden Tourismusgeschichte geschrieben hat (s. S. 134).

Pflanzen die Erosion ein und führen den wenigen Regen dem Grundwasser zu. Das Hochland ist feuchter, oft ziehen Passatwolken über die Berge und werden von den Nadelbäumen ›gemolken‹. Wasser bedeutet Leben und Siedlungen.

Cova de Paúl ♀ Karte 1, D 2/3

Hier stürzte der Vulkan ein

Das erste Dorf auf der Südseite ist **Lombo de Figueira.** Bald geht es rechts ab zur **Cova de Paúl,** einem Einsturzkrater. Steile Felswände, dicht mit Nadelbäumen bewachsen, begrenzen ihn. Sein Grund wird intensiv landwirtschaftlich genutzt und ist übersät von kleinen Mais- und Bohnenfeldern. Die Feldfrüchte wandern in große Säcke und dann auf dem Kopf von Frauen an die Nordküste – auf einem kunstvoll angelegten Serpentinenweg, der heute die beliebteste Wanderstrecke ist (s. S. 110).

QUEIJO SANTO ANTÃO [Q]

Der Ziegenkäse von Santo Antão, der an den italienischen Mozzarella erinnert, wird nach traditioneller Art von Landwirten auf dem Hochland aus der Milch von Tieren gewonnen, deren Vorfahren vor Jahrhunderten mit den portugiesischen Entdeckungsfahrern auf die Kapverden gelangten. Verkauft wird er direkt von den Erzeugern, etwa in **Espongeiro.** Viele Hotels und Restaurants auf der Insel servieren ihn ihren Gästen. Am begehrtesten ist er als Dessert, kombiniert mit *doce de Papaya* (Papayagelee). Natürlich bekommt man ihn auch im örtlichen Lebensmittelhandel. Ein Projekt der Universität von Turin fördert seine Herstellung.

Pico da Cruz ♀ Karte 1, D 2/3

Einfach zu erklimmen

Der Ausflug zur Cova de Paúl lässt sich gut mit einem Abstecher zum Pico da Cruz verbinden, dem mit 1585 m höchsten Berg im Osten von Santo Antão. Eine schmale Pflasterstraße zweigt am Krater nach Osten ab und erreicht nach ca. 4 km den kleinen Ort **Pico da Cruz,** dessen ›Zentrum‹ von einer x-förmigen Kreuzung markiert wird. Hier beginnt mit ein paar Treppenstufen der Fußweg auf den Gipfel, zu dem es allerdings nur noch 75 Höhenmeter sind (hin und zurück etwa 30 Min.). Eine niedrige Säule markiert den Aussichtspunkt. Von hier bietet sich ein fantastischer Blick über den Süden von Santo Antão.

Espongeiro und Umgebung
♀ Karte 1, D 2–C 3

Käse zu verkaufen

Sehr ansprechende Aussichten genießen Sie auch auf der weiteren Fahrt gen Norden. Das erste Mal bereits kurz hinter dem nächsten Ort auf der Hauptstraße, **Água das Caldeiras.** Nur ein paar Schleifen sind es dann noch nach **Espongeiro,** wo sich eine wichtige Aluguerhaltestelle befindet. Dort stehen meist Frauen, die den selbst gemachten Ziegenkäse verkaufen.

Dächer aus Stroh

Von Espongeiro aus lässt sich – links an einem sechseckigen Wasserhaus abzweigend – auf einer recht gut befahrbaren Piste ein Abstecher in die fast 1500 m hoch gelegene, mittelgebirgsähnliche Hügellandschaft von Lagoa unternehmen. Je weiter nach Westen man kommt, desto karger wird es. Hier und da stehen Bauernhäuser einsam in der

Oben im Gebirge ist ein Aussichtspunkt schöner als der andere, kann man sich nicht entscheiden, in welche Richtung man schauen soll – oder wandern. Durch die Terrassenfelder führen Wege hinunter ans Meer.

eher dünn besiedelten Gegend. Der Ort **Lagoa** besteht nur aus ein paar traditionellen Bauernkaten mit Strohdächern, kann jedoch als Zentrum der Gegend bezeichnet werden. Unmittelbar westlich davon liegt der **Cratero de Espadaná,** in dessen Talgrund wie in der Cova de Paúl Landwirtschaft betrieben wird. Ein steiler Pflasterweg verbindet den Krater mit dem Tal der **Ribeira da Garça** auf der Nordseite (s. S. 117).

Weiter nach Ribeira Grande 📍 Karte 1, D 2

Von Espongeiro schlängelt sich die Pflasterstraße in weiten Kurven nach Norden. Nun endlich kommt das Santo Antão in Sicht, wie Sie es erwartet haben: spitze Berge, senkrechte Flanken und üppiges Grün. Der stete Passatwind bringt Feuchtigkeit. Wo es die Topografie zuließ, wurde die Landschaft terrassiert, sodass die Bauern ein verhältnismäßig gutes Auskommen haben. An den Hängen liegen verstreut Höfe, die durch schmale Pfade miteinander verbunden sind.

Aussteigen und loswandern

Das letzte größere Dorf vor Ribeira Grande ist **Corda.** Hier gibt es einige Mercearias und sogar eine Sanitätsstation, doch das Leben der Einheimischen ist von Bescheidenheit geprägt. Im Ort beginnt eine viel begangene Wandertour auf Santo Antão, die durch die Täler der Ribeira Figueiral und der Ribeira Grande bis in das gleichnamige Städtchen führt (s. S. 115).

Was für ein Blick!

Kurz hinter Corda liegt der meistfoto-grafierte Straßenabschnitt der Insel, der **Delgadim.** Dramatischer geht es kaum. Die in den 1950er-Jahren in Handarbeit geschaffene Fahrbahn nimmt einen schmalen Berggrat völlig ein. Zu beiden Seiten stürzen Felswände Hunderte von Metern senkrecht in die Tiefe. Eine zweite, fast ebenso bizarre Engstelle folgt kurz darauf. Hier müssen Sie einfach anhalten und den schwindelerregenden Blick auf sich wirken lassen, bevor Sie die Weiter-fahrt nach Ribeira Grande antreten.

Schlafen

Mit Mountainbikeverleih

Casa Espongeiro: Ein Riesenbalkon mit Bergblick, und was für einer! Dazu schlichte, aber liebevoll eingerichtete Zimmer (4 Zi. mit Balkon/Bad, 2 kleine Zi. mit Gemeinschaftsbad) und junge franzö-sisch-kapverdische Gastgeber. Die Unter-kunft spricht vor allem aktive Menschen an. Geführte Mountainbiketouren (ca. 60 €), Radverleih (um 25 €/Tag). Abendessen auf Wunsch möglich.
Espongeiro, www.casa-espongeiro.com, €

Infos

• **Transport vor Ort:** Tgl. mehrmals Alu-guers über die Cova de Paúl (ca. 300 ECV) nach Ribeira Grande (ca. 500 ECV).

Der Norden

Einmal hinauf und hinunter durchs Landesinnere – nun sind Sie wieder am Meer angelangt. Und zwar dort, wo die Besiedlung der Insel einst begann, in Ribeira Grande.

Ribeira Grande   📍 Karte 1, D 2

Ja, lebendig ist es in dem 2500 Ein-wohner zählenden Städtchen, doch als malerisch kann **Ribeira Grande** kaum bezeichnet werden. Zu schnell und zu viel wurde hier gebaut in den letzten Jahren.

Zwischen zwei Flüssen

Das Ortszentrum, **Povoação** genannt, erstreckt sich zwischen zwei Flüssen. Wichtiger Treffpunkt ist die Tankstelle an der Mündung der **Ribeira da Torre,** die zugleich als Café, Supermarkt und Haltestelle für die Aluguers dient. Von hier aus führt die breite **Avenida 5 de Julho** ins Zentrum, rechter Hand liegt die Bank, links die Post.

Nur Kirche, nicht Kathedrale

Am Ende der Straße öffnet sich die **Praça Nossa Senhora do Rosário.** Auf dem kleinen Kirchvorplatz treffen sich die Einheimischen auf einen Plausch. Die Kirche selbst ist für kapverdische Ver-hältnisse groß, aber unscheinbar. Bischof Pedro Valente, der den Bau Mitte des 18. Jh. in Auftrag gab, wollte sie zur Ka-thedrale der Kapverden machen, doch mit seinem Tod 1774 starb auch das Pro-jekt. Stattdessen wurde der Bischofssitz damals nach São Nicolau verlegt und die ›Kathedrale‹ verfiel. Ihr heutiges Erschei-nungsbild erhielt sie im 19. Jh.

Schlafen

Zentraler Treffpunkt

Cantinho de Amizade: Ein prima Ba-sislager, um die Insel zu erkunden. Ein-fache, aber saubere Zimmer und gutes Restaurant.
Rua Padre Fernando Barreto, T 221 13 92, https://cantinho-de-amizade-snack-bar-res taurante.business.site, €

TOUR
So schön kann ein Abstieg sein

Wanderung von Corda über Figueiral nach Ribeira Grande

Infos

Start:
Corda,
📍 Karte 1, D 2

Ziel:
Ribeira Grande

Dauer:
3 Std. reine Gehzeit

Anspruch:
900 m Abstieg
auf teils steilen
Pflasterwegen

Ausgangspunkt dieser unbeschreiblich schönen Tour ist die Dorfmitte von **Corda**, wo Sie bei einer betonierten Fläche die Hauptstraße nach rechts (von Ribeira Grande kommend) auf einem breiten Pfad verlassen und sogleich auf eine Piste gelangen. Dort wiederum nach rechts wenden und an der nächsten Gabelung, bei der **Dorfschule,** links auf einem breiten Pflasterweg ins Flusstal hinabgehen. Bei einer Staumauer beschreibt der Weg eine Rechtskurve und führt an der rechten Talseite bergab, vorbei an weiteren Staustufen. Im weiteren Verlauf quert der Pflasterweg den Talgrund, auf der linken Talseite geht es weiter abwärts. Jetzt sind bereits die Täler der Ribeira de Figueiral und der Ribeira Grande zu sehen. Der Weg führt an einer Felswand entlang (bei starkem Wind oder nach Regenfällen Vorsicht wegen Steinschlag!) und schlängelt sich dann in Serpentinen steiler abwärts. An einer Reihe vorwiegend verlassener Häuser vorbei erreichen Sie eine T-Kreuzung (1.15 Std.), dort geht es rechts weiter.

Bei einer Wasserstelle mit Waschplatz gelangen Sie schließlich in den oasenhaften Ort **Figueiral** (1.45 Std.), wo Sie der Pflasterstraße nach rechts folgen. Im feuchten Talgrund gedeihen Bananen, Zuckerrohr und auch Kokospalmen. Das Figueiral-Tal mündet in das Tal der Ribeira Grande bei dem malerischen Ort **Coculí** (2 Std.), in dem einige Häuser im Kolonialstil erhalten geblieben sind. Auffallend ist die weiße Kirche im Dorfzentrum. Sofern sich jetzt eine Mitfahrgelegenheit per Aluguer anbietet, kann die Wanderung hier beendet werden. Ansonsten geht man auf der wenig befahrenen Straße 4 km weiter bis **Ribeira Grande.**

Rustikaler Chic
Divin'Art: Sie schlafen im Tal der Ribeira Grande und doch nur 500 m außerhalb des Zentrums. Sechs recht große Zimmer, teils mit eigener Terrasse, und Restaurant in bäuerlichem Chic, das die ganze Bandbreite von leichter vegetarischer Küche bis zu deftigen lokalen Gerichten offeriert.
João Dias, T 999 57 73, www.divinart.cv, €

Essen

Gute Hausmannskost
Restaurante & Residencial Tropical: Hier bekommen Sie eine Mischung aus portugiesischer und kapverdischer Küche. Der Service ist gehoben und spricht einheimische Geschäftsleute an.
Rua da Horta 11, T 221 11 29, www.residencialtropical.com, tgl. mittags und abends, €€

Ohne Chichi, aber mit Stil
Cantinho de Amizade: In dem meist sehr gut besuchten Restaurant werden deftige Gerichte serviert.
In der gleichnamigen Unterkunft, s. S. 114, tgl. mittags und abends, €

Einkaufen

Frisches vom Markt
Mercado Municipal: Der Obst- und Gemüsemarkt liegt in einer Seitenstraße, die von der Kirche Nossa Senhora do Rosário in Richtung Fluss führt. Die Auswahl ist zwar nicht groß, doch das Angebot sollte genutzt werden, denn Einkaufsmöglichkeiten für Frischware sind auf der Insel selten.
Mo–Sa vormittags

Feiern

- **Dia do Município:** 17. Jan. Das Gemeindefest erinnert an den 17. Januar 1462, als Santo Antão von portugiesischen Seefahrern entdeckt wurde. Damit ist es zugleich eine Feier zu Ehren des Namenspatrons der Insel, des hl. Antonius Eremita. Am Vorabend Musikveranstaltungen, am Haupttag Prozession und durch die Straßen ziehende Musikgruppen, auch in den zur Gemeinde gehörenden Orten Ponta do Sol und Chã de Igreja.

Infos

- **Transport vor Ort:** Ribeira Grande ist ein Verkehrsknotenpunkt, von hier fahren Aluguers in alle Richtungen – mehrmals tgl. nach Porto Novo, Ponta do Sol, Pombas und Coculí, nur wenige Verbindungen gibt es nach Chã de Igreja. Nach Porto Novo (ca. 500 ECV) ab Praça Nossa Senhora do Rosário im Zentrum; die Fahrer sammeln ihre Kunden auch entlang der Durchgangsstraße ein. Nach Ponta do Sol (ca. 60 ECV) ab Straßenkreuzung westlich der Ribeira de Torre. Nach Pombas (ca. 120 ECV) östlich der Ribeira de Torre an der Straße. Nach Coculí (ca. 120 ECV) und Chã de Igreja an der Ribeira Grande am Westrand der Stadt.

Nach Cruzinha da Garça
📍 Karte 1, C–D 2

Vom Tal auf den Pass
Die **Ribeira Grande** hat eines der gewaltigsten Täler von Santo Antão geschaffen. Während es von der Nordküste durch einen fast ungegliederten Bergkamm abgeschottet ist, münden von Süden her zahlreiche Seitentäler ein. Weiter oben im Tal der Ribeira Grande wird der **Ponte do Canal** passiert, ein nicht mehr genutzter Aquädukt. Beim Ort **Boca de Ambas as Ribeiras** verlässt die Piste das Tal und führt auf die Passhöhe bei **Garça de Cima,** dem ›oberen Garça‹.

Steil, steiler, am steilsten

Die Reise geht nun entlang der **Ribeira da Garça** in Richtung Norden. Steinnadeln und senkrechte Wände charakterisieren das Tal, das sich vom Cratero de Espadaná (s. S. 113) bis ans Meer zieht. Vereinzelt kleben Höfe an den steilen Hängen, die nur mühsam bewirtschaftet werden können. Nach jeder Kurve erlebt man eine neue Überraschung, bei Gegenlicht erscheint die Landschaft geradezu mystisch.

Hibiskus vor jedem Haus

Von Feldern umgeben schmiegt sich das nur rund 100 Einwohner zählende **Chã de Igreja** in eine Talsenke. Schmale Gassen durchziehen das Dorf, eines der schönsten der Insel. Überall in den Gärten sprießen die Blumen, vor allem der Hibiskus scheint es den Bewohnern angetan zu haben. Spektakulär ist auch der Blick in die fast 50 m tiefe Schlucht, auf deren Talboden allerlei Feldfrüchte angebaut werden.

Tierischer Verkehr

Freilaufende Schweine und Kühe sind die üblichen Verkehrsteilnehmer in **Cruzinha da Garça.** Das Fischerdorf östlich der Mündung der Ribeira da Garça ins Meer scheint aus der Zeit gefallen. Wenn Sie der staubigen Durchgangspiste nach Nordosten folgen, erreichen Sie nach ca. 45 Min. einen langen schwarzen Sandstrand, die **Praia da Ribeira Seca.** Baden ist hier nur bei spiegelglatter See möglich und selbst dann ist Vorsicht geboten, die Unterströmungen sind tückisch. Wenn Sie den Strand links liegen lassen, geht die Piste in den Pflasterweg nach Ponta do Sol über, prächtig zum Wandern (s. S. 118).

Schlafen

Steinhäuser mit Blick

Pedracin Village: Gepflegte Unterkunft auf einem landwirtschaftlich genutzten Gelände hoch über dem Tal der Ribeira Gran-

de. Die Zimmer sind auf zehn Steinhäuser verteilt, im Restaurant kommen Produkte aus dem eigenen Garten auf die Teller.
Boca de Coruja, ca. 7 km südwestl. von Ribeira Grande zwischen Coculi und Boca de Ambas as Ribeiras, T 224 20 20, pedracin@ cvtelecom.cv, €€

Einzigartig ökologisch

Mamiwata Eco Village: Das brandneue Ökohotel mit spektakulärer Aussicht übers Meer verfügt über 14 Zimmer, drei Ferienhäuser und einen Seminarraum, der wie ein Adlerhorst in den Felsen hängt. Die Anlage versucht weitestgehend autark zu agieren, mit eigenem Brunnen, lokalem Gemüseanbau für die hauseigene Restaurantküche und einer Solaranlage. Das Grauwasser wird für die Bewässerung der Gärten natürlich gefiltert.
Chã de Igreja, www.mamiwata-ecovillage. com, €€

Solide und gut

Mité e Banana: Das einfache Gasthaus wird familiär und liebevoll geführt. Dazu gehört das einzige Restaurant im Ort, das die übliche einheimische Küche bietet. Wanderer können sich ein umfangreiches Lunchpaket richten lassen. Die Besitzer bieten auch Wandertransfers an.
Chã de Igreja, T 226 10 64, mitebanana@ hotmail.com, €€

Fisch

So na Fish: Zehn einfache Zimmer werden hier vermietet, die überwiegend von Wanderern in Anspruch genommen werden, denn das Residencial ist die Endstation der Küstenwanderung ab Ponta do Sol (s. S. 118). Etwas zu essen gibt es auch!
Cruzinha da Garça, T 226 10 27, €

Infos

- **Verkehr:** Aluguers fahren nur morgens in Richtung Ribeira Grande, nachmittags

TOUR
Wegbaukunst in der Steilwand

Zu Fuß von Ponta do Sol nach Cruzinha da Garça

Infos

Start: Ponta do Sol, 📍 Karte 1, D 2

Dauer/Länge: ca. 5 Std. Gehzeit, 17 km, 800 Höhenmeter

Hinweise: Stetes Hoch und Runter. Der Untergrund ist steinig, teils geröllig. Ein langer Abschnitt verläuft durch siedlungsfreies Gebiet, genug zum Trinken mitnehmen. Wer nicht im So na Fish (s. S. 117) übernachten will, sollte für den Rückweg ein Taxi vorbestellen!

Die Strecke von Ponta do Sol nach Cruzinha da Garça gilt bei älteren Einheimischen als Straße. Für uns – Sie und mich – ist sie ein strammer Wanderweg.

Die Tour startet in **Ponta do Sol.** Wenn Sie am Ostrand des Ortes wohnen, können Sie direkt in die Piste einsteigen, die bei der kleinen **Capela Nossa Senhora da Fátima** beginnt. Liegt Ihre Unterkunft mehr im Zentrum oder am Meer, wandern Sie aufwärts in Richtung Westen und lassen das Fußballstadion links liegen. Sie passieren erst den christlichen Friedhof und dann den ehemaligen jüdischen Friedhof. Ein schmaler Pfad führt an Schweineställen vorbei und trifft oberhalb davon auf die Fahrpiste nach Fontainhas. Hier gehen Sie rechts.

Bis Fontainhas sind es knapp 3 km. Planen Sie dafür 1 Std. ein. Es geht immer auf und ab. In **Fontainhas** endet der befahrbare Weg. Zwischen Häusern steigen Sie eine Treppe hinauf und verlassen gleich darauf das Dorf. Jetzt sind Sie auf dem spektakulären Pflasterweg, der Sie bis nach Cruzinha da Garça bringt.

Wie kann ein Weg so steinig sein?

Nach einem Talgrund folgt ein erster strammer Anstieg zu einem **Felsgrat** (1.30 Std.). Aus ihm ragt eine Gesteinsmauer wie eine Wand empor. Danach geht es ins nächste Tal mit dem winzigen Ort **Corvo** (1.45 Std.), das immerhin noch ca. 80 Einwohner hat. Anschließend verläuft der Weg in der Steilwand bis zum nächsten Dorf **Forminguinhas** (2.15 Std.). In der **Bar Mar Vila** können Sie evtl. einkehren. Verlassen Sie sich aber nicht darauf, dass Sie etwas bekommen, nicht immer sind genügend Getränke vorrätig. An der **Schule** verlassen Sie das Dorf. Bis zum Ende der Wanderung treffen Sie nun auf keine bewohnte Siedlung mehr.

Der Weg verläuft nun unterhalb der Steilwand durch einige steile Täler. Im breiten, flachen Tal der **Ribeira das Aranhas** treffen Sie auf Hausruinen des verlassenen Weilers **Chã de Mar** (3 Std.), wo sich eine Pause anbietet. Es folgt ein kurzer knackiger Aufstieg, dem sich wieder das bekannte Auf und Ab anschließt.

Etwa 30 Min. nach der Ribeira das Aranhas haben Sie das enge Tal der **Ribeira Seca** erreicht, wo ein langer schwarzer Sandstrand beginnt. Ein gestufter Zugang liegt etwa 700 m bzw. 15 Min. weiter (3.45 Std.). Baden ist hier nur selten möglich, denn auch wenn die Wellen nur leicht plätschern, kann die Unterströmung tückisch sein.

Ab dem Strand werden der Weg breiter und die An- und Abstiege flacher. Bis Sie die ersten Häuser von **Cruzinha da Garça** erreichen, vergehen noch einmal 45 Min. Folgen Sie der staubigen Dorfstraße bis zum kleinen Hafen, wo sich die **Bar So na Fish** befindet (4.45 Std.).

Wenn Hilfe nötig sein sollte: Handynetz gibt es nur im Bereich von Ponta do Sol und in Cruzinha da Garça, dort ist es allerdings sehr schwach.

ist man auf Taxidienste angewiesen. Fahrer finden Sie in Chã de Igreja oder über das Restaurant So na Fish in Cruzinha da Garça.

Ponta do Sol   📍 Karte 1, D 2

Wichtigster Standort für Traveller und Wandertouristen ist **Ponta do Sol** (ca. 2000 Einw.), das ein besonders angenehmes Klima besitzt, da stets ein leichter Wind weht. Schon die Fahrt in den Ort ist ein Erlebnis für sich. Kühn wurde die Küstenstraße zwischen Ribeira Grande und Ponta do Sol in die Steilwand geschlagen. Kaum vorstellbar, dass sich hier an der rauen Nordostecke von Santo Antão noch ein Ort befindet. Doch Ponta do Sol wurde auf einer flachen Landzunge erbaut, die weit ins Meer vorgeschoben ist.

Kurzer Blick in die Vergangenheit
Ponta do Sol war während der Kolonialzeit eine wichtige Handels- und Verwaltungsstadt. Vom Hafen wurden die Produkte des fruchtbaren Nordostens von Santo Antão exportiert, vor allem Kaffee, Bananen und Leder. Einige Jahrzehnte lang diente Ponta do Sol sogar als administratives Zentrum der Barlavento-Inseln, bis 1935 Mindelo auf São Vicente diese Funktion übernahm. Bis 1960 blieb Ponta do Sol die Hauptstadt von Santo Antão, wurde dann aber von Porto Novo abgelöst. Der Kaffeeanbau war damals wegen gesunkener Weltmarktpreise praktisch zum Erliegen gekommen. Die einstige wirtschaftliche Bedeutung ist noch an einigen repräsentativen Bauten abzulesen.

Wo die Herren wohnten
An der Einfallstraße in den Ort steht linker Hand der von einem großen Garten umgebene **Palácio Rochteau-Sierra,** der um 1880 von der Familie Rochteau-Sierra erbaut wurde. Er fällt immer mehr in sich zusammen – ein Lost Place, leider schon lange.

Vorwiegend lag der Export in den Händen ortsansässiger jüdischer Kaufleute, die im 19. und Anfang des 20. Jh. aus Marokko auf die Kapverden gekommen waren. Weitere herrschaftliche Häuser in Ponta do Sol stammen von der Familie Benjamin Cohen, die das größte Handelshaus der Barlavento-Inseln leitete.

Chillen am Meer
Vor allem abends ist die Uferstraße gut besucht. Hier liegen der Fischerhafen sowie viele Restaurants und Bars, regelmäßig finden spontane Musiksessions statt. Die Kaimauer vermag den Hafen allerdings nur notdürftig zu schützen, oft schwappen hohe Wellen in das schmale Hafenbecken und die Fischer mit ihren kleinen Booten haben dann große Mühe.

Treffpunkt im Zentrum
Mittelpunkt von Ponta do Sol ist die geräumige **Praça Municipal,** auf der Palmen und reichlich Hibiskus gedeihen. Eine Seite des Platzes nimmt die breite Fassade der **Câmara Municipal** ein, das Rathaus von 1882.

Auffällig groß ist die weiß getünchte, katholische **Igreja Paroquial** (›Pfarrkirche‹) an der Nordostseite des Platzes mit einem geschwungenen Giebel im Stil des Kolonialbarocks. Nur einen Turm hat man errichtet. Vis-à-vis befindet sich eine Einkaufszeile mit Supermarkt, Souvenirgeschäft und Bank.

Bescheidene Ruhestätte
Großen Wohlstand erreichte Ponta do Sol durch jüdische Händler, ihre letzte Ruhestätte ist dafür sehr bescheiden. Der **Jüdische Friedhof** liegt oberhalb des Fußballstadions und versteckt sich hinter einer brüchigen Mauer und dem christlichen Friedhof.

Schlafen

Die Auswahl an Pensionen und privaten Unterkünften ist größer als anderswo. Viele haben keine eigene Internetseite mehr, aber bei den einschlägigen Buchungsportalen werden Sie fündig.

Luftiges Ambiente
Kasa Tambla: Ein B&B der netten Art – mit einem begrünten Innenhof, wo man frühstückt, und sieben hellen, modern möblierten Zimmern. Von der Dachterrasse schweift der Blick übers Meer.
Rua Direita, T 225 15 26, www.casatambla. com, €€

Angenehme Gastgeber
Coração Ponta do Sol: Das Boutiquehotel liegt am östlichen Ortseingang. Die Zimmer sind groß und geschmackvoll eingerichtet, jedes besitzt einen eigenen Balkon. Sogar den Luxus eines Pools haben Sie. Die Besitzer sind Belgier und kümmern sich persönlich um ihre Gäste. Wandertransfers und Guides für Touren können Sie auch buchen.
Via Principal, T 225 10 48, www.coracao pontadosol.com, €€

Der Klassiker
Residencial A Beira Mar (Chez Fátima): Direkt am Hafen liegt diese Unterkunft, deren Zimmer einen Balkon haben. Die Einrichtung ist schlicht, aber alles ist sauber und in gutem Zustand. Im Restaurant werden Sie mit einheimischen Gerichten satt, das Frühstück ist umfangreich. Infolge von Corona noch geschlossen, die Zukunft steht in den Sternen.
Uferstraße, Ecke Hauptdurchgangsstraße, T 225 10 08, residencial.abeiramar@gmail. com, €

Beste Lage
Música do Mar: Der Name ist Programm, denn im Zimmer hören Sie das Rauschen des Meeres und die Musiker, die sich oft auf dem Platz vor der Unterkunft treffen – Sie wohnen also mitten im Geschehen. Die acht Zimmer sind geschmackvoll eingerichtet, sechs haben einen Balkon. Im Erdgeschoss befindet sich ein schnuckeliges Restaurant. Das Haus steht zwar unter deutscher Leitung, wird aber von drei Kapverdianerinnen liebevoll geführt. Eine davon ist Carla, sie kann Deutsch.
Uferstraße, T 225 11 21, www.musica-do-mar.com, €

Essen

Raffinierter Fisch und Musik
Caleta: Drinnen ist's eng und daher ziemlich kommunikativ, von der Terrasse im Obergeschoss und den Tischen vor dem Restaurant blicken Sie aufs Meer. Was aus der Küche kommt, ist frisch und kreativ zubereitet. Um die Wartezeit zu überbrücken, empfehlen sich die Vorspeisenvariationen. Am späteren Abend treffen sich häufig Musiker vor dem Haus zur spontanen Session. Preislich liegt das Restaurant nur etwas über dem Ortsdurchschnitt, die Qualität aber deutlich darüber.
Uferstraße, T 225 15 61, tgl. abends, €€

Klein und fein
Gato Preto: Die Belegschaft gibt sich nicht nur Mühe, sie kann es auch. Je nach Fang der Fischer wechselt die Speisekarte. Wenn Sie großen Hunger haben, bestellen Sie eine *cachupa rica* mit Fisch und Fleisch oder eine *feijoada* (Bohneneintopf) mit Huhn und Paprikawurst. Leichter verdaulich ist der Fisch, gegrillt oder traditionell gekocht. So im Magen noch Platz ist, empfiehlt sich die Nachspeisenplatte mit hausgemachten Köstlichkeiten. Languste sollten Sie vorbestellen.
An der Hauptstraße zw. Hauptplatz und Hafen, T 225 15 39, www.gato-preto.org, Sa geschl., €€

Parkplatzsuche auf Kapverdisch: Wenn die Fischer ihre Boote anlanden, kann es am Strand schon mal eng werden, dann hilft nur quetschen und stapeln.

Schnörkellos und ehrlich
Bukinha Salgod: Chefin Betty hat jahrelang Erfahrung im Tourismus und kann sich auf ihre Kunden einstellen. Was auf den Teller kommt, ist frisch.
An der Hauptstraße zwischen Hauptplatz und Hafen, T 225 10 68, wechselnde Öffnungszeiten, €

Bewegen

Die meisten Unterkünfte haben Kontakte zu Wanderführern und können Transfers vermitteln.

Zu Fuß über die Insel
Arlindotrek: Arlindo Evora Rodrigues arbeitet als Bergführer und Fischer in Ponta do Sol. Wenn Sie auf kleinere oder größere Tour gehen möchten, ist er der richtige Mann. Neben Portugiesisch spricht Arlindo Französisch. Er arbeitet mit der Schweizerin Marie Pertin zusammen, die für ihn die Buchungen koordiniert und Englisch sowie Deutsch spricht.
www.arlindotrek.weebly.com

Ausgehen

Viel Livemusik
In Ponta do Sol treffen sich Musiker oft spontan. Einige Restaurants engagieren regelmäßig Gruppen, die dann auch noch nach dem Essen weitermachen.

Infos

● **Transport vor Ort:** Aluguers fahren mehrmals tgl. nach Ribeira Grande.

Fontainhas
📍 Karte 1, C 2

Kunstvolle Terrassenfelder

Ein Bilderbuchdorf in absolut spektakulärer Lage, nur so lässt sich **Fontainhas** beschreiben. Mit seinen türkis- und rosafarbenen Häusern ist dies eines der reizvollsten Dörfer der Kapverden, doch nur etwa 100 Einwohner harren hier noch aus. *Levadas* leiten Wasser aus Quellen im hinteren Talbereich in Zisternen, aus denen Bananenplantagen und Zuckerrohrfelder bewässert werden. Die drängen sich auf Dutzenden schmalen, übereinandergestaffelten Terrassen. Diese sogenannten *poios* wurden nicht etwa in den Felsen hineingeschlagen, sondern wie Vogelnester regelrecht an den Hang ›geklebt‹, indem man zunächst eine Stützmauer errichtete und dann die Terrasse mit fruchtbarem Schwemmmaterial aus dem Talgrund auffüllte.

Mit dem Fahrzeug erreichen Sie den Ort Fontainhas über eine Piste, die oberhalb von Ponta do Sol entlangführt. Sie beginnt am östlichen Ortseingang bei der kleinen Capela Nossa Senhora da Fátima. Zu Fuß folgen Sie der Beschreibung der Tour nach Cruzinha da Garça (s. S. 118).

Der Osten

Die Anfahrt von Ribeira Grande nach Pombas erfolgt über eine Küstenstraße, die kaum weniger eindrucksvoll ist als ihr Pendant Richtung Ponta do Sol. Unterwegs wird **Sinagoga** passiert, wo nichts mehr daran erinnert, dass hier einst eine Synagoge stand, der religiöse Mittelpunkt der Mitglieder der jüdischen Gemeinde, die von Pombas und Ponta do Sol aus Handel betrieben.

Pombas
📍 Karte 1, D 2

Vier Straßen hat **Pombas** zu bieten und darf sich doch Cidade nennen, hat also den Status einer Großstadt. Eine Großstadt mit knapp 200 Einwohnern. Immerhin erstreckt sich der Ort auf gut 1,5 km Länge, die pastellfarbigen Häuschen stehen unmittelbar hinter dem Strand – eine Konstellation, die man wegen der hohen Atlantikbrandung andernorts auf den Kapverden kaum findet und die durchaus ein karibisches Gepräge hat.

Ein einflussreicher Stadtpatron

Südlich der Mündung der **Ribeira do Paúl** liegt die zentrale **Praça** mit Rathaus, Gesundheitszentrum und Markthalle, in der allerdings recht wenig los ist. An der Uferpromenade reihen sich Mercearias und einfache Bars. Von hier führt eine Pflasterstraße vorbei an einigen ehemals prächtigen, heute vernachlässigten Gebäuden, zur **Igreja Santo António das Pombas**. Die Kirche ist dem Ortsheiligen gewidmet, dem – sicher ist sicher – auch gleich noch eine ordentliche Statue errichtet wurde. Die steht nördlich des Flusses und ist über einen Fußweg von der Straßenbrücke aus erreichbar. In nicht einmal 15 Min. sind Sie oben und genießen einen fantastischen Blick übers Meer und hinein ins Vale do Paúl.

WIDER DIE VERWIRRUNG

Die Gemeinde Paúl (›Sumpf‹) wurde nach der Ribeira de Paúl benannt und umfasst mehrere Ortsteile. Einen Ort mit dem Namen Paúl gibt es nicht, manchmal wird aber der am Meer gelegene Hauptort Pombas so genannt.

SCHNAPS STATT ZUCKER 🅂

Weshalb auf Zucker setzen, wenn sich hochprozentiger Zuckerrohrschnaps mit viel höherem Gewinn verkaufen lässt! Im 16. Jh. waren es die Bootsbesatzungen, die scharf auf den Grogue waren, heute befeuert der Tourismus den Absatz. Allein auf Santo Antão werden jährlich ca. 2 Mio. l Schnaps hergestellt. Das Zuckerrohr blüht im Winter und wird ab April geerntet, dann wandert es direkt in die Mühle (s. unten).

Wie in alten Zeiten

Manchmal muss man nur durch ein klappriges Holztor treten, um in die Vergangenheit gebeamt zu werden. In diesem Fall geht es um die Herstellung von Grogue, die in der **Trapiche Ildo Benrós** noch wie vor Urzeiten vonstatten geht.

Mitten im Innenhof steht eine alte Mühle *(trapiche)*, bei der Ochsen für den Antrieb sorgen. Die Tiere sind an einen gebogenen Holzhebel angeschnallt, laufen immerzu im Kreis und halten so die Zuckerrohrpresse in Bewegung. Der hierdurch gewonnene Saft wird fünf Tage in Fässern gelagert, wobei die Fermentation stattfindet. Anschließend kocht man den gegorenen Zuckersaft in einem kupfernen Destillierapparat, bis nach etwa einer Stunde die eigentliche Destillation beginnt. Zunächst ist der Schnaps noch zu stark und kann nur für medizinische Zwecke verwendet werden. Ein erfahrener Brenner weiß jedoch genau, wann man den Grogue ohne Gefahr für Leib und Leben trinken kann. Reiner Zuckerrohrschnaps ist übrigens klar, erst durch die Lagerung in Holzfässern bekommt er seine dunkle Farbe. Sie können vor Ort probieren und natürlich auch kaufen.
Estrada Ribeira Grande-Paúl, nördl. Ortseingang, neben Enacol-Tankstelle, 100 ECV

Schlafen

Meeresrauschen

Paúl Mar: Das moderne Hotel liegt am zentralen Platz direkt am Meer, und da der Atlantik hier immer sehr bewegt ist, werden Sie von Wellenrauschen in den Schlaf gewogen. Die Zimmer sind klassisch-schlicht eingerichtet und haben einen Balkon. Ein schöner Blick bietet sich auch von der Dachterrasse.
Rua Agostinho Neto, T 223 23 00, €€

Einkaufen

An der Uferstraße gibt es Mercearias, an der Straße ins Vale do Paúl (s. S. 126) zwei kleine **Supermärkte.** Tropische Früchte, Gemüse und Kaffeebohnen können Sie in der **Markthalle** am zentralen Platz sowie entlang der Straße ins Tal kaufen.

Bewegen

Infos zu Wanderungen bekommen Sie in der **Casa Maracuja** (s. S. 125). Dort können Sie auch Wanderführer buchen.

Ausgehen

Nachts ist wenig los im Ort. Gelegentlich gibt es Livemusik in der **Casa Maracuja** oder in der **Bar Atelier** gegenüber dem Hotel Paúl Mar.

Feiern

● **Santo Antão:** 13. Juni. Der Tag des hl. Antonius von Padua ist Anlass für ein sehr schönes Gemeindefest. Es gibt einen bunten Umzug und Stände mit reichem kulinarischem Angebot, Höhepunkt sind jedoch die Eselrennen. Das Tier ist eines

Lieblingsort

Bei der singenden Wanderführerin

Willkommen! Willkommen bei Hetty Guddens Fortes (rechts im Bild) und ihrer Familie! Hetty wurde in Rotterdam geboren, hat aber kapverdische Wurzeln. Man merkt es, wenn sie singt. Und sie singt gerne und viel, auch beim Arbeiten, wenn sie als Reiseleiterin mit ihren Gästen über die Inseln tourt. Und auch in ihrer **Casa Maracuja,** die Restaurant, Tapasbar, Infostelle und Bühne zugleich ist. Hier herrscht eine herrlich ungezwungene und kommunikative Atmosphäre. Wenn Sie mit der frühen Fähre auf der Insel angekommen sind und hilflos im Dorf stehen, weil Ihr Zimmer nicht bezugsfertig ist, gehen Sie zu Hetty zum Frühstücken. Dann sind Sie im Tal angekommen (am nördlichen Ortseingang von Pombas, ♥ Karte 1, D 2, T 223 10 00, auf Facebook).

der Attribute des Franziskanerheiligen, der mit einem simplen Experiment einen Ungläubigen zu bekehren versuchte. Er ließ sich einen Esel bringen, der drei Tage lang nichts gefressen hatte, und reichte ihm Heu – kein Auge soll das Tier dem Futter gewidmet, sondern sich gleich vor Antonius niedergelegt haben.

Infos

- **Private Infostelle:** In der Casa Maracuja (s. S. 125) erfahren Sie alles Wissenswerte über die Umgebung.
- **Transport vor Ort:** Aluguers verkehren mehrmals tgl. nach Ribeira Grande und Porto Novo. Auch ins Vale do Paúl fahren zahlreiche Pick-ups.

Vale do Paúl  Karte 1, D 2

Nur eine Straße führt hinein ins **Vale do Paúl,** die Königin der Täler auf Santo Antão. Schon wenige Meter hinter Pombas öffnet sich ein gewaltiger Talkessel, durch den sich die **Ribeira do Paúl** windet. In den unteren Lagen wachsen Bananen, Mangos und Brotfruchtbäume. Weiter oben steht dicht das Zuckerrohr auf abenteuerlichen Feldterrassen, dazwischen werden Bohnen, Mais und Kaffee angebaut. Die höchsten Bergspitzen bestehen aus Fels und lockerem Vulkangestein.

Ca. 5000 Menschen leben im Tal. Haufendörfer mit zentralem Platz gibt es nicht, die Straße in ihrer ganzen Länge bildet das Zentrum. An ihr entlang ist die Bebauung dichter, weitere Häuser verteilen sich über die Hänge und können oft nur über Fußpfade erreicht werden.

Ohne Landwirtschaft wäre das Tal die meiste Zeit des Jahres trocken, doch ein ausgeklügeltes Bewässerungssystem mit offenen Kanälen *(levadas)* sorgt für permanente Feuchtigkeit. Und die Feldterrassen verhindern Erdrutsche und Murenabgänge.

Hurra, ein Schwimmbad!

Oberhalb der Ortsteile **Eito** und **Figueiral** zweigt in **Passagem** eine Straße in den Talgrund ab. An ihrem Ende liegt ein Park mit altem Baumbestand und eine Zisterne, die sich bei genauerer Untersuchung als Schwimmbad herauskristallisiert – nicht so eines, wie wir es kennen, aber perfekt für eine Abkühlung zwischendurch.

Zu Fuß ins Leben eintauchen

Am besten lässt sich das Vale do Paúl zu Fuß erkunden, dann kriegt man mehr mit vom Alltagsleben der Bauern. Streifen Sie doch einfach mal über die Bergrücken und zwischen den traditionellen Häusern hindurch. Eine große Hilfe dabei ist eine Navigations-App (s. S. 223). Oder Sie folgen der auf S. 110 beschriebenen Tour, die in den Bergen an der Cova de Paúl beginnt und in Pombas endet. Auch **Cabo da Ribeira** am Talende ist ein guter Startpunkt für Wanderungen.

Schlafen

Ausspannen mit Fröschen

Aldeia Manga: In einem herrlichen Garten stehen fünf mit Zuckerrohrstroh gedeckte Lehmhäuser, alle mit eigener Sitzgelegenheit im Freien. Ein Schwimmteich lädt zur Abkühlung ein, zumindest sofern man sich nicht daran stört, dass hier gelegentlich auch Frösche ein Bad nehmen. Das Leitungswasser ist – selten auf den Kapverden – trinkbar, da es durch eine Filteranlage entkeimt wird. 60 % des Stroms liefert eine eigene Solaranlage. Zum Frühstück und – optionalen – Abendessen gibt es ein Buffet, bei dem vor allem lokale Produkte Verwendung finden. Das Gelände liegt abseits der Straße und ist nur zu Fuß erreichbar (ca. 10 Min.). Beim Gepäcktransport hilft das Team.

Lombo Comprido, zwischen Eito und Passagem, T 223 18 80, www.aldeia-manga. com, €€

Kunsthandwerk gibt's auch

Chez Sandro: Es gibt kaum einen schöneren Blick über das Tal als von Sandros Dachterrasse. Nur sechs einfache Zimmer hat seine Pension, der ein Kunsthandwerksladen angeschlossen ist. Auch hier bekommen Sie zum Frühstück und Abendessen lokale Produkte.

Cabo da Ribeira, T 223 19 41, www.chez sandro.com, €

Weit schweift der Blick übers Tal

Aldea Panoramica: Die kleine Hotelanlage besteht aus sechs Bungalows mit Strohdach, auf die sich 12 liebevoll dekorierte Doppel- und ein Familienzimmer verteilen. Alle haben eigene Badezimmer mit Warmwasser und eine private Terrasse. Die Häuser gruppieren sich um einen Innenhof mit kleinem Pool, der aus örtlichen Quellen gespeist wird. Und das Abendessen ist gesichert: Es gibt ein Restaurant. Brauchen Sie einen Wanderführer? Wird organisiert. Die kapverdische Küche können Sie bei einem Kochkurs kennenlernen.

Cabo da Ribeira, T 00238-223 10 10, www. aldeapanoramica.com, €€

Essen

Spezialitäten aus dem Stall

O Curral: Auf groben Holzbänken können Sie für kurze Zeit der Welt den Rücken kehren. Essen Sie sich satt an einheimischen Gerichten, streicheln Sie Ihren Gaumen mit frischem Ziegenkäse im Kräutermantel oder lassen Sie sich überraschen, was man aus tropischen Früchten alles zubereiten kann. Darf es ein Tee sein, aus Kräutern des eigenen Gartens, oder doch lieber ein Grogue? Was auf den Tisch kommt, wird zum großen Teil selbst angebaut. Chefin Christine Mandl kümmert sich liebevoll um ihre Gäste und bewirtet Sie mit gesunden und geschmackvollen Gerichten. Wegbereiter für die ›Schnapsbar‹ war ihr Mann Alfred Mandl (s. S. 134), der vor etlichen Jahren damit begonnen hat, Edelbrände aus Zuckerrohrsaft herzustellen. Seine erwachsenen Kinder kümmern sich um den ökologischen Kräuter- und Gemüsegarten. Erwarten Sie aber kein Restaurant mit weißen Tischdecken! Dies hier ist eher eine Mischung aus Almhütte und kapverdischem Bauernhof. Manchmal werden auch große Gruppen verköstigt, dann müssen Sie später wiederkommen.

Chã de João Vaz, T 223 12 13, auf Facebook

Einkaufen

Nette **Souvenirs** bekommen Sie in Sandros Pension (s. links), hochwertigen **Grogue** im Restaurant O Curral (s. links).

Janela und Umgebung

📍 **Karte 1, D 2**

Ein richtiges Dorfzentrum suchen Sie in **Janela** vergeblich, denn der Ort verteilt sich über zwei Flusstäler und die angrenzenden Bergrücken. Die meisten der rund 1600 Einwohner leben zurückgezogen im Abseits. Daran hat sich auch nichts geändert, als die Straße von Porto Novo hierher ausgebaut und 1989 bis Pombas fortgeführt wurde. Ein Tunnel durchsticht die Landzunge, auf der mit dem kleinen Fischerhafen **Pontinha da Janela** so etwas wie der Siedlungskern liegt. Hier werden Muscheln und andere

So eine Geröllpiste nennt man auf den Kapverden tatsächlich Straße, der Verkehr hält sich – wenig überraschend – in Grenzen und ist vorwiegend tierischer sowie menschlicher Natur.

Meeresfrüchte angelandet. Ein paar kleine Läden und Bars dienen als Treffpunkt für Einheimische und Besucher.

Mysterium in Stein

An der Mündung der **Ribeira da Penede** ins Meer befindet sich ein Kreisverkehr, an dem sich die Straßen trennen: Die alte zweigt zum Fischerdorf ab, die neue verschwindet im Tunnel. Wenn Sie vor dem Tunneleingang dem Flusslauf aufwärts folgen, gelangen Sie nach etwa 10 Min. an einen frei stehenden rostroten Felsen mit eingeritzten Schriftzeichen: die **Pedra de Nossa Senhora** (auch Pedra Scrivida). Ihr Name, ›Stein unserer Lieben Frau‹, lässt darauf schließen, die Muttergottes persönlich habe die Inschriften angebracht, doch diese sind und bleiben ein Mysterium.

Zu sehen ist u. a. ein sogenanntes Portugiesisches Kreuz, das wahrscheinlich von den ersten Entdeckungsfahrern angebracht wurde, um die Inbesitznahme der Insel zu symbolisieren. Dazu passen die gotischen Buchstaben in der Nähe des Kreuzes. Der österreichische Anthropologe Dominik Josef Wölfel datierte sie ins 15. Jh. und las daraus: »ANT° MATEO a fez« (›Das machte António Mateo‹).

Doch der Felsen weist auch in eine fernere Vergangenheit. Vielleicht haben sich hier Seefahrer verewigt, die vor den Portugiesen den Archipel der Kapverden betraten? Das Kreuz verdeckt zum Teil andere Zeichen, die älter zu sein scheinen und mit der libysch-berberischen Schrift verwandt sind – sie war im römischen Nordafrika um die Zeitenwende in Gebrauch. Auch die Tifinagh-Schrift der heutigen Tuareg meint man zu erkennen.

Manche Dorfbewohner behaupten, sie sähen die Handabdrücke der Madonna auf dem Stein. Wie es heißt, ist man in seinem Umkreis vor Naturkatastrophen wie Vulkanausbrüchen, Sturmfluten und herunterstürzenden Kometen sicher. Wobei Kometeneinschläge an dieser Stelle höchst unwahrscheinlich sind, genauso wenig wird im Tal in absehbarer Zeit ein Vulkan ausbrechen …

Mit Blick auf die Nachbarinseln

Auf einer Landspitze östlich von Janela streckt sich der **Farol Fontes Pereira de Melo** (auch Farol de Boi) von 1886 gute 160 m in den Himmel. Dieser erste mit Petroleum betriebene Leuchtturm auf den Kapverden besaß einst große Bedeutung als Orientierungspunkt auf der Atlantikroute nach Brasilien, ist jedoch seit 2006 außer Betrieb. Um ihn zu besuchen, müssen Sie den Tunnel östlich von Janela durchfahren und am Ausgang parken. Von hier geht es über eine Treppe abwärts zu einem Pfad, der zum Leuchtturm führt.

Der Westen

Eine relativ komfortable Pflasterstraße zieht sich von Porto Novo in Richtung Westen und macht bei **Ponte Sul** einen scharfen Knick Richtung Gebirge. An ihr entlang verteilen sich kleine Dörfer, deren Bewohner mehr schlecht als recht von der Landwirtschaft leben.

Von Ponte Sul ins Gebirge
📍 **Karte 1, C 2–3**

Santo Antãos Grand Canyon

Die Landschaft ist karg, die Hänge sind von der Erosion zernagt. Mittendurch hat sich die **Ribeira das Patas** über die Jahrtausende ins Gestein gegraben, senkrecht fallen die Felswände zum meist ausgetrockneten Flussbett ab. Den besten Blick in die Schlucht haben Sie von **Lagedos** aus.

Hier macht's Muh

Nicht Kuhdorf, sondern Kuhstall heißt **Curral das Vacas** übersetzt, was aber kaum einen Unterschied macht, denn viel mehr als ein paar Häuser und Mercearias entlang der Straße hat das auf ca. 900 m gelegene Minidorf nicht zu bieten. Im Westen erhebt sich die steile Felswand der **Bordeira de Norte,** die bei Sonnenaufgang in den verschiedensten Rottönen erstrahlt und ein spektakuläres Wanderziel abgibt (s. S. 130).

In die Abgeschiedenheit

Von Curral das Vacas aus führt die Straße weiter nach Norden. Sie überwindet

---

SEHR BINDUNGSWILLIG **B**

Überall an den Hängen des zentralen Gebirgskamms sieht man eine helle Asche, sogenannte **Puzzollanerde** (benannt nach der italienischen Stadt Pozzuoli, wo sie ebenfalls zu finden ist). Dabei handelt es sich um eine mit Kalkskeletten von Meerestieren vermischte und verfestigte Vulkanasche, die sich perfekt als Bindemittel für Zement eignet. Mit Ausbau des Hafens von Porto Novo Ende der 1950er-Jahre begann ein schwunghafter Export von Puzzollanerde, dem der Ort einen enormen Aufschwung verdankte. Doch schon 20 Jahre später war der Hype wieder vorbei – Bindemittel ließen sich günstiger künstlich herstellen.

TOUR
Eine natürliche Wendeltreppe

Wie erklimme ich ohne Kletterkünste die Bordeira de Norte?

Bezeichnungen sind relativ – was für die einen eine Straße, gilt den anderen als wendeltreppengleicher Wanderpfad. Die Rede ist von einem kühn angelegten Pflasterweg in der **Bordeira de Norte,** einer Felswand, die westlich von Curral das Vacas fast senkrecht aufsteigt. Die Strecke bildet eine wichtige Verbindung über den Hauptkamm der Insel, und tatsächlich ist es für die Bewohner der Hochebene um den Tope de Coroa (s. S. 132) um einiges schneller, den Weg zur Hauptstraße im Tal zu Fuß anzutreten als mit einem Fahrzeug über die Pisten zu rumpeln.

Der Einstieg in die Route liegt am südlichen Ortseingang von **Curral das Vacas** (s. S. 129). Wenn Sie von Porto Novo kommen, beschreibt die Straße kurz hintereinander zwei deutliche Rechtskurven. Vor der

Wenn Sie die Wanderung bis Chã de Feijoal fortsetzen, sollten Sie sich einen zuverlässigen Taxifahrer an den Zielort bestellen, sonst sind Sie aufgeschmissen.

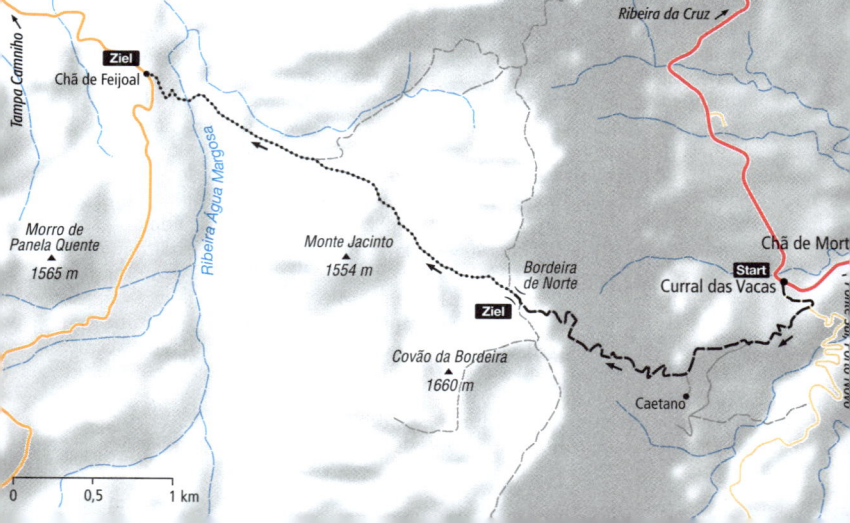

Infos

Start:
Curral das Vacas,
📍 Karte 1, C 3

Gehzeiten:
2.15 Std. Aufstieg
plus ca. 1 Std. bis
Chã de Feijoal; ca.
1.45 Std. Abstieg

Anspruch:
ca. 800 m steiler
Anstieg bis auf die
Hochebene, dann
weiter auf sandigen
Wegen in welligem
Gelände (ca. 250 m
Abstieg). Trittsicher-
heit, gute Kondition
und Hitzeverträglich-
keit sind erforderlich.
Auf der Hochebene
braucht es etwas
Orientierungssinn.
Wenn Sie ohne
Guide unterwegs
sind, sollte ein
zuverlässiges Navi-
gationssystem dabei
sein. Es gibt keine
Einkehrmöglichkeit
unterwegs.

zweiten biegt links eine ansteigende Pflasterstraße ab. Dort geht es los. Zunächst wandern Sie einen sandigen Fahrweg entlang. Nach etwa 5 Min. halten Sie sich an einer Gabelung rechts aufwärts. Voraus liegt ein spitzer Felsen, den Sie wenig später passieren. Etwa 100 m weiter zweigt der Fußweg in die Wand ab, er ist mit einem ›T‹ markiert (20 Min.).

Langsam wird es steiler. Nach weiteren 20 Min. biegt in einer Rechtskurve ein Pfad in den Weiler **Caetano** ab. Lassen Sie den Ort links liegen und steigen Sie stattdessen weiter auf. Über sich sehen Sie schon die regelmäßigen Serpentinen, die sich die Wand hinaufziehen. Hohe Stützmauern sichern den Weg. Nach einer weiteren guten Stunde Aufstieg erwartet Sie eine kurze flache Passage. Danach folgen schon wieder die nächsten steilen Kurven. Etwa 45 Min. später kündigt sich die Hochebene an. Die Hänge werden flacher. Es folgen ein Wegkreuz in einer gemauerten Nische, ein erneuter kurzer Anstieg, ein Linksschwenk und dann sind Sie oben.

Linker Hand liegen **Höhlen,** die in hellen Tuff gegraben wurden (2.15 Std.), nach Westen breitet sich eine karge, leicht wellige Landschaft aus. Vereinzelte Gehöfte sind zu erkennen, mitten im Nirgendwo – und natürlich ohne Strom und fließend Wasser. An dieser Stelle heißt es für Sie, eine Entscheidung zu treffen: Entweder Sie laufen den gleichen Weg wieder zurück oder – sofern Sie einen Rücktransport organisiert haben – Sie machen sich auf die letzte Etappe nach Chã de Feijoal.

Der Weg ist nun nicht mehr gepflastert, aber deutlich zu erkennen. Nach rechts zweigen immer wieder Pfade zu einsamen Höfen ab, Sie aber halten sich in westlicher Richtung, d. h. geradeaus. Nach ca. 45 Min. geht es durch das ausgetrocknete Flussbett der **Ribeira Água Margosa.** Dahinter steigen Sie auf und haben etwa 10 Min. später den Weiler **Chã de Feijoal** erreicht. Neben ein paar einfachen Zementhäusern befindet sich der Dorfladen, der mit etwas Glück gekühlte Getränke vorrätig hat (3.15 Std.). Denn nun heißt es aufs vorbestellte Taxi warten. Die Fahrt zurück nach Curral das Vacas über eine arg ausgewaschene Fahrpiste dauert übrigens genauso lange wie die Wanderung …

HOCH HINAUF   H

Norte nennt sich der fast menschenleere und auch vegetationslose Landstrich, aus dem der Vulkan **Tope de Coroa** (♥ Karte 1, B 3) aufragt, mit 1982 m der höchste Berg von Santo Antão. Faszinierenderweise befindet sich in seinem Krater ein zweiter, kleinerer Vulkankegel, der bei einer späteren Eruption entstand. Und auch ringsum auf der Hochfläche sind weitere Vulkane zu erkennen, schon allein an ihren intensiven Farben, wofür die hier vorherrschenden Gesteine – Vulkanasche und Lapilli – zuständig sind. Die Besteigung des Tope de Coroa sollte übrigens nur mit einem ortskundigen Führer unternommen werden (ca. 6 Std. hin und zurück). Ausgangspunkte sind **Chã de Feijoal** oder **Tampa Caminho,** die beide nur über eine sehr holprige Piste zu erreichen sind.

die **Selada de Alto Mira,** einen 1150 m hohen Pass, der nicht nur Süden und Norden, sondern auch Westen und Osten der Insel voneinander trennt. Unterwegs ergeben sich grandiose Ausblicke.

Am Pass zweigt eine Stichstraße nach **Chã d'Orgueiro** (auch Alto Mira III) ab, eine von mehreren abgelegenen Siedlungen im Tal der **Ribeira Alto Mira** – und die einzige, die per Auto erreicht werden kann. Ansonsten sind Esel die gängigen Transportmittel. Die Flussweiler sind durch einen Pflasterweg verbunden, der dem Ostufer folgt und nach ca. 4 Std. die Nordküste erreicht. Es besteht auch die Möglichkeit, das Tal hinter **Chã d'Asno** zu queren und nach **Ribeira da Cruz** aufzusteigen, wo man wieder Straßenanschluss hat.

Tarrafal de Monte Trigo
♥ Karte 1, B 3

Der schönste Inselstrand
Die lange Fahrt zu dieser einsamen Siedlung führt durch eine Einöde, doch dafür landet man mitten im Paradies. **Tarrafal de Monte Trigo** liegt in einer malerischen Bucht mit einem breiten, dunklen Strand, dem mit Abstand attraktivsten der Insel. Im Ortsteil **Praia,** direkt am Strand, leben lediglich etwa 150 Personen, die restlichen der rund 850 Einwohner verteilen sich auf die nähere Umgebung. Das sehr ursprüngliche Fischer- und Bauerndorf, das erst seit 2015 eine ständige Stromversorgung und seit 2021 einen ›richtigen‹ Straßenanschluss besitzt, ist in eine Palmenoase eingebettet, in der Brotfrüchte, Mangos und Papayas gedeihen. Eine ergiebige Quelle im Tal der **Ribeira de Tarrafal** macht es möglich. Das Klima ist dank der geschützten Lage besonders mild und das Meer meist spiegelglatt. Im Spätsommer legen Meeresschildkröten ihre Eier am Strand ab und im Frühjahr ziehen Buckelwale in der Bucht ihren Nachwuchs auf.

Schlafen

Unterkünfte gibt es wenige im Westteil der Insel. Ein paar Privatvermieter finden Sie auf den einschlägigen Buchungsseiten sowie auf www.bela-vista.net (10 % Gebühr).

Familiär im Dorf
Casa Santos Pinto: Die Zimmer sind unterschiedlich groß, nicht alle haben ein eigenes Badezimmer, einige einen Balkon. Die Unterkunft ist einfach, aber die Verpflegung reichhaltig und gut.
Curral das Vacas, T 227 20 00, €

Paradies am Meer

Residencial Mar Tranquilidade: Das deutsch-amerikanische Paar Susi und Frank vermietet seit 1999 gemütliche Steinhäuser, alle mit Badezimmer. Wer sich hier einmietet, sucht Ruhe und Abgeschiedenheit. Zum Sonnenuntergang wird ein Buffet mit einheimischen Zutaten aufgebaut, mittags können Sie Suppen und Kleinigkeiten bekommen. Täglich gibt es Frisches aus dem Meer, der Fang wird direkt vor der Haustüre angelandet. Tarrafal de Monte Trigo, T 227 60 12, www.martranquilidade.com, €

Essen

Klassische Restaurants gibt es im ganzen Westen keine, doch eine warme Mahlzeit kriegen Sie in jeder Unterkunft.

Bewegen

Tauchen

Santo Antão Scuba Diving: Abtauchen in einsamen Buchten. Anfänger sind willkommen, Leihausrüstung wird gestellt. Tarrafal de Monte Trigo, T 352 70 49, 951 42 66, www.caboverdescubadiving.com

Infos

● **Transport vor Ort:** Keine regelmäßige Verbindung von Porto Novo nach Curral das Vacas. Von Tarrafal fährt meist Mo–Sa frühmorgens ein Pick-up zur Ankunft der Fähre nach Porto Novo und am späteren Vormittag wieder zurück (ca. 700 ECV, 2.30 Std.). Ein Jeep-Taxi nach Tarrafal kostet ab Porto Novo ca. 7000 ECV.

Es sieht aus wie ein Bergort, aber zum Meer sind es nur wenige Schritte. Dass die Anreise nach Tarrafal de Monte Trigo eher beschwerlich ist, lässt sich erahnen.

Zugabe
Wie man sich in der Fremde eine neue Heimat schafft

Alfred Mandl (1950–2019) – ein Pionier aus Niederösterreich

Dieser Mann war ein Pionier. Pionier in seinem Tun, in seinem Sein. Pionier im Tourismus auf Cabo Verde, Pionier im nachhaltigen Reisen, als noch keiner davon sprach. Alfred Mandl lebte länger auf den Kapverden als in seiner österreichischen Heimat. »Tourismus ist nicht das Ziel, Ziel ist das normale Leben, Tourismus unterstützt dabei.« Das war sein Motto, als er 1987 anfing, Reisenden die Inseln zu zeigen.

Alfred war in seinen letzten Lebensjahren drahtig. Als ich ihn Anfang der 2000er-Jahre kennenlernte, wog er fast das Doppelte. Er wollte abnehmen, weil er keine Leiter mehr hochkam. Und er nahm ab. Konsequent. Er hatte auch aufgehört Alkohol zu trinken, obwohl er Edelbrände produzierte. Die Furchen in seinem Gesicht waren Zeichen seiner Lebenserfahrung. Unter seinem langen Bart blitzte stets ein freundlich-verschmitztes Lächeln hervor.

»Wenn ich in Hamburg bin, wird mir schon mal ein Euro zugesteckt, weil ich wie ein Penner aussehe«, erzählte mir Alfred bei unserem letzten Gespräch. Seine Frau Christine sagt: »Alfred war, wie er war, er zog nie eine Schau ab. Sein Handeln richtete sich nicht nach der Außenwirkung.« Alfred ruhte in sich, er hatte seinen Stil, sein Leben gefunden.

Am 13. August 1982 kam er ins Paúl-Tal auf Santo Antão. Ein privater Träger wollte damals wissen, ob sich jemand ohne Geld in einer abgelegenen Gegend eine Existenz aufbauen könne. Ob Studenten eher eine breit gefächerte Ausbildung bekommen sollten oder ob eine zielorientierte Berufsausbildung sinnvoller sei. Auf die Reise wurden geschickt: ein Spezialist und der Generalist Alfred. Startkapital waren sechs Monatsmieten für eine Unterkunft. Der Spezialist gab nach zwei Monaten auf, Alfred schrieb nach zwei Jahren seine Abschlussarbeit.

Kurz darauf, im September 1984, machte der Tropensturm Fran alles platt auf der Insel. »Sollte ich bleiben?« Doch der Sturm brachte Wasser und freudige Stimmung. »Ich zeugte meinen ersten Sohn, die Zeichen sprachen fürs Bleiben.«

Alfred war also kein Aussteiger, auch wenn er optisch dem Klischee entsprach. Er war hängen geblieben. Hängen geblieben in seiner neuen Heimat.

Seine Frau Christine meinte, Alfred sei ein Spinner gewesen, aber ein lieber Spinner. Für mein Dafürhalten war er ein pragmatischer Spinner.

»Wähle einen Beruf, den du liebst, und du brauchst keinen Tag mehr zu arbeiten.«

Alfred hatte immer große Ziele, er hat sie alle erreicht. Die erste Zeit überbrückte er mit der Reparatur von Radios, für die Einheimischen das Tor zur Welt. Später kam eine Tischlerei dazu. Ohne spezielle Werkzeuge produzierte er Hocker in Serie. 1987 organisierte Alfred die ersten Reisen nach Cabo Verde. Wegen des »Bürokrams« lehnte er Entwicklungshilfegelder ab. Er hätte sie wohl bekommen. Cabo Verde war damals eines der ärmsten Länder der Erde, das Reisen dorthin ein Abenteuer und mutigen sowie anspruchslosen Touristen vorbehalten. Seine Vision: Reisen soll nicht zur Prostitution der Bevölkerung führen und Reisen muss Spaß machen, dem Reisenden, dem Bereisten und auch dem Veranstalter.

Anfangs wurde er dafür belächelt, dann war er plötzlich Aushängeschild für nachhaltige und ökologische Entwicklung. 1995 erhielt sein Reiseunternehmen Alsatour den internationalen Umweltpreis des Deutschen Reiseverbandes. Bis 1997 arbeitete er mit europäischen Reiseveranstaltern zusammen, die aber nicht immer in seinem Sinne wirtschafteten.

Alfred machte allein weiter. Seine Gäste bekamen kein vorgefertigtes Programm. Sie standen per Internet mit ihm im Dialog, der Reiseverlauf entstand in Teamwork. Dadurch ging jeder Reisende eine Beziehung mit dem Land ein, hatte viel Freiheit, nur um die Logistik musste er sich nicht kümmern. »Der Dialog ist wichtig, aber der Trend geht zum Minimalismus. Die europäische Arbeitswelt wird immer hektischer, die Menschen suchen im Urlaub etwas anderes«, meinte Alfred.

Christine, seine Frau, kam 1997, machte im Rahmen ihres BWL-Studiums ein Praktikum bei Alfred, wollte ein Jahr bleiben. Sie blieb und macht heute da weiter, wo Alfred aufgehört hat. Seit 2003 führt sie die Bar O Curral, wo sie Wanderer bewirtet und Grogue aus eigener Herstellung verkauft (einst eine Vision von Alfred, bei der der Autor dieses Buches dachte, das wird nix).

Auch wenn Alfred nicht mehr lebt, hat er seine Familie sehr geprägt. Alle versuchen den Weg fortzuführen, den er ursprünglich eingeschlagen hat, auch wenn das heute nicht mehr eins zu eins möglich ist. Aber seine Seele schwebt über allem. Sein Sohn Felix will im Tourismus Fuß fassen, Fernando Mandl kümmert sich mit seiner Frau Fatinha um den biologischen Garten (www.fernandmandl.com/hort), dessen Produkte Christine im O Curral verarbeitet und liebevoll den Gästen präsentiert. Sie alle hoffen, dass die Coronakrise keine allzu großen Schäden hinterlässt.

Und Alfred? Der hat eine Spur in der Welt hinterlassen, an der sich viele ein Beispiel nehmen können. ■

Alfred war ein Original. Er lebte, was er war, und genauso starb er: innerlich unabhängig, frei, selbstbestimmt.

Santiago und Maio

Ein perfektes Paar — die eine, Santiago, ist afrikanischer als alle anderen, ohnehin die Größte und daher auch die Vielseitigste. Die andere, Maio, nicht weitersagen, ist einer dieser in Reiseführern gerne veröffentlichten Geheimtipps.

Seite 139
Praia

In der Hauptstadt der Kapverden vereinen sich europäische Einflüsse und afrikanisches Flair. Praia ist Treffpunkt von Musikern und Künstlern. Auf den Märkten kann man ins afrikanische Leben eintauchen.

Seite 140
Geballte Kultur

Kreative haben im Palácio da Cultura Ildo Lobo einen idealen Ausstellungs- und Konzertraum. Alle, die in Cabo Verde Rang und Namen haben, präsentieren sich hier: Musiker, Fotokünstler und Maler.

Setzen Sie sich nicht unter Kokospalmen, das kann böse enden!

Eintauchen

Seite 149
Cidade Velha

Cabo Verde begann in Cidade Velha, hier können Sie Zeugnisse der ersten Siedler bestaunen. Der Ortskern mit Bauten aus dem 15. und 16. Jh. gehört zum UNESCO-Welterbe. Eine kurze Wanderung bringt Sie ins Tal der Ribeira Grande, das erste Gefängnis der Sklaven.

Seite 158
Assomada

Stürzen Sie sich ins Marktgetümmel von Assomada, hier ist es bunt, laut und ziemlich geruchsintensiv. Sie können dort auch Möbel und Hausrat kaufen.

Seite 161

Serra Malagueta

Nur schmale Wege verbinden die Häuser, die über dieses Gebirge verteilt liegen. Die Gipfel sind spitz, die Täler tief eingeschnitten, die Pfade steil. Wandern Sie in eine andere Welt.

Seite 165

Tarrafal

Von Palmen gesäumt und mit einem fast weißen Strand – die Bucht von Tarrafal ist ein tropischer Traum.

Seite 168

Espinho Branco

An der Ostküste können Sie ein Dorf der Rebelados besuchen. Die Gemeinschaft lebte aus Angst vor Verfolgung durch die Kirchenoberen lange im Verborgenen, heute heißt sie Besucher willkommen.

Seite 173

Cidade do Maio

Kaum Zerstreung, keine Animation, keine Hektik, dafür aber kapverdische Gelassenheit und ein herrlicher Stadtstrand.

An den West-flanken der Berge liegen Felsbrocken vom Meeresgrund. Ein von Fogo aus-gehender Tsunami soll sie dorthin katapultiert haben.

SANTIAGO

Tarrafal

Serra Malagueta

MAIO

Espinho Branco

Cidade do Maio

Assomada

Cidade Velha

Praia

25 km

Auf kurzen Strecken ist die unkomfortable Variante der Aluguers, ein offener Pick-up, meist komfortabler.

erleben

Santiago – die Afrikanischste

R»Reisender, wenn du nach Afrika willst, komm nach Santiago.« Hier sind die Märkte so bunt, so laut und so geschäftig, dass sie auch in Dakar oder Lagos liegen könnten. Doch die Insel hat auch eine andere, eine europäische Seite. Die Hauptstadt Praia besitzt schicke Hotels für Diplomaten, Geschäftsleute und gut betuchte Urlauber – und ein Zentrum, Platô genannt, das zu einem Großteil aus modernen Geschäftshäusern besteht.

Nirgends lässt sich besser in die Geschichte der Insel eintauchen als in Cidade Velha. Die ehemalige Inselhauptstadt, heute UNESCO-Welterbe, bezaubert mit Monumenten aus der Zeit der Entdeckungsfahrer und ländlich-beschaulicher Atmosphäre.

Als größte Insel der Kapverden bietet Santiago auch die abwechslungsreichste Landschaft. Zwei Gebirgsmassive verlocken zum Wandern, das Gebiet um den höchsten Berg Pico Antónia (1394 m) und die Serra Malaguera. Dazwischen liegt mit Assomada ein wichtiges landwirtschaftliches Zentrum.

Die Westküste ist karg und unwegsam. Ganz im Norden hat sich Tarrafal als Ferienort etabliert. Sein heller Strand ist von Kokospalmen gesäumt, Fischer-

ORIENTIERUNG

Infos: www.turismo.cv (Seite des Tourismusministeriums).

Transport: Santiago ist mit Europa bestens über Linienflüge verbunden, der Flughafen gilt auch als Drehkreuz für alle anderen Inseln (www.asa.cv). Fähren (www.cvinterilhas.cv) verbinden Santiago mit allen anderen Inseln, teilweise jedoch mit Umsteigen. In Praia gibt es Stadtbusse. Das System mit den Aluguers ist auf der Insel gut organisiert.

Planung: Die Unterkünfte konzentrieren sich in Praia, wo auch der Flughafen und der Hafen liegen, jedoch sind die Wege in die restliche Insel weit. Assomada liegt zentral, ist aber nicht gerade ein idyllischer Ferienort. Tarrafal bietet Strand und Nähe zur Serra Malagueta.

boote dümpeln im Wasser – so oder so ähnlich stellt man sich die Tropen vor.

Im Osten reiht sich ein grundwasserreiches Flusstal ans andere, unter Palmen gedeihen hier Zuckerrohr und Bananen. Mit Pedra Badejo gibt es einen lebhaften Ort, Strände sowie eingeschränkte Übernachtungsmöglichkeiten bieten Praia Baixo und Calheta de São Miguel.

Praia

📍 Karte 3, N 17

FAKTENCHECK

Einwohner: 159 000
Bedeutung: Hauptstadt der Kapverden, mehr als die Hälfte der Landesbevölkerung lebt hier
Erster Eindruck: ziemlich hässlich
Zweiter Eindruck: viel mehr Sein als Schein
Besonderheiten: Europa und Afrika ganz dicht nebeneinander

Schließen Sie doch einfach die Augen und dösen Sie noch ein wenig vor sich hin, wenn Sie im Taxi vom Flughafen ins Zentrum kutschiert werden – um's positiv auszudrücken: Sie verpassen nichts. Nur staubige Straßen, unverputzte Häuser und vor allem in der Peripherie auch viel Armut. Praia als schön zu bezeichnen wäre vermessen, aber die Stadt einfach abzutun würde ihr definitiv nicht gerecht werden. Gönnen Sie Ihr also einen zweiten, einen unvoreingenommenen Blick.

Die Orientierung behalten

Praia ist in viele Stadtteile zergliedert, die jeweils ihren eigenen Charakter haben. Die Schaltzentrale von Stadt und Land sitzt in – oder auch auf dem – **Platô,** Praias Vorzeigeviertel, das seinem Namen gerecht wird und tatsächlich auf einem flachen Felsplateau rund 40 m über dem Meer liegt. An dem haben sich in **Prainha** – mit ca. 300 Einwohnern ein Dorf – die einheimischen Schickimickis und

Die kapverdianischen Frauen sind sehr kopfstark – bis zu 20 kg können sie so balancieren, über viele Kilometer, über Berg und Tal.

die ausländischen Botschaften hübsche Grundstücke für ihre Häuschen gesucht. Oberhalb davon geht es im Ausgehviertel **Achada Santo António** fast rund um die Uhr lebhaft zu. Der bevölkerungsreichste Stadtteil kommt auf fast 12 000 Einwohner, für kapverdische Verhältnisse schon eine große Stadt für sich. Sehr urban wirkt auch **Achadinha do Meio,** das im Nordwesten an Platô angrenzt und auf seinem Mercado de Sucupira das afrikanischste Ambiente von ganz Praia aufzubieten hat. Und wie überall ist den Armen die Peripherie der Stadt vorbehalten. Hier dominieren Rohbauten aus Zement, einziger Farbtupfer ist die Wäsche, die zum Trocknen an den Häusern hängt.

Platô

Schick und repräsentativ

Platô ist der eleganteste Stadtteil. Auf seiner zentralen Achse, der zur Fußgängerzone umfunktionierten **Avenida 5 de Julho,** können Sie sich von Café zu Restaurant vorarbeiten. So viel pralles Leben hier und so wenig auf der **Praça Alexandre Albuquerque,** die eigentlich das soziale Zentrum des Viertels bilden sollte. Zumindest repräsentativ ist sie, woran die **Câmara Municipal ❶** (›Rathaus‹) und die **Igreja Nossa Senhora da Graça ❷** einen großen Anteil haben.

Fotografieren verboten

Ein Zaun und ein gepflegter Garten umgeben den **Palácio Presidencial ❸** (›Präsidentenpalast‹) aus dem 19. Jh. An den Eingängen stehen in Schildhäuschen Wachen und achten darauf, dass sich Fotografen nicht allzu weit vorwagen. Das Gleiche gilt für die alte Festung hinter dem Palast, wo das Bataillon Soldaten untergebracht ist, das den Präsidenten beschützt.

Die Aussicht des Entdeckers

Munter drauflosknipsen dürfen Sie dann wieder am Steilabbruch beim **Monumento a Diogo Gomes ❹**. Der alte Seebär hat sich den besten Platz ausgesucht, gemeinsam mit ihm schauen Sie über die **Praia Gambôa** vor dem alten Hafen mit den beiden heute kaum noch genutzten Bootsanlegern und dahinter auf den Stadtteil Prainha mit dem Leuchtturm. Linker Hand befindet sich der neue Hafen, der geschäftigste der Kapverdischen Inseln. Mitten in der Bucht schaut die kleine **Ilhéu Santa Maria** aus dem Meer. Auf dem unbesiedelten Eiland befand sich früher ein Lazarett für die unter Quarantäne gestellten Besatzungsmitglieder der Schiffe, die Praia anliefen. 40 Tage mussten sie warten, bevor sie, sofern es keine Anzeichen für gefährliche Erkrankungen gab, an Land gehen durften.

Der Seefahrer Diogo Gomes, dargestellt mit Schwert und Sextant, gilt heute als eigentlicher Entdecker Santiagos. Er soll die Insel 1460, noch vor dem Italiener António de Noli, betreten haben. Auf der Rückfahrt nach Portugal wurde die von Gomes befehligte Karavelle angeblich durch widrige Winde weit nach Westen abgetrieben. De Noli traf zuerst in Lissabon ein, sonnte sich im Entdeckerruhm und bekam das Legatskapitanat über den Süden Santiagos zugesprochen. Gomes erhielt den Norden der Insel und gründete beim heutigen Praia Baixo seine Hauptstadt namens Alcatrazes, von der jegliche Überreste verschwunden sind. Stattdessen florierte Praia, das Alcatrazes ursprünglich nur als Hafen diente.

Kreative Zelle

Im ganzen Stadtteil ist wenig Verkehr. Anders sieht es in der **Avenida Amílcar Cabral** aus, der wichtigsten Verkehrsachse von Platô. Auf der Höhe der Praça Alexandre Albuquerque liegt das Kulturzentrum **Palácio da Cultura Ildo Lobo ❺** (auf Facebook). Das Angebot reicht von

Lieblingsort

Riechen, Schmecken, Schauen

Papayas, Stachelannonen, Mangos, Guaven – je nach Jahreszeit. Süßkartoffeln, Maniok, Yams, Kürbis – fast immer. An den Ständen des **Mercado Municipal Praia** ❻ türmt sich, was Cabo Verde gerade zu bieten hat. Dahinter stehen quasselstrippige Marktfrauen, einige reichlich beleibt, andere asketisch zäh. Ihre Gewänder und Kopftücher leuchten in allen Farben, die Schürzen dagegen sind alle grün, als wären es Uniformen. Im Zentrum der Markthalle wird gekocht und gegrillt, der Rauch wabert in den oberen Stock. Die Wahl fällt uns schwer: Eintopf, Cachupa oder doch lieber Chouriço? Am besten von allem etwas! Übermäßig gestärkt machen wir uns danach ans Einkaufen. Unser Gegenüber – eine der mütterlichen, rundlicheren Bäuerinnen – freut sich. Ohne Zutun wird unser Rucksack immer voller. Bald können wir eine kapverdische Großfamilie ernähren. »Jetzt ist Schluss, wer soll das alles essen?« Die Marktfrau lacht und legt noch ein paar Bananen obendrauf (Av. Amílcar Cabral, So geschl.).

Praia

Ansehen

1 Câmara Municipal
2 Igreja Nossa Senhora da Graça
3 Palácio Presidencial
4 Monumento a Diogo Gomes
5 Palácio da Cultura Ildo Lobo
6 Mercado Municipal Praia
7 Museu Etnográfico da Praia
8 Liceu Domingos Ramos
9 Mercado de Sucupira
10 Palácio da Assembleia Nacional

Schlafen

1 Pestana Trópico
2 Pérola
3 Santa Maria
4 Santiago
5 Apartamentos Condolar

Essen

1 Quintal da Música (Sal da Música)
2 Ipanema
3 O Poeta
4 Flôr de Lis
5 Punto d'Incontro
6 Café Sofia

Fortsetzung S. 144

Praia Fortsetzung von Seite 143

Einkaufen	Bewegen	Ausgehen
🔳 Lembrança di Terra	① Atlanticus Diving/	🔵 Bar Kebra Kabana
🔳 Praia Shopping Center	Vista Verde	
	② Novatur	

Foto- und Gemäldeausstellungen über Musikveranstaltungen und Shows bis zu Buchmessen. Zurzeit ist es der wichtigste Ort für Kreative auf den Kapverden.

Je nach Ausstellung und Veranstaltung wechselnde Öffnungszeiten und Eintrittspreise

Ein kleiner quirliger Platz

Im Zentrum von Platô liegt die **Praça Luís de Camões.** Das dortige **Café Sofia** 🔳 zieht Touristen, Intellektuelle und Diplomaten gleichermaßen an. Das belebt den Platz und verleiht ihm ein städtisches, wenn auch ein wenig aufgesetztes Ambiente. Immer mal wieder finden dort Konzerte statt.

Der Nordteil ist ruhiger

Weniger Betrieb ist im nördlichen Teil von Platô. In einem restaurierten Stadthaus, das bis ins 20. Jh. als Handelshaus

---

BAUMWOLLTÜCHER STATT BARES ![B]

Panos heißen die gemusterten, etwa 15 cm breiten Tücher, die aus aus Baumwolle gewebt werden – die war lange Zeit so wertvoll, dass sie als Zahlungsmittel diente, im 17. und 18. Jh. sogar ziemlich heftig geschmuggelt wurde. Laut einem Gesetz von 1687 stand auf den illegalen Handel mit Baumwolle die Todesstrafe. Ein Sklave war Ende des 17. Jh. etwa 60 Panos wert.

---

diente, ist das kleine **Museu Etnográfico da Praia** ❼ (Av. 5 de Julho 45, Di–Fr 9–17, Sa 9–14 Uhr, 100 ECV) untergebracht. Zu sehen sind alte Gebrauchsgegenstände der Bauern aus Holz und Keramik sowie historische *panos* und der dazugehörige Webstuhl.

Noch ein wenig weiter nördlich, in der Rua Abilio Monteiro Macedao, liegt die gut gesicherte **US-Botschaft.** Es kann schon mal vorkommen, dass die Straße abgesperrt wird, je nachdem, wer zu Besuch kommt.

Auf dem Platz vor dem **Liceu Domingos Ramos** ❽ erinnert ein segelförmiges **Flachrelief** mit zwei darauf abgebildeten Karavellen an die portugiesischen Entdecker. Im Halbrund gruppieren sich einige geschmackvoll renovierte Wohnhäuser aus der Kolonialzeit. Rechts am Gymnasium vorbei gelangt man zu einer Mauer über einer Steilwand. An ihrem Fuß liegt das meist ausgetrocknete Bett der **Ribeira Filipe.** Man blickt hinüber zur Achada Grande, einer dicht bebauten Hochfläche mit dem Flughafen von Praia.

Ins Getümmel und wieder raus

Der **Mercado de Sucupira** ❾ ist befestigt wie eine Burg, nur wenige Eingänge führen hinein. Davor verkaufen Bauersfrauen Fleisch, teils auch lebendige Tiere. Innen verirrt man sich in einem Labyrinth von schmalen Gängen. Die Händler schützen ihre Stände mit Markisen gegen die gleißende Sonne. In verschlossenen Fässern lagert über

Nacht die Ware. Ausgepackt wird all-
morgendlich aufs Neue und gegen
10 Uhr geht der Handel richtig los.
Über afrikanische Kleidung, Mode-
schmuck und Schuhe hinaus gibt es alle
erdenklichen Non-Food-Artikel: Dro-
geriewaren, Kochgeschirr, Bettwäsche,
Koffer und sogar Möbel. Im Zentrum
des Marktes servieren mehrere kleine
Restaurants leckere Kleinigkeiten. Der
Markt liegt westlich von Platô unterhalb
des Steilabbruchs. Von der Rua António
Pussich im Nordwesten führen Trep-
penwege hinunter.
Av. Cidade de Lisboa, Várzea, So geschl.

Keine architektonische Augenweide,
aber ein Zeichen dafür, dass man noch
viel vorhat: das Parlamentsgebäude.

Prainha

Viele Villen und zwei Strände
Prainha ist der Stadtteil der Botschaften und Konsulate, der Wohnbezirk
von Diplomaten und gut verdienenden
Kapverdianern. Die Häuser sind villen-
artig und verstecken sich hinter üppigen Gärten. Touristen mit größerem
Reisebudget finden mehrere Hotels der
gehobenen Klasse – und zwei Strände:
die namengebende **Praia Prainha** und
die **Praia Quebra Canela.** Beide haben
schwarzen Sand und sind am Wochenende hoffnungslos überfüllt.

Achada Santo António

Der lebendigste Stadtteil
Auf einem Bergrücken oberhalb von
Prainha liegt **Achada Santo António.**
Hier reihen sich zahlreiche einfache Bars
aneinander und nicht viel weniger Fri-
seure. Der Stadtteil ist quirlig und bietet
eine gute Mischung aus wohlhabendem
Europa, lebensfrohem Cabo Verde und
exotischem Afrika.

Das wuchtige Gebäude im Süden des
Viertels ist der **Palácio da Assembleia
Nacional** ❿ (›Parlamentsgebäude‹).
Er wurde Anfang der 1980er-Jahre mit
Finanzspritzen von China gebaut und
war damals das größte Bauprojekt der
Kapverden.

Palmajero

Mit modernem Shoppingcenter
Fast wie in Europa fühlt man sich in **Palmajero.** Hier, am Westrand der Stadt,
ragen hohe Häuser in den Himmel, in
denen sich moderne Wohnungen und
Apartments befinden. Der Stadtteil
ist erst in den letzten Jahren zu einem
bevorzugten Wohnviertel der Wohlhabenden geworden, die ein modernes
Stadtbild als erstrebenswert erachten.
Nicht umsonst befindet sich hier auch
das schickste Einkaufszentrum, das
Praia Shopping Center ❷, und die
Universität hat einen Teil ihrer Hörsäle
im Zentrum des Viertels.

Schlafen

Jedem das Seine. Kleine, gemütliche Hotels und Apartments finden Sie in Platô. In Achada Santo Anónio gibt es vermehrt Unterkünfte für Reisende mit eingeschränkter Reisekasse – hier wohnt man mitten im Leben, allerdings nicht gerade ruhig. Europäischen Vier-Sterne-Komfort bieten die Hotels im Stadtteil Prainha.

Das Beste der Stadt
1 **Pestana Trópico:** Wenn Sie sich nach abenteuerlichem Reisen europäischen Komfort gönnen möchten, sind Sie hier richtig. Das professionell geführte Hotel liegt direkt am Meer und hat einen Pool, um den die großen, komfortablen Zimmer angeodnet sind. Vielseitiges Frühstücks- und Dinnerbuffet.
Prainha, T 261 42 00, www.pestana.com, €€€

Reduzierter Schick
2 **Pérola:** Das Pérola ist eine Mischung aus Business- und Urlaubshotel. Geboten werden eine Dachterrasse mit Panoramapool, Seminarräume sowie helle und moderne Zimmer, die besseren haben einen Balkon. Im dazugehörigen Restaurant können Sie zwischen internationalen und einheimischen Gerichten wählen. Das Frühstücksbuffet ist umfangreich und orientiert sich an gehobenen Ansprüchen.
Chã de Areia, am Nordrand von Prainha, T 260 14 40, www.hotelperola.cv, €€€

In der Fußgängerzone
3 **Santa Maria:** Für einen kurzen Aufenthalt in der Stadt machen Sie mit diesem Hotel nichts falsch. Wenn Sie null Wert auf Aussicht legen und es ruhig haben wollen, buchen Sie eines der Zimmer zum kaminartigen Innenhof hin. Alle Räume sind modern und komfortabel eingerichtet, im Erdgeschoss gibt's einen Aufenthaltsraum und in der Fußgängerzone eine Terrassenbar.
Av. 5 de Julho, Platô, T 261 43 37, 980 65 95, www.hotelsantamaria.cv, €€

Mitten im Leben
4 **Santiago:** Die Lage besticht vielleicht nicht gerade durch Idylle, aber Sie wohnen im lebendigsten Stadtteil, den Sie von der Bar auf der Dachterrasse im Blick haben. Die Zimmer sind in Ordnung und einigermaßen geräumig, einige haben eine Küchenzeile.
Av. Figueira da Foz, Achada Santo António, T 260 49 80, €€

Am Rand vom Platô
5 **Apartamentos Condolar:** Super zentral gelegenes Apartmenthaus. Die einzelnen Apartments sind modern eingerichtet und haben eine komplette Küchenzeile. Frühstück können Sie im Haus bekommen.
Rua Tenente Valadim 13 (auch Rua Madragoa), Platô, Kontakt nur über Booking.com, €€

Essen

In Praia mangelt es weder an einfachen Essensständen noch an Lokalen mit gepflegtem Ambiente.

Wandel(-Bar)
1 **Quintal da Música (5al da Música):** Hier trifft sich die Intellektuellenszene der Stadt. Am frühen Abend fungiert der überdachte Innenhof als Restaurant und ab 21 oder 22 Uhr als Bühne für täglich wechselnde Musiker, dann schauen viele auch nur auf einen Drink vorbei. Der Eintritt ist frei, es muss allerdings etwas konsumiert werden – beim Essen fällt das nicht schwer, denn die kapverdischen Gerichte sind anspruchsvoll zubereitet.
Av. Amílcar Cabral, Platô, T 261 16 79, auf Facebook, So geschl., €€€

Heißer Stein mit Aussicht

2 Ipanema: Eine Terrasse über dem Meer und Tische mit einem Heißen Stein, auf dem Sie sich selbst ein frisches Thunfisch- oder Rindersteak braten können. Zu besonderen Gelegenheiten wird ein Buffet aufgebaut. Diese Kombi macht's, dass das Lokal immer gut besucht ist.
Av. Jorge Barbosa, Prainha, T 262 26 00, auf Facebook, tgl. 12–24.30 Uhr, €€

Gepflegtes Ambiente

3 O Poeta: Hier treffen sich Diplomaten, Geschäftsleute und Urlauber, die die Aussicht genießen möchten. Auf den Tisch kommt eine gute Mischung aus portugiesischen und kapverdischen Gerichten.
Rua O.U.A., Achada Santo Anónio, T 261 38 00, Mi–Mo 11–23 Uhr, €€€

Klein, eng, solide

4 Flôr de Lis: Die Einheimischen essen lieber drinnen im Tiefparterre, wintergeplagte Touristen bevorzugen die Tische in der Fußgängerzone. Egal wo Sie sitzen, Sie bekommen solide kapverdische Hausmannskost zu einem super Preis-Leistungs-Verhältnis.
Av. 5 de Julho 45, Platô, T 261 25 98, tgl., €€

Die beste Pizza der Stadt?

5 Punto d'Incontro: Manchmal muss es auch auf den Kapverden Pizza sein. Ob es hier wirklich die beste der Stadt gibt, können wir nicht garantieren, jedoch versichern, dass es zumindest uns prima geschmeckt hat. Auch Fisch- oder Fleischgerichte, Tiramisu etc.
Av. Cidade de Lisboa, Várzea, T 261 70 90, www.puntodincontro.cv, Mo geschl., €€

Sehr weltmännisch

6 Café Sofia: Perfekt für eine Pause beim Sightseeing. Neben Kaffee und Kuchen gibt es wechselnde Tagesgerichte. Abends finden manchmal Konzerte statt, die auf Facebook angekündigt werden.
Praça Luís de Camões, tgl. 7–23 Uhr, €

Essen im Chaos

9 Mercado de Sucupira: Trauen Sie sich und gehen Sie zum Mittagessen auf den Markt. Im Zentrum des Gewühls bieten Stände deftige und vor allem authentische kapverdische Hausmannskost an.
Av. Cidade de Lisboa, Várzea, s. S. 144

Einkaufen

Handgemachtes von den Inseln

1 Lembrança di Terra: Hochwertiges Kunsthandwerk, das garantiert von den Inseln stammt.
Av. 5 de Julho 84, T 261 48 30

Muss nicht sein

2 Praia Shopping Center: Die Einheimischen lieben es und treffen sich hier zum klimatisierten Schaufensterschauen. Für die meisten Besucher dürfte ein Einkaufszentrum im europäischen Stil weniger interessant sein.
Quebra Canela, Prainha, 10–22 Uhr

Was das Herz begehrt

9 Mercado de Sucupira: Egal, was auch immer Sie brauchen, hier bekommen Sie es, wenn auch nicht in mitteleuropäischer Manier präsentiert.
Av. Cidade de Lisboa, Várzea, s. S. 144

Bewegen

Tauchen

1 Atlanticus Diving: Tauchzentrum mit guter Ausrüstung. Auch Schnorcheltouren können Sie hier buchen.
Rua do Mar, im Hotel Oasis Atlântico Praiamar, Prainha, T 999 00 51, bei Facebook

Ausflüge

Im Angebot von **Novatur 2** (Av. Cidade de Lisboa, T 261 27 17) sind zahlreiche Touren, u. a. eine Stadtbesichtigung per Tuk Tuk. **Vista Verde 1** (Rua do Mar, in der

Halle des Hotel Oásis Atlântico, Prainha, www.vista-verde.com) organisiert u. a. einen ganztägigen Ausflug über die Insel.

Ausgehen

Trotz Hauptstadtstatus sind die Möglichkeiten beschränkt. Eine Flaniermeile oder Partyzone gibt es nicht und nachts wirkt Praia wenig einladend, die Einheimischen fahren dann auch kurze Strecken mit dem Taxi. Konzerte finden regelmäßig im **Quintal da Música** `1` (s. S. 146) statt, gelegentlich auch im **Palácio da Cultura Ildo Lobo** ❺ (s. S. 140) und im **Café Sofia** `6` (s. S. 147). Discos oder Strandpartys veranstaltet oft die **Bar Kebra Kabana** ✦ (bei Facebook, Mo–Do bis 2, Fr, Sa bis 4 Uhr) an der Praia Quebra Canela, vorher können Sie dort auch essen.

Feiern

- **Carnaval:** Der Karnevalsfreitag ist in Praia für die Kinder reserviert, die auf der Praça Alexandre Albuquerque ihre Kostüme präsentieren.
- **Festival da Gambôa:** Mai. Großes Musikfestival mit internationaler Beteiligung, das seit 1993 drei Nächte lang Zehntausende an die Praia Gambôa lockt – eine Konkurrenz zum noch berühmteren Festival an der Baía das Gatas auf São Vicente (s. S. 99).

Infos

- **Flugzeug:** Der Aeroporto Internacional Nelson Mandela, T 263 10 10, www.asa. cv, liegt auf einem Hochplateau östlich von

Gerade mal 15 km sind es von der neuen zur alten Inselhauptstadt, von Praia nach Cidade Velha, vom Hektischen ins Beschauliche – zumindest wenn gerade keine Touristenwelle die Rua da Banana überschwemmt.

Praia und ist das Drehkreuz für den gesamten Archipel. Von hier aus starten tgl. Flüge auf alle Inselflughäfen. Die Fluggesellschaft Bestfly (www.bestfly.aero) hat am Flughafen ein Büro. Aus dem Ausland wird Praia hauptsächlich von der portugiesischen TAP angeflogen (am Flughafen, Mo–Fr 8–12, 14–19.30, 21–1, Sa, So 17–19.30, 21–1 Uhr). Eine Taxifahrt vom Flughafen in die Stadt kostet ca. 1500 ECV.

- **Fähre:** Schnellfähren verkehren nach Fogo/Brava, Boa Vista (und weiter nach Sal) sowie Maio. Außerdem gibt es Fährverbindungen nach São Vicente und São Nicolau (www.cvinterilhas.cv).

- **Transport vor Ort:** Durchs Stadtgebiet kurven 15 Buslinien der Firma Solatlântico (www.solatlantico.cv). Die zentrale Abfahrtsstelle für Aluguers ist der Südeingang des Mercado de Sucupira (s. S. 144). Die Strecke Praia–Tarrafal kostet im Sammeltransfer ca. 1000 ECV. Achtung: Nach Einbruch der Dunkelheit starten kaum noch Aluguers. Innerstädtische Taxifahrten kosten ca. 500 ECV, für eine Inselrundfahrt sollte man mit ca. 10 000 ECV rechnen.

- **Mietwagen:** Verschiedene Anbieter sind unter www.turismo.cv/page/rent-car aufgelistet.

Cidade Velha ⭐

📍 Karte 3, N 17

Wenn es zu holpern beginnt, sind Sie in **Cidade Velha,** denn die Straße von Praia ist nur bis zum Ortsanfang asphaltiert. Dafür atmen die Pflastergassen des Fischerdorfs umso mehr Geschichte – sie wurden von den ersten portugiesischen Siedlern auf den Kapverden angelegt. Ein wasserreicher Fluss, die Ribeira Grande, hatte es ihnen angetan. Nach ihm wurde der Ort ursprünglich benannt (s. Kasten), mit dem der Ar-

DIE SACHE MIT DEM NAMEN

Unter dem Namen **Ribeira Grande** wurde der Ort im 15. Jh. gegründet. Ab 1533 hatte der Bischof hier seinen Sitz, weshalb die Ernennung zur Cidade (etwa mit ›Großstadt‹ zu übersetzen) erfolgte, nun also protzig **Cidade Ribeira Grande.** Mit der Ablösung durch Praia als Hauptstadt im 18. Jh. handelte sich der Ort die Bezeichnung **Cidade Velha** (›alte Stadt‹) ein, was die Einwohner so erzürnte, dass sie ihn sogleich wieder in Cidade Ribeira Grande umbenannten. Um's noch komplizierter zu machen: In offiziellen Dokumenten findet sich – warum auch immer – der Name **Cidade de Santiago de Cabo Verde.** Der UNESCO ist das alles egal, in ihrer Liste steht Cidade Velha, das klappt auch am unmissverständlichsten bei Taxifahrern.

chipel historisch zu existieren begann. Ribeira Grande war auch die erste von Europäern erbaute Stadt südlich der Sahara. Seit 2009 steht sie auf der Liste des UNESCO-Welterbes.

Gegen Hochwasser und Angreifer

Das heute meist ausgetrocknete Flussbett der **Ribeira Grande** säumen hohe Mauern, die bei kräftigen Regenfällen Überschwemmungen verhindern. Einem gänzlich anderen Zweck, nämlich der Sicherung gegen Angreifer, diente die **Stadtmauer ❶** am Meer aus dem 16. Jh., von der noch Reste zu erkennen sind.

Am Pranger

Auf dem mit Strandgeröll gepflasterten Platz neben der Flussmündung, dem **Largo de Pelourinho,** erhebt sich un-

Cidade Velha

Ansehen

1 Stadtmauer
2 Pelourinho
3 Igreja Nossa Senhora
   do Rosário
4 Convento São Francisco
5 Sé
6 Fortaleza Real de
   São Filipe

Schlafen

1 Limeira
2 Vulcão
3 Casa Sr. Abel

Essen

1 Tereru di Kultura

ter Kokospalmen der namensgebende **Pelourinho** ❷. Einen solchen Pranger oder Schandpfahl gab es früher in jeder Stadt auf portugiesischem Territorium als Symbol der königlichen Justiz und der örtlichen Verwaltung. Den von Ribeira Grande ließen die Autoritäten in der ersten Hälfte des 16. Jh. errichten. Er wurde in Portugal aus Marmor gefertigt und im damals üblichen, verspielten manuelinischen Stil (s. S. 85) dekoriert. Man band ›aufsässige‹ Sklaven oder freie Kriminelle daran fest, peitschte sie aus und überließ sie dem Unmut des Volkes. Auch stellten Sklavenhändler am Pelourinho Menschen zur Schau, die verkauft werden sollten.

Im 19. Jh. galt der Pranger als nicht mehr zeitgemäß, doch im 20. Jh., während der Salazar-Diktatur, sandte ihn die Kolonialbehörde zur Restaurierung nach Portugal. Nach der Unabhängigkeit der Kapverden wurde der Pelourinho als Symbol der verhassten Kolonialzeit teilweise zerstört. So fehlte ihm lange Zeit die krönende Armillarsphäre, eine Bänderkugel, die im 16. Jh. Insignium von König Manuel I. und zugleich Sinnbild der portugiesischen Entdeckungsfahrten war. Inzwischen akzeptieren die Kapverdianer den Pelourinho als Teil ihrer Geschichte und damit als bewahrenswert.

Die erste Kathedrale der Inseln

Spazieren Sie doch nun über den Fluss. Durch die zweite Gasse rechts, die **Rua Carrera,** gelangen Sie zur **Igreja Nossa Senhora do Rosário** ❸ (›Rosenkranzkirche‹), mit deren Bau 1495 begonnen wurde – im Stil der sogenannten Atlantischen Gotik, also wehrhaft und mit dicken Strebepfeilern. Nachdem Ribeira Grande 1533 zum Bischofssitz für die Kapverden und die angrenzende afrikanische Küste avanciert war, stieg die

Kirche zur Kathedrale auf, der ersten auf den Inseln. 1693 verlor sie diese Würde allerdings wieder.

Alte Marmorgrabplatten, einige vom Anfang des 17. Jh., die jüngsten aus den 1930er-Jahren, zieren den Kirchhof und wurden auch teilweise als Stufen für die Außentreppe zweckentfremdet. Auch im Inneren der Kirche fallen Grabplatten aus Marmor auf, die älteste von 1543. Einige zeigen Adelswappen, eine sogar eine Bischofsmütze.

In der Barockzeit im 17. Jh. erfolgten Umbauten an der Rosenkranzkirche. Damals entstanden das Hauptportal und der Fries aus blauen, gelben und weißen *azulejos* (›Fliesen‹), der sich rings um den Innenraum zieht. Die handgemalten Fliesen wurden ebenso wie der Marmor aus Portugal importiert.

Beide Seitenkapellen links haben gedrungen wirkende gotische Spitzbögen, die zu den wenigen Beispielen für diesen Baustil im Subsahara-Afrika zählen. Gotisch ist auch das Netzgewölbe in der Taufkapelle. In den Schlussstein wurde das Kreuz des Christusritterordens eingemeißelt. Dieser war in Portugal aus dem 1312 verbotenen Templerorden hervorgegangen, hatte die Entdeckungsfahrten der Portugiesen im 15. Jh. geleitet und war für die frühe Besiedlung von Santiago und Fogo zuständig. Links neben der Frontfassade ragt der klobige, quadratische Turm auf, der fast genauso breit ist wie die Kirche selbst.

In der Bananenstraße

Die Parallelstraße zur Rua Carrera ist die **Rua da Banana.** Hier finden Sie die größte Ansammlung von Gebäuden aus der ersten Zeit der Besiedlung – niedrige, lang gestreckte Steinhäuser mit Strohdach. Etwa zwei Drittel dieses Ensembles wurden mit Hilfe der UNESCO restauriert. Einige der Häuser sind bewohnt, in anderen befinden sich Werkstätten oder einfache Unterkünf-

te. Eine ähnliche Bauweise findet man auch im Norden Portugals, sie dürfte mit den frühen Siedlern nach Santiago gekommen sein.

Sklaven zu Christen

Nun geht's bergauf, und zwar zur Kirche des ehemaligen **Convento São Francisco ❹** (›Franziskanerkloster‹) – wir versprechen Ihnen: Es lohnt sich! Zunächst laufen Sie im Flussbett aufwärts, verlassen dieses nach ca. 100 m links auf einem von hohen Mauern gesäumten Fahrweg und biegen dann an der nächsten Abzweigung rechts ein. Dort steht eine restaurierte Mühle für die Grogue-Herstellung. Nebenan führt ein Treppenaufgang zur Kirche.

Die ersten Franziskanermönche kamen schon 1466 nach Ribeira Grande, um die afrikanischen Sklaven zu christianisieren. Allerdings stammt die heutige Kirche von 1657. Nicht das Äußere ist, was beeindruckt, sondern die geschnitzte Holzdecke im Innenraum, relativ frisch renoviert sogar. Sie entspricht reinstem Mudéjarstil, einer Dekorationskunst, die auf die Mauren der Iberischen Halbinsel zurückgeht und von Portugiesen und Spaniern im 16. Jh. auf alle von ihnen besiedelten Inselgruppen im Atlantik gebracht wurde. Ansonsten sind hier oben noch ein paar Reste von Nebengebäuden zu sehen, in denen sich früher Zellen für zwölf Mönche befanden. Ein Aquädukt versorgte den Konvent und seine Obstplantagen mit Wasser. 1834 ließ Königin Maria II. alle Klöster auf portugiesischem Territorium auflösen. Die Anlage wurde verlassen und verfiel.

Die zweite Kathedrale der Inseln

Außer Trümmern ist von ihr nicht viel übrig geblieben, doch die sind ziemlich imposant. Um die Überreste der zweiten Kathedrale der Kapverden zu besichtigen, die ab 1556 errichtet wurde, müssen

TOUR
Ins Tal der Sklaven

Eine alte Festung, ein verwunschener Weiler und ein tropisches Flusstal

Infos

Start/Ziel:
Cidade Velha,
Karte 3, N 17

Dauer: 3 Std.

Hinweise: Für Auf-
und Abstiege sollten
Sie trittsicher sein.
Feste Schuhe sind
ratsam.

Tropisch grün liegt es in der kargen Landschaft – eine wahre Augenweide. Früher wurden im Tal der **Ribeira Grande** die ersten Sklaven gefangen gehalten. Die Flanken sind steil, ein Entkommen war nicht möglich.

Start ist am **Pelourinho** (s. S. 150), von wo Sie erst einmal auf der Straße in Richtung Praia marschieren. Am Bankomat beschreibt sie einen Linksknick, wenige Meter später kommt eine Rechtskurve. Gleich danach führen Stufen aufwärts. Steigen Sie dort hinauf und folgen Sie dem Weg entlang der einfachen Steinhäuser, bis sie auf eine querende, alte und verfallene Pflasterstraße treffen. Sie führt links hinauf bis an die Außenmauer der **Fortaleza Real de São Filipe** (ca. 20 Min., s. S. 153), die Sie entgegen dem Uhrzeigersinn umrunden.

Von der Festung folgen Sie den Trittspuren ins Landesinnere. Am Talrand entlang geht es bis in den Ort **Calabaçeira** (ca. 1.15 Std.). Dort folgen Sie der gepflasterten Durchgangsstraße bis fast zum Ende. An einem hölzernen Strommast biegen Sie links ab (Farbmarkierungen). Auf Pfaden erreichen Sie die Abbruchkante, an der ein alter Pflasterweg beginnt. Auf ihm gelangen Sie in den Talgrund (ca. 1.40 Std.). Unten halten Sie sich links und folgen dem Flusslauf zurück nach **Cidade Velha** (ca. 2.45 Std.).

Nehmen Sie unbedingt genügend Trinkwasser mit, im Talgrund weht kein Wind und es ist schwülwarm. Und Sie sollten keine Pausen unter Kokospalmen machen – wenn Sie eine Nuss auf den Kopf kriegen, tut das nicht nur richtig weh, sondern kann auch richtig in die Hose gehen.

0   0,5   1 km

Salineiro

Ribeira Grande

Calabaçeira

↑ Santa Marta

Convento
Santo Francisco
Cidade Velha

Pelourinho
Start/Ziel

Fortaleza Real
de São Filipe

Praia

Sie sich an den östlichen Ortseingang begeben. Die schlicht **Sé** ❺ (›Kathedrale‹) genannte Kirche löste 1693 die Rosenkranzkirche (s. S. 150) ab, obwohl sie erst 1705 fertiggestellt wurde. Ihre Dimensionen wirken im heutigen Umfeld gewaltig. Doch entsprachen die Ausmaße von 63 m Länge und 31 m Breite durchaus denen anderer Bischofskirchen der damaligen Zeit. Auch die Sé wurde im Mudéjarstil errichtet, doch ihre Holzdecke blieb nicht erhalten. Große Teile des Gebäudes wurden von der Bevölkerung abgetragen und als Baumaterial für Häuser benutzt. Nur die bis über 1 m dicken Außenmauern stehen noch. Wie für den Mudéjarstil charakteristisch, bestehen sie aus Lehmmauerwerk, denn Bruchstein war auf den Kapverden kaum vorhanden. Lediglich für die Fundamente sowie für Einfassungen von Fenstern und Türen fand helles, festes Trachytgestein Verwendung.

Die lange Bauzeit der Sé erklärt sich durch das geringe Interesse der meisten Bischöfe, manche ließen sich während ihrer Amtszeit nie auf den Kapverden blicken. Zwischen 1646 und 1672 war die Diözese gar vakant. Diese Umstände wirkten sich verheerend auf die Moral des örtlichen Klerus aus. Die Priester widmeten sich mehr der Geschäftemacherei als der Seelsorge und von der Einhaltung des Zölibats konnte keine Rede sein. Zwar gab es noch einmal eine Initiative durch Bischof Vitoriano do Porto, während dessen Amtszeit die Kathedrale endlich eingeweiht werden konnte, doch schließlich gab Bischof Pedro Valente den Sitz in Ribeira Grande endgültig auf und zog sich nach Santo Antão zurück.

Schutz vor Piraten

Westlich der Sé führen Fußwege auf einen Bergrücken, auf dem die **Fortaleza Real de São Filipe** ❻ thront (auch über eine Stichstraße zu erreichen, die von Praia aus kommend vor Cidade Velha rechts abzweigt).

Gegenüber dem Eingang wurde ein modernes **Centro Interpretativo** in den Boden eingelassen, das wie der Nachbau einer Behausung kanarischer Ureinwohner im Stil des Künstlers César Manrique von Lanzarote wirkt. Hier zeigt sich die Handschrift der spanischen Entwicklungshilfe, die bei der Restaurierung verschiedener Baudenkmäler in Ribeira Grande assistierte. In dem Informationszentrum kann man sich über die Geschichte der Festung und der Stadt kundig machen und die Eintrittskarten lösen. Außerdem läuft regelmäßig ein mehrsprachiger Film. Der Museumsshop verkauft geschmackvolle Postkarten, im hübschen Innenhof werden Getränke angeboten.

Die Festung wurde 1593 fertiggestellt, als Portugal zu Spanien gehörte – daher auch ihr Name zu Ehren von König Philipp II. von Spanien. Anlass des Baus war ein Überfall des englischen Korsaren Francis Drake im Jahr 1585, der mit 25 Schiffen und mehr als 1000 Mann die Stadt geplündert hatte. Künftige Angriffe des spanischen Erzfeindes England wollte man auf diese Weise verhindern. Auch richtete der Gouverneur in der Festung seine neue, nunmehr gut gesicherte Residenz ein.

In gutem Erhaltungszustand befindet sich allerdings nur die zentrale Zisterne, die 1720 in der heutigen Form entstand. Tausende von Ziegelsteinen wurden für ihren Bau aus Lissabon importiert. Ein restaurierter Wasserkanal *(levada)* demonstriert, wie das im Hof eingefangene Regenwasser in die Zisterne geleitet wurde. Außerdem sind die Grundmauern der ehemaligen Kasernen zu besichtigen. Links vorn wohnte der Gouverneur, rechts vorn befand sich der Pulverturm. Beeindruckend ist der Blick von der Festungsmauer über die Stadt und das canyonartige Tal der Ribeira Grande.

Schlafen

Komfortabel und ortsnah
1 **Limeira:** Die einfachen, aber komfortablen Zimmer und Apartments dieses Hotels sind auf mehrere Häuser verteilt. Alle haben eine Klimaanlage, nicht alle einen Balkon. Frühstück gibt es direkt am Pool auf der gemütlichen Terrasse. Das Hotel liegt an der einzigen Küstenstraße am Westrand von Cidade Velha, ins Dorf brauchen Sie zu Fuß knapp 10 Min.
Santa Marta, ca. 700 m östl. des Zentrums von Cidade Velha, T 267 11 03, www.hotel limeira.cv, €€

Modern und neu, aber abgelegen
2 **Vulcão:** Wenn das Vier-Sterne-Hotel näher am Zentrum liegen würde, könnte man sagen, es wäre das beste im Ort – zu Fuß brauchen Sie schon 20 Min. bis zum zentralen Platz. Die knapp 60 Zimmer verteilen sich auf ein Haupthaus und sechs Nebenhäuser. In einem geschützten Bereich können Sie bei schwacher Brandung im Meer baden, sonst eben in den beiden Pools, einer davon für Kinder. Das Hotel ist familiengeführt und wirbt damit, dass die gesamte Belegschaft Kapverdianer sind.
Santa Marta, ca. 1,5 km östl. des Zentrums von Cidade Velha, T 267 31 98, 958 13 88, buchbar über Veranstalter, €€

RUNDWEG ZUR KULTUR **R**

Der **Roteiro Turístico da Cidade Velha** wurde 2021 neu gestaltet, um die erhoffte Wiederbelebung des Tourismus nach der Pandemie zu begleiten. Ergänzend zu den traditionellen Infotafeln kann man sich nun zu jeder Sehenswürdigkeit mit einem Click per QR-Code die Infos aufs Handy holen.

Wie früher
3 **Casa Sr. Abel (Pensão Abel Borges):** Bei Senhor Abel wohnen Sie in einem der ältesten Häuser von Santiago. Das Haus ist aus groben Basaltblöcken errichtet, das Dach mit Stroh gedeckt. Ansprüche an Komfort dürfen Sie nicht haben, aber die Betreuung ist herzlich-familiär. Insgesamt vermietet die Familie drei Zimmer.
Rua da Banana, T 267 13 74, 914 11 27, buchbar über Airbnb.de, €

Essen

Rund um den Largo do Pelourinho gibt es einige Bars.

Direkt am Meer
 Tereru di Kultura: Sie sitzen gemütlich auf einer strohgedeckten Terrasse, den Aperitif können Sie in Sesseln direkt über dem Strand genießen. Auf den Tisch kommen kulinarische Höchstgenüsse, wie man sie in einer solchen ›Strandbude‹ nicht erwarten würde.
Rua Cadjau, T 918 35 82, €€€

Infos

• **Verkehr:** Aluguers fahren mehrmals tgl. nach Praia (ca. 200 ECV).

Von Praia nach Assomada

Sind Sie bereit zur großen Inseltour? Und vielleicht auch für die ein oder andere Wanderung durch die Inselberge? Dann hüpfen Sie in ein Gefährt und nehmen Sie Kurs auf Assomada im Zentrum von Santiago. Schon auf der Strecke dorthin sollten ein paar Stopps eingeplant werden.

Wer so steile Felder mit so einfachem Handwerkszeug in einer solchen Hitze beackern muss, hat eigentlich nichts zu lachen – die Kapverdianer tun's trotzdem, und nicht nur wegen des Fotografen.

Parque Natural Rui Vaz e Serra Pico de Antónia

📍 Karte 3, M–N 16

Zu zähen Ziegen

Zügig geht es zunächst voran. Eine asphaltierte Schnellstraße zieht sich nördlich von Praia durch ein trockenes Savannengebiet. In der steinigen, relativ flachen Landschaft können nur Akazien überleben. Klapperdürre Ziegen durchstreifen das Gelände und knabbern an dornigem Gestrüpp. Mehr Wasser – und somit auch größere Siedlungen – gibt es erst wieder am Fuß des zentralen Gebirgsmassivs. **São Domingos,** auf ca. 300 m gelegen, ist die südlichste davon. Rundum werden Mais, Bohnen und Kohl angebaut. In den feuchteren Taleinschnitten wachsen Zuckerrohr, Bananen und andere tropische Früchte.

Ins Bergland holpern

Damit der Asphalt nicht träge macht, wäre nun vielleicht eine steile Pflasterstraße angemessen. Ziel: das (Wander-) Dorf **Rui Vaz.** Dafür verlassen Sie in São Domingos die Schnellstraße und biegen – von Praia kommend – fast am Ende des Dorfes nach oben ab. Runde 600 Höhenmeter geht's jetzt in die Berge hinauf.

Im Nordwesten schält sich der spitze Gipfel des **Pico de Antónia** heraus, mit 1394 m der höchste Inselberg. Das gesamte Gebiet steht als **Parque Natural Rui Vaz e Serra de Pico de Antónia** unter Schutz.

Fast 20 % aller endemischen Pflanzen von Cabo Verde wachsen hier, Grund genug, die Wanderschuhe zu schnüren.

Aussichtsberg x 2

Von Rui Vaz aus können Sie zwei nahe gelegene Gipfel besteigen: Den Monte Tchota (1041 m) und den Monte Gamboa (1099 m). Vom ersten erblicken Sie die Serra de Pico de Antónia und die schroffe Spitze des namengebenden Berges, vom zweiten zusätzlich die Südküste.

Ab dem Dorf geht es zuerst auf der Straße weiter nach oben. Bald betreten Sie den Naturpark. Die Straße mutiert zur Forstpiste, auf der Sie immer weiter aufwärts laufen, direkt auf die Sendeanlagen des Monte Tchota zu. Nach ca. 45 Min. gelangen Sie an eine Gabelung, eine Piste zweigt nach links unten zu einem Bauernhof ab. Sie aber steigen rechts weiter auf. Nach ca. 15 Min. ist das Tor der Sendeanlage erreicht. Folgen Sie dem rechten Pfad und laufen Sie entlang der Mauer zu deren Rückseite, von wo ein breiter Weg in den Kamm zum Gipfel des **Monte Tchota** verläuft. Vom Tor der Sendeanlage sind es auch nur noch 15 Min. auf den **Monte Gamboa**. Einfach

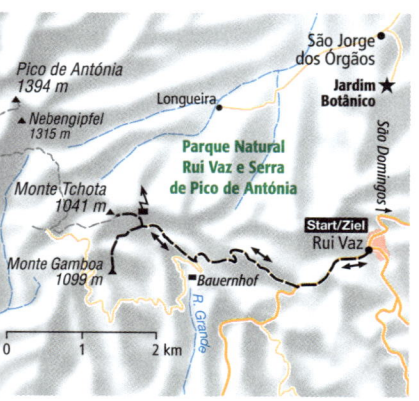

Wandertour auf den Monte Tchota und den Monte Gamboa

dem Pfad folgen, der links weiterführt. Für die komplette Wanderung sollten Sie hin und zurück mit 2–2.30 Std. rechnen.

São Lourenço dos Órgãos
📍 **Karte 3, N 16**

Grün und grüner wird's links und rechts der Hauptstraße nördlich von São Domingos. Die Berge sorgen dafür, dass der Nebel kondensiert und der Boden einiges an Feuchtigkeit abbekommt. In den Tälern gedeihen Mais, Süßkartoffeln, Papayas, Bananen und Zuckerrohr. Zur Bewässerung dienen offene Kanäle, die *levadas*.

Wie leben die Kapverdianer?

Welche Bedeutung einst dem Mais zukam, der über Jahrhunderte die wichtigste Nahrungsgrundlage war, lässt sich im kleinen ethnografischen Museum von **São Lourenço dos Órgãos** erfahren. Das **Museu Etnográfico de São Lourenço** dokumentiert den Lebensstil der Gemeinde von den Anfängen der Besiedlung bis heute, darüber hinaus sind Alltagsgegenstände, Trachten und Musikinstrumente zu sehen.

An der Straße nach Assomada, Di–Sa 8.30–18.30, So 10.30–17 Uhr, ca. 200 ECV

Barragem de Poilão
📍 **Karte 3, N 16**

Ein künstlicher See

Von São Lourenço dos Órgãos führt eine Straße an die Ostküste. Nach ca. 3,5 km passiert sie die **Barragem de Poilão**, einen großen Stausee. Was für Sie nichts Besonderes sein mag, kommt für die Einheimischen einer Sensation gleich, denn auf den Kapverden kennt man sonst keine solchen Gewässer. Der

Stausee wurde mit chinesischer Unterstützung errichtet und fasst 1,7 Mio. m³ Wasser (zum Vergleich: der Schluchsee im Schwarzwald enthält 108 Mio. m³).

Durch den See veränderten sich auch die Umweltbedingungen: Die Bauern können Früchte anpflanzen, für die es vorher zu trocken war, und Vögel siedelten sich an. Mit etwas Glück sehen Sie den sehr seltenen Purpurreiher (s. S. 159), der nur auf Santiago vorkommt!

São Jorge dos Órgãos
📍 Karte 3, N 16

Pflanzen kennenlernen

Und wieder ein Abstecher von der Hauptstraße, und wieder mitten hinein ins Gebirge bzw. dieses Mal in die Botanik. In **São Jorge dos Órgãos** liegt der **Jardim Botânico Grandvaux Barbosa,** der einzige größere botanische Garten des Landes. Auf Terrassenfeldern unterhalb der Flanken des Monte Tchota und des Pico Antónia wachsen heimische, teils endemische Pflanzen. Bei einem Streifzug durch das Areal werden Sie bestimmt den Kapverdischen Eisvogel erspähen, dem scheint's hier zu gefallen. Die Pflanzungen dienen zudem als Samenbank für Arten, die an ihren natürlichen Standorten bedroht sind.

Anfahrt: Kurz hinter **João Teves** zweigt vor einer Brücke die Straße nach São Jorge ab. Wenn Sie nicht selbst motorisiert sind, müssen Sie die ca. 1,5 km ab João Teves gehen, Aluguers bedienen die Strecke nicht.

Ab der Kirche in São Jorge dos Órgãos ausgeschildert, Mo–Fr 8–15 Uhr, 100 ECV

Schlafen

Das Gebiet zwischen Praia und Assomada ist touristisch kaum erschlossen, Unterkünfte sind rar.

In den kühlen Bergen

Quinta da Montanha: Sehr angenehm wohnt sich's auf diesem ehemaligen Gutshof, dessen Zimmer (alle mit Warmwasser) sich auf ein älteres und ein neueres Gebäude verteilen. Die große überdachte Terrasse vor dem Haus bietet einen schönen Blick. Gute Gerichte mit Produkten aus eigenem biologischem (!) Anbau werden im Restaurant serviert. Geführte Wanderungen können organisiert werden. Der Gastgeber Lindorfo Ortet spricht Englisch und Portugiesisch und ist nebenbei Musiker. Wenn es der Hotelbetrieb zulässt, erfreut er seine Gäste mit kapverdischen Klängen.

Rui Vaz, T 268 50 02/03, 992 40 13, quinta montanho@cvtelecom.cv, €€

Essen

Das Gleiche wie für die Unterkünfte gilt auch für Restaurants: Es gibt praktisch keine. Die einzige Möglichkeit, eine warme Mahlzeit in den Bauch zu bekommen, ist in der Quinta da Montanha (s. oben), aber auch dort sollten Sie vorbestellen. Ansonsten bleiben die vereinzelten Mercearias entlang der Hauptstraße, wo Sie eine Notverpflegung bekommen.

Feiern

● **Festa de Nhô São Jorge:** 2. Aprilhälfte. Georg (Jorge), der Drachentöter, ist der Ortspatron, das Fest ihm zu Ehren dauert mehr als eine Woche. Die Aktivitäten umfassen Sportveranstaltungen, kulturelle Events wie Ausstellungen und Lesungen sowie ein buntes Unterhaltungsprogramm mit Musik und Tanz. Absoluter Höhepunkt der Festtage ist die Prozession am 23. April, bei der Vertreter der verschiedenen Ortsteile, die sogenannten *juízes* (›Richter‹), eine Statue von Georg durch die Straßen tragen.

Infos

- **Transport vor Ort:** Die Strecke Praia–Assomada wird relativ häufig von Aluguers befahren, ebenso die Strecke São Domingos–Rui Vaz. In die abgelegenen Dörfer gibt es nur sporadisch Verbindungen.

Assomada

📍 Karte 3, M 16

Landwirtschaft beherrscht das Umland, aber erwarten Sie deswegen kein idyllisches Bauerndorf. **Assomada** ist eine ›große‹ Stadt mit über 12 000 Einwohnern und praktischen Wohnblocks an der Peripherie. Die zentrale Achse bildet die **Avenida Amílcar Cabral,** in der sich die meisten Geschäfte und der lebhafte Markt befinden. Die Einheimischen kommen nach Assomada zum Einkaufen, für Wanderer ist die Stadt eine gute Basis für Touren in der Serra Malagueta.

Gucken und günstig essen

Eng drängen sich die Stände. Die feilgebotenen Früchte, Chilischoten, Kochbananen und Stachelannonen, liefern unzählige Fotomotive. Auch Fleisch, Würste, Schwarten und lebende Hühner sind im Angebot. An den Seiten der Markthalle wird in schmalen Nischen gekocht: Reis mit Fleisch- oder Fischeinlage, natürlich auch *cachupa.* Hier können Sie günstig und landestypisch zu Mittag essen, nur sonntags nicht, dann hat der **Mercado de Assomada** nämlich geschlossen. In den umliegenden Straßen bieten Geschäfte alles das an, was es auf dem Markt nicht gibt.

Av. dos Combatentes, Mi, Sa ab 6, Mo, Di, Do, Fr ab 7 Uhr, am meisten los ist vormittags, ab dem frühen Nachmittag schließen schon viele Stände

Eintauchen in die Kultur

Wie in fast jedem kapverdischen Ort wird auch Assomadas zentrale **Praça Gustavo Monteiro** von einer Kirche bewacht, der **Igreja Nossa Senhora da Fátima.** Alles eigentlich eher unwichtig, herkommen sollten Sie trotzdem. Hier liegt nämlich auch das **Centro Cultural Norberto Tavares,** in dem spannende Musikveranstaltungen oder Ausstellungen stattfinden. Auch shoppen können Sie hier, im angeschlossenen Laden bieten heimische Kunsthandwerker ihre Stücke an, darunter lässt sich sicherlich das ein oder andere Souvenir finden.

Benannt wurde das Kulturzentrum nach dem kapverdenweit bekannten Musiker Norberto Tavares (1956–2010), der aus einem kleinen Dorf an den Südausläufern der Serra Malagueta stammte. Er schaffte den Sprung aus der Armut und emigrierte zunächst nach Portugal, wo er sich der Black-Power-Bürgerrechtsbewegung anschloss. Schließlich wanderte er in die USA aus und widmete sich ganz der Musik.

Kunst als Befreiungsschlag

Mit Musik hat auch das nächste Ziel zu tun. Etwa 5 km westlich von Assomada, in **Chã de Tanque,** befindet sich in einem Landhaus das **Museu da Tabanca,** dessen Namen auf eine Tanztheaterform aus der Zeit der Sklaverei zurückgeht. Protest war damals nur symbolisch möglich und so wurden Umzüge mit Figuren der Gesellschaft veranstaltet. Beteiligt sind u. a. der ›Kommandant‹ und die ›Soldaten‹, der ›König‹ und die ›Königin‹, der ›Henker‹, der ›Dieb‹, ›Hofdamen‹ und natürlich die ›Sklaven‹. Dem *roubo do santo* (›Raub der Kreuzreliquie‹) beispielsweise folgen – mit einem Augenzwinkern versehen – die Befragung und Bestrafung des ›Diebs‹. Die musikalische Begleitung übernehmen Trommeln und Muschelschalen, die den Sklaven als heimliches Verständigungsmittel dienten. Trotz eines Verbots durch die Kolonialverwaltung von 1896 bis zur Unabhängigkeit konnte sich diese kulturelle Ausdrucksform erhalten. Das Museum zeigt in wechselnden Ausstellungen Kostüme und Musikinstrumente sowie Fotos, die den Ablauf einer Tabanca illustrieren.

Anfahrt: Vom zentralen Platz in Assomada der breiten Straße Richtung Südwesten folgen. Nach ca. 500 m liegt die Stadt hinter Ihnen und die Straße kurvt in ein Flusstal hinunter. Gleich auf der anderen Seite liegt Chã de Tanque, das Museum befindet sich am östlichen Ortseingang.

Mo–Sa 8–17 Uhr, aber sicherheitshalber vorher im Centro Cultural Norberto Tavares nachfragen, bei Facebook, 100 ECV

Wo der Nationalheld aufwuchs

Um dem größten Nationalhelden der Kapverden auf die Schliche zu kommen, müssen Sie Mailsfeldwandern gehen, denn in einem solchen liegt das Haus, in dem Amílcar Cabral (s. S. 282) einen Teil seiner Kindheit verbrachte.

Das ehemals noble, doch inzwischen verwahrloste Gebäude steht am Nordrand von Assomada. Bis auf eine Tafel am Eingang weist nichts auf den Helden hin. Besichtigen kann man es nur von außen, es ist unklar, ob es jemals zum Museum wird.

An der Straße Assomada–Tarrafal ca. 350 m südl. der Abzweigung nach Calheta (am Krankenhaus), das Haus liegt ca. 15 m westlich der Straße, GPS-Daten 15.122504, -23.676640

Der Älteste und der Größte

Nördlich von Assomada ragt aus dem oasenartigen Talgrund der **Ribeira da Boa Entrada** Santiagos höchster und ältester Baum in die Höhe. Eine 1,5 km lange Pflasterstraße führt von **Nhagar** an der EN 01 hinab. Da sie sehr schmal und steil ist, geht man am besten zu Fuß.

Bei dem 25 m hohen **Poilão da Boa Entrada** (auch Pie de Palão, ›Entenfuß‹) handelt es sich um einen ursprünglich aus Südamerika stammenden Kapokbaum, der vermutlich schon im 15. Jh. angepflanzt wurde. Charakteristisch für ihn sind die Stacheln am dicken Stamm. Seine großen lederartigen Früchte liefern baumwollartige Fasern, die früher als

ER IST UMGEZOGEN

Ob's der Trubel um den Poilão da Boa Entrada (s. oben) war, der Abschuss anderer Vögel in der unmittelbaren Umgebung oder die Kinder, die dem armen Federvieh gerne seine Eier aus dem Nest stibitzten – man weiß es nicht. Tatsache ist, dass der seltene **Purpurreiher** 2010 seine Brutstätte auf dem Baum verließ und zur Barragem de Poilão (s. S. 156) abwanderte. Vielleicht wollte er ja auch nur eine Wohnung mit Seeblick?

Matratzenfüllungen sehr begehrt waren. Sie dienen heute noch zur Herstellung von Schwimmringen und Rettungswesten. Die Wolle hat eine zehnfach höhere Tragfähigkeit als Kork.

Schlafen

Städtisch komfortabel

Cosmos: Das Residencial befindet sich in einem Hochhaus, das eher wie ein Bürogebäude aussieht. Sie wohnen in Zweizimmerapartments mit Balkon mitten im Geschehen – die Markthalle liegt schräg gegenüber. Im Erdgeschoss gibt es ein Café, im Dachgeschoss ein Restaurant.
Av. Amilcar Cabral, T 265 37 38, 977 62 32, www.cosmos.cv, €

Praktisch und ok

Avenida: Ein typischer Vertreter der pragmatischen Sorte von Hotel. Die Zimmer sind recht groß, einige haben einen Balkon, meist funktioniert alles. Im Dachgeschoss gibt es ein Restaurant, wo Sie allerdings vorbestellen sollten.
Av. da Liberdade, T 265 34 62, €

Schlafen, essen, fertig

Asa Branca: Die absolut schnörkelfreie Pension liegt auf Höhe des Zentrums an der Straße nach Tarrafal, einige Zimmer haben einen Balkon. Das Restaurant im Erdgeschoss serviert große Portionen deftiger Hausmannskost und wird von Einheimischen besucht, die sich ein auswärtiges Essen leisten können.
Estrada Assomada-Tarrafal, T 922 70 71, buchbar über Booking.com, €

Alles, was der Garten hergibt, wird auf dem Markt oder auf der Straße verkauft, und seien es nur ein paar wenige Früchte – denn auch die bessern die Haushaltskasse auf.

Essen

Die Auswahl an Restaurants ist nicht besonders groß: Die Urlauber essen meist in ihren Unterkünften, Einheimische können sich Ausgehen kaum leisten. Die **Pensão Asa Branca** ist auf auswärtige Gäste eingestellt. Vorbestellen – zumindest mittags für abends – sollten Sie dort auf jeden Fall.

Für zwischendurch

Pastelaria Pão Quente: Das Café ist hell eingerichtet und gepflegt. Sie bekommen eine gute Auswahl an Kuchen, Quiches und pikanten Teigtaschen, für den größeren Hunger auch eine angebratene *cachupa*.
Av. Amílcar Cabral, gegenüber der Markthalle, www.paoquente.cv, Mo–Sa ab 6.30 Uhr

Infos

• **Verkehr:** Aluguers fahren mehrmals tgl. nach Praia sowie durch die Serra Malagueta nach Tarrafal (je ca. 300 ECV). Die zentrale Abfahrtsstelle ist zwar am nordwestlichen Ende der Avenida Amílcar Cabral, die Fahrer kurven aber wie üblich durch die Stadt.

Serra Malagueta

 ♀ Karte 3, M 15

Allein durch seine Höhe beeindruckt er nicht, wohl aber durch seine steilen, fast unzugänglichen Täler. Santiagos zweiter großer Gebirgszug, die **Serra Malagueta,** ist ein einzigartiger Spielplatz für Wanderer, wird er doch nur von der Straße Assomada–Tarrafal durchkreuzt. Ansonsten gibt es nur Fußwege. Sie führen

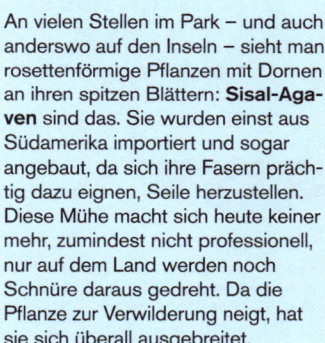

zu winzigen Dörfern, oft nur einzelne Gehöfte, die an den Bergrücken kleben.

Naturschutz und Ökotourismus

Seit 2003 stehen 774 ha des Gebirges als **Parque Natural Serra Malagueta** unter Schutz. Das hat seinen guten Grund: Hier sind 26 der 36 auf Santiago vorkommenden endemischen Pflanzen zu finden, 18 davon stehen auf der Roten Liste der gefährdeten Arten von Cabo Verde. Außerdem leben im Park einige gefährdete Vogelarten sowie endemische Reptilien. Und das, obwohl natürlich auch hier der Mensch kräftig mitmischt in der Natur. So sind die auffälligsten Bäume des Schutzgebiets eingeführte Eukalypten und Kiefern … Vorrangiges Ziel der Parkverwaltung ist es, die Biodiversität zu erhalten. Das geht nicht ohne die im Park wirtschaftenden Menschen. Also bezieht man sie ein. Ökotouristische Maßnahmen sehen etwa die Vermittlung von lokalen Wanderführern oder die Einkehr bei Familien vor, die hier leben. Das Ganze nimmt Gestalt an, immerhin werden im Park jährlich zwischen 3000 und 5000 Besucher registriert.

TOUR
Ins abgelegene Vale Gom Gom

In dieses Tal der Serra Malagueta kommt man nur zu Fuß

Infos

Start:
Besucherzentrum
Serra da Malagueta,
⚲ Karte 3, M 15
(s. S. 165)

Ende:
Hortelão (Rück-
fahrt mit bestelltem
Aluguer)

Dauer:
inkl. Pausen 5–6 Std.

Anspruch:
Insgesamt sind
1000 Höhenmeter im
Ab- und 300 Höhen-
meter im Aufstieg
zu bewältigen. Die
Wege sind teils
schmal und geröllig,
im Herbst oft ver-
wachsen. Nach Re-
genfällen ist der Weg
evtl. nicht passierbar,
Infos gibt's im Besu-
cherzentrum.

Einsam ist es hier. Und ziemlich wild. Das **Vale Gom Gom** liegt so ab vom Schuss, dass es noch keine Stromleitung hierher geschafft hat. Ohnehin sind die Häuser der rund 200 Menschen, die hier leben, nur zu Fuß erreichbar. Wasser holen die Frauen an Quellen mit großen Fässern, die sie auf ihren Köpfen balancieren oder auf Esel schnallen. Die Häuser sind aus groben Steinen gebaut, ihre Dächer mit Stroh oder den Blättern des Zuckerrohrs gedeckt. Befestigt wird alles mit den Fasern der Sisal-Agave (s. S. 161). Das Leben ist einfach, man lebt von dem, was die winzigen Feldterrassen hergeben. Eine Wanderung durch das Tal ist ein kleines Abenteuer, ein anstrengendes überdies. Wer sich hier auf Tour begibt, sollte schon etwas geübter sein.

Ausgangspunkt ist das **Centro de Visitantes Serra da Malagueta.** Von hier gehen Sie knapp 200 m auf der Straße in Richtung Assomada. Bei einem Kassenhäuschen zweigt links eine beschrankte Piste ab, dort müssen Sie evtl. Ihr Eintrittsticket vorweisen. Folgen Sie der Piste aufwärts. Es geht bis zu einem Kamm (10 Min.) und dann in sanftem Auf und Ab weiter. Unterwegs eröffnen sich fantastische Ausblicke auf bizarre Felszacken. An einer Gabelung wandern Sie rechts weiter, jetzt steiler bergauf.

Dann passiert der Weg den 1064 m hohen **Monte Malagueta.** Hier grenzt eine Steinmauer an die Piste (45 Min.). Bald darauf zweigt ein Pfad links ab (der offiziell markierte Weg), der je nach Jahreszeit sehr zugewachsen sein kann. Er trifft wenig später wieder auf die Piste. Es werden zwei Rohbauten passiert (1 Std.), kurz darauf beginnt der Weg allmählich abzusteigen. Bei einem **Sendemast** (1.15 Std.) endet die breite Piste. Sie passieren eine Infotafel und steigen auf einem schmalen Pfad ab. Weiter unten ist ein einzelnes **Gehöft** zu sehen. Suchen Sie sich den besten Pfad zwischen den Feldterrassen und halten Sie direkt darauf zu (1.45 Std.).

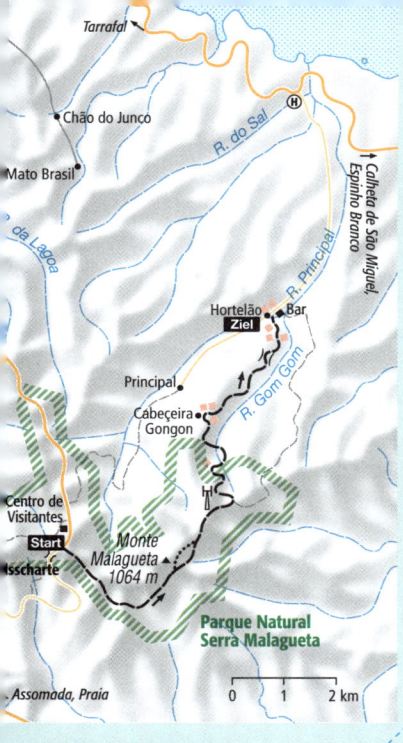

Am Gehöft wenden Sie sich nach rechts und queren einen Talgrund. Voraus liegt ein weiterer Hof, dort steigen Sie links ab. Der mit Steinen gesäumte Weg führt Sie an einem feuchten Tal vorbei und dann weiter hinunter in den verlassenen Weiler **Cabeçeira Gongon** (2.30 Std.).

Dort halten Sie sich links und wandern hoch über dem Tal weiter. Es folgen einige Serpentinen und ein Abzweig nach links, beachten Sie ihn nicht. Geradeaus geht es, mit einigen Zwischenanstiegen, in ein feuchtes Seitental mit Bananenpflanzungen. Hinter der nächsten Häusergruppe halten Sie sich links und queren weiterhin die Westflanke des Gom-Gom-Tals. Sie gelangen an einen **Sattel**, wo ebenfalls Häuser stehen (3.15 Std.). Hier verlassen Sie das Tal der Ribeira Gom Gom und schwenken in das Tal der **Ribeira Principal** ein.

Hinter den Häusern auf dem Sattel wendet sich der Weg nach rechts und verläuft nun entlang der Südostflanke des Tals. Innerhalb der nächsten 15 bis 20 Min. zweigen immer wieder schmale Pfade nach links in den Talgrund ab. Sie aber steigen noch nicht ab, sondern folgen dem Hauptweg am Hang entlang. Auch die nächsten, meist undeutlichen Pfade lassen Sie außer Acht. Nach etwa 30 Min. ab dem Sattel beschreibt der Weg einen markanten Rechtsknick. Etwa 10 Min. später treffen Sie wieder auf Häuser, hier geht es nun endlich hinunter. Auf einem kleinen Bergrücken laufen Sie über Felsstufen abwärts und dann zwischen den Häusern von **Hortelão** hindurch bis in den Talgrund, in dem eine Piste verläuft. Hier rechts abbiegen. Keine 100 m weiter liegt eine kleine Bar mit einer abenteuerlichen Treppe, gegenüber eine Grogue-Brennerei (4 Std.).

Um in Hortelão nicht zu stranden, sollten Sie sich einen Abholer hierher bestellen. Aluguers zur 4,5 km entfernten Kreuzung mit der Küstenstraße fahren nur wenige, von dort kommt man allerdings gut weiter. Im Notfall heißt es also noch ca. 1.30 Std. weiterwandern …

Gom gom (auch *gon gon*) hat zwei Bedeutungen. Zum einen heißt so der endemische Kapverden-Sturmvogel *(Pterodroma feae),* der nur noch in der Serra Malagueta und in der Caldeira auf Fogo vorkommt. Es kann aber auch mit ›mystisch‹ übersetzt werden – was sehr gut zum Tal passt.

TOUR
Über Pflaster und Geröll

Von den Bergen bis fast ans Meer – Wanderung durch die Ribeira Principal, das östliche Haupttal der Serra Malagueta

Infos

Start: Besucher-
zentrum Serra da
Malagueta, ♀ Karte 3,
M 15 (s. S. 165)

Ziel: Weiler Hortelão
(für die Rückfahrt ein
Aluguer bestellen,
s. auch S. 163).

Dauer: 3 Std.

Und noch eine heiß zu empfehlende Wanderung gibt's von der **Serra Malagueta** hinunter Richtung Meer. Diese hier ist nicht ganz so einsam wie diejenige durchs Vale Gom Gom (s. S. 162), führt sie doch durch das Haupttal im östlichen Teil des Gebirges, die sogenannte **Ribeira Principal.** Von der Straße Assomada–Tarrafal bis in den Weiler Hortelão an den unteren Ausläufern des Gebirges zieht sich ein uralter Pflasterweg, der in überwiegend gutem Zustand ist und noch immer rege von den Einheimischen genutzt wird.

Ausgangspunkt ist wiederum das **Centro de Visitantes Serra da Malagueta.** Zunächst gehen Sie etwa 200 m auf der Straße nach Norden. Bei der Häusergruppe des Weilers **Serra** zweigt der deutlich zu erkennende Pflasterweg nach rechts unten ab. Diesem folgen Sie nun bis hinunter ins Tal. Nach knapp 2 Std. und etwa 600 Höhenmetern Abstieg erreichen Sie **Chão de Horta,** das erste Dorf im flachen Bereich des Tals. An der dortigen Schule bietet sich eine Rast im Schatten hoher Bäume an. Den Proviant müssen Sie allerdings dabeihaben, vor Ort gibt es nichts zu kaufen.

Weiter geht es nun talauswärts auf einem Ding zwischen Piste, Straße und Flussbett. Der Weg ist jetzt nicht mehr steil, dafür umso gerölliger. Etwa 45 Min. geht das so, dann tauchen die ersten Häuser von **Hortelão** auf und Sie sind am Ziel, also zumindest am Ziel der Wanderung. Wie es weitergeht mit Ihnen und dem Tag, erfahren Sie auf S. 163 unten.

Ab in die Botanik

Keine Zeit für eine längere Wanderung, etwa die fantastische Tour durch das Vale Gom Gom (s. S. 162)? Verzagen Sie nicht, man kann im Park auch klitzekleine Runden drehen. Südlich des Besucherzentrums, gegenüber einem Picknickplatz, beginnt der ca. 1 km lange Naturpfad durch den **Jardim do Marmulo.** Seinen Namen erhielt der Garten vom Marmulo (*Sideroxilon marginata*), einem Reliktstrauch der kapverdischen Gebirgsregion, die mit der Flora der Kanarischen Inseln und Madeiras verwandt ist. Mehr Vertreter dieser rar gewordenen Vegetationsform, etwa der Drachenbaum *(Dracaena draco),* sind im weiteren Verlauf des Weges zu sehen. Im Rahmen eines Wiedereinführungsprojektes wurden sie ausgepflanzt und mit ihren wissenschaftlichen Namen beschildert. Unterwegs sind Eisvögel zu beobachten.

Essen

Restaurants gibt es keine, bringen Sie also Ihre eigene Verpflegung mit. Das kleine Café im Besucherzentrum bietet – sofern überhaupt geöffnet – nur Getränke an.

Infos

• **Centro de Visitantes Serra da Malagueta:** im Weiler Serra an der Straße Assomada–Tarrafal, T 265 12 11, Mo–Sa 8–15.30, So 8.30–14.30 Uhr, Zeiten können wechseln. Hier wird der Parkeintritt von ca. 200 ECV bezahlt. Die Quittung sollte aufbewahrt werden, da man sie unterwegs evtl. vorzeigen muss. Kostenlos gibt es – wenn vorhanden – eine Karte mit neun eingezeichneten Wanderungen, verkauft werden Infobroschüren auf Portugiesisch zu Flora und Fauna des Naturparks.
• **Transport vor Ort:** Zwischen Asso-

mada und Tarrafal pendeln recht häufig Aluguers.

Tarrafal   ♥ Karte 3, M 15

Er ist der beliebteste auf der ganzen Insel: der karibisch anmutende Strand von **Tarrafal.** Ein breiter, fast weißer Sandstreifen in einer geschützten Bucht, Schatten und Windschutz spendet ein Kokospalmenhain. Bei der kleinen Fischmarkthalle ziehen die Männer Boote an Land, ihre Frauen verkaufen die Ware – ein Wandbild macht klar, wie die Rollenverteilung hier zu laufen hat. Neben der Halle servieren zwei einfache, meist gut besuchte Strandlokale Getränke und frischen Fisch. Diese relaxte Atmosphäre gerät nur am Wochenende etwas ins Hinken, wenn sich der Strand mit zahlungskräftigen Bewohnern aus Praia füllt.

Ein städtisches Fischerdorf

Von der für kapverdische Verhältnisse großstädtischen Bevölkerungszahl (ca. 6500) merkt man im Ort selbst nichts. Mittelpunkt von Tarrafal ist die weitläufige **Praça Central,** wo am Vormittag reges Treiben herrscht. Rund um den Platz wie auch in den staubigen Seitenstraßen verteilen sich diverse Geschäfte für den täglichen Bedarf, Bars und kleine Restaurants. Im **Mercado Antiguo** am Südrand des Platzes können Sie nach Kunsthandwerk stöbern. Der eigentliche Lebensmittel- und Kleidermarkt, **Mercado Novo** genannt, befindet sich in einer modernen Halle an der südlichen Ortseinfahrt, neben der Abfahrtsstelle für Aluguers.

Beklemmender Blick zurück

Hinter burgartigen Mauern verbirgt sich in **Chão Bom** ein gruseliger Teil der Landesgeschichte: das **Campo de**

Concentração (›Konzentrationslager‹), inzwischen zum **Museu da Resistência** (›Widerstandsmuseum‹) umfunktioniert. Erwarten Sie aber keine schicken Ausstellungsräume mit geweißten Wänden und poliertem Boden. Die Gebäude und Zellen sind in originalem Zustand, die Appellplätze staubig und heiß. Teilweise sind die Dächer eingebrochen, dort, wo sie ganz sind, flimmert die Hitze darunter.

Die ersten 152 Gefangenen trafen 1936 in Tarrafal ein, darunter 37 Marinesoldaten, die am Aufstand vom 18. Januar 1934 gegen das Salazar-Regime in Portugal beteiligt gewesen waren. Bei den anderen handelte es sich um portugiesische Antifaschisten aus den unterschiedlichsten Bevölkerungsgruppen: Intellektuelle, Studenten, Arbeiter, Bauern. Zeitweise saßen um die 300 Personen in Chão Bom ein. 32 von ihnen wurden im Lager hingerichtet oder starben einen langsamen, grausamen Tod durch Aushungerung und unbehandelte Krankheiten.

1954 wurde das bis dahin offiziell als Colónia Penal (›Strafkolonie‹) bezeichnete Lager geschlossen, allerdings schon 1961 wieder in Funktion versetzt, jetzt unter dem unverfänglicheren Namen Campo do Chão Bom. Einen Unterschied machte dies kaum. Bei den neuen Gefangenen handelte es sich um Widerständler aus den afrikanischen Kolonien Portugals, die um ihre Unabhängigkeit kämpften. 1971 waren 147 Angolaner hier inhaftiert, neben 17 Kapverdianern. Mit der Nelkenrevolution in Portugal 1974 kam auch die Befreiung der Häftlinge. Während die Zeit, als portugiesische Antifaschisten in Chão Bom einsaßen, sehr gut dokumentiert ist, fehlt es für die Phase nach 1961 an entsprechenden Forschungsarbeiten.

Chão Bom, etwa 1,5 km südl. von Tarrafal an der Straße nach Assomada, 200 ECV

Strand im Abseits

Tarrafal hat sich zum Ferienort entwickelt, **Ribeira da Prata** (auch Ribeira das Pratas) nicht, obwohl sich sein Strand sehen lassen kann: feiner schwarzer Vulkansand, vor dem Nordostwind schützen auch hier Kokospalmen. Suchen Sie Ruhe und können Sie auf Infrastruktur verzichten – außer zwei einfachen Mercearias gibt es die nicht –, liegen Sie hier genau richtig. Faulenzen ganz ohne den Geruch von parfümierter Sonnenmilch in der Nase. Ach, und im Sommer legen Meeresschildkröten gelegentlich ihre Eier am Strand ab. Von Chão Bom führt eine aussichtsreiche Küstenstraße in den 1000-Seelen-Ort.

Schlafen

Feriendorf mit Tropenambiente
King Fisher: Einer kleine private Felsbucht, ein tropischer Garten und zehn komfortable Ferienhäuser, alle mit Terrasse und Meerblick. Frühstück kann dazugebucht werden, ein Restaurant gibt es auch. Die Anlage steht unter sehr engagierter Schweizer Leitung, deren nächstes Ziel es ist, die nachhaltigen Energieträger auszubauen. Mit Tauchbasis.
Ponta de Atum, T 266 10 07, www.king-fisher-village.com, €€

Lieber schick oder rustikal?
Casa Strela und Villa Strela: Die Namen lassen es bereits erahnen – in der Casa Strela geht's einfacher zu, hier haben die Zimmer teilweise kein eigenes Bad, und in der Villa Strela ist alles ein wenig komfortabler. Auch dieser Gastgeber kommt aus der Schweiz. Andreas Schäfer hat mit wenigen Zimmern angefangen und sein Haus immer weiter ausgebaut.
Ponta de Atum, T 266 10 71, www.casastrela.cv, €€

Jeder, der kann, pilgert am Wochenende nach Tarrafal – zum Baden, zum Relaxen, um in den Kneipen abzuhängen. Hier lockt nun einmal einer der schönsten Strände der Insel.

Hell und sauber am Meer
Vista Mar: Die Zimmer hier sind hell, groß, sauber und top in Schuss. Alles ist frisch renoviert und das Personal professionell, freundlich und zuvorkommend. Allerdings haben nicht alle Zimmer einen Balkon. Sie frühstücken gepflegt auf einer Dachterrasse mit Blick auf den Strand. Das Hotel bietet ein gutes Preis-Leistungs-Verhältnis.
Mar de Baixo, T 266 11 19, €€

Im Palmenhain am Strand
Baía Verde: Einfache Bungalows unter Palmen, nur wenige Schritte bis zum Meer. Das zugehörige Restaurant (s. rechts) oberhalb des Strandes wird gerne von Ausflüglern besucht.
Praia do Tarrafal, T 266 11 28, https://baia verde.cv, €€

Essen

Frischer Fisch in der Bretterbude
Sol e Luna: Das Lokal liegt direkt am Anfang der Bucht. Sie sitzen luftig mit Blick auf den Strand, der Fisch ist frisch und kommt meist gegrillt daher.
Mar de Baixo, T 266 23 39, tgl. geöffnet, €€

Über dem Strand
Baía Verde: Das Restaurant mit seiner großen Terrasse gehört zur gleichnamigen Bungalowanlage, ist aber allgemein sehr beliebt. Auf den Tisch kommt alles rund ums Meer – gegrillter Fisch, Reistopf mit Meeresfrüchten, Languste etc. Auch schön für einen Drink.
Praia do Tarrafal, T 266 11 28, tgl. geöffnet, €€

Gemütlicher Innenhof

Alto Mira: Die meisten kommen wegen der Steinofenpizza, die wirklich gut ist, und wegen der Pasta, aber Sie können auch frischen Fisch bekommen. Das Restaurant liegt in einer Seitenstraße zwischen Hauptplatz und Strand.

Rua Macaco, T 996 38 65, Mo–Sa abends, €–€€

Einkaufen

Kunsthandwerk kriegen Sie im **Mercado Antiguo**. Im Dorf gibt es die typischen **Mercearias** und am südlichen Ortseingang den Mercado Novo, wo sich die Einheimischen mit allem Nötigen versorgen.

Bewegen

Ausflüge und **Wanderungen** können Sie sich in den Unterkünften King Fisher und Casa Strela organisieren lassen.

Tauchen

King Bay: In unmittelbarer Nähe dieser Tauchbasis liegen interessante Tauchspots, die schon auf kurzen Bootsfahrten erreicht werden können.

Im King Fisher Resort, s. S. 166

Ausgehen

Locker in der Hängematte

Santiago Lounge Bar: Auf der Terrasse können Sie in Hängematten lümmeln, direkt am Meer stehen Liegestühle und Sessel aus Europaletten, normale Stühle gibt's auch – egal wo Sie sitzen, Sie sehen die Sonne untergehen, und wenn es nicht zu diesig ist, lässt sich sogar Fogo am Horizont erblicken. Essen gibt es auch. Die Bar liegt am Westrand von Tarrafal, in der Nähe des King Fisher.

Ponta do Atum, T 912 23 69, auf Facebook

Infos

• **Internet:** www.cmt.cv. Die Seite der Gemeindeverwaltung mit vielen Infos zur Stadt, allerdings nur auf Portugiesisch.
• **Transport vor Ort:** Offizieller Stand der Aluguers ist beim Mercado Novo an der südlichen Ortseinfahrt Richtung Assomada. Häufige Fahrten über Assomada nach Praia (Chão Bom 50 ECV, Serra Malagueta 150 ECV, Assomada 250 ECV, Praia 700 ECV). Seltener nach Calheta an der Ostküste (250 ECV). Die Aluguers kreisen auf der Suche nach Fahrgästen auch um die Praça Central. Taxis für Rundfahrten werden von den Hotels vermittelt.

Die Ostküste

Vom Tourismuskuchen bekommen die Dörfer an der Ostküste nur wenig ab. Ihre Bewohner sind arm. Schweine, Hühner, Hunde und Esel haben ein relativ sorgenloses Leben auf der Straße. Nur dort, wo sich die tief eingeschnittenen Täler von den Bergen ans Meer ziehen, ist üppiges Grün. Sonst präsentiert sich die Landschaft ziemlich karg.

Espinho Branco ♀ Karte 3, M 15

Das Dorf der Rabelados

›Rebellen‹, so werden sie noch immer genannt, auch wenn sie sich der Gesellschaft immer mehr öffnen. Wir können Ihnen versichern, dass ein Besuch in **Espinho Branco** ohne Gefahr für Leib und Leben vonstatten geht. In dem 300-Seelen-Ort wohnt eine größere Gemeinde von Rabelados (s. S. 182), die sich ab den 1940er-Jahren gegen die katholische Kirche gestellt haben

Ihre Geschichte zeugt von Stolz und Mut, ihr Kunsthandwerk zeugt von ihrer Geschichte. Also keine Angst vor Espinho Branco und den kapverdischen ›Rebellen‹, die sich als rege Künstler betätigen.

und deswegen verfolgt wurden. Lange Zeit schotteten sie sich völlig von der Umwelt ab, das hat sich inzwischen geändert. Gäste sind willkommen, ja, werden durch das rege künstlerische Leben vor Ort geradezu herbeigebeten. Einen guten Überblick können Sie sich im Kunsthandwerkszentrum **Rabelarte** verschaffen, dem auch ein kleines Museum angeschlossen ist. Ansonsten streifen Sie am besten durchs Dorf und strecken mal in dieses und jenes Atelier Ihren Kopf hinein. Hier sind junge Künstler aus dem Ort zugange, präsentieren und verkaufen ihre ausdrucksstarken Arbeiten. Zu ihnen zählt Josefa (geb. 1991), die sich der kreolischen Bildersprache bedient, um ihre ganz spezielle Sichtweise vom Alltagsleben der Menschen in ihrem Dorf zu Papier zu bringen. Weitere bekannte Namen sind Fico, Kanhubai, Ney, Sabino und Tchetcho. Sie malen auf Ziegeln, Schilfrohr und Bananenblättern.

Calheta de São Miguel
📍 Karte 3, N 15

Malerische Buchten mit groben Kiesstränden prägen den Meeressaum bei **Calheta de São Miguel** (ca. 4000 Einw.). Sogar einen längeren Sandstrand gibt es, den finden Sie am Südrand des Ortes. Ansonsten ist Calheta nicht wirklich attraktiv. Die lockere Bebauung besteht aus zumeist halbfertigen Betonbauten. Man mag gar nicht glauben, dass von hier aus der gesamte Bezirk São Miguel mit immerhin rund 16 000 Bewohnern verwaltet wird.

Hilfe aus Österreich

Nach dem Motto ›Hilfe zur Selbstentwicklung‹ wird Calheta im Rahmen privater österreichischer Entwicklungshilfe gefördert. Seit 1989 besteht eine Städtefreundschaft mit dem niederösterreichischen Deutsch-Wagram. Unterstützt wird vor allem die Schulbildung. So kann Calheta heute stolz darauf sein, in elf Grundschulen, einer Privatschule und einem Gymnasium Plätze für insgesamt 1700 Schüler zur Verfügung zu haben. Außerdem gibt es 23 Kindergärten. Besonderer Wert wird auch darauf gelegt, den Jugendlichen sinnvolle Möglichkeiten zur Freizeitgestaltung zu eröffnen (www.calheta.at).

Kirche mit Aussicht

Lohnend ist ein Abstecher zu dem weithin sichtbaren Gotteshaus am südlichen Ortsrand. Eine gepflasterte Nebenstraße führt durch ein Wohnviertel bis in die Nähe der weißen **Kapelle** mit dem arabisch wirkenden Kuppeldach. Sie ist meist verschlossen, schön ist aber der Panoramablick über das angrenzende Tal der **Ribeira dos Flamengos** und über Calheta.

Pedra Badejo   📍 Karte 3, N 16

Kokossaft schlürfen

Nicht direkt durchfahren, denn kurz vor Pedra Badejo wartet mit dem Mündungsbereich der **Ribeira Santa Cruz** ein landschaftlicher Höhepunkt: Bizarre Felsformationen säumen den Fluss, ein Meer aus Kokospalmen bedeckt den feuchten Talgrund. Am Straßenrand bieten Bauern frisch geerntete Kokosnüsse zum Kauf an.

Bummeln und baden

Pedra Badejo (knapp 10 000 Einw.) ist eine lebhafte Kleinstadt, ein zentraler Ort im Osten der Insel. Zum Shoppen orientieren Sie sich an der lang gestreckten **Praça,** um die sich alle Geschäfte gruppieren, zum Baden besuchen Sie am besten den Strandabschnitt südöstlich des Ortes. Hier ist's am schönsten. Bei Nichtgefallen gibt es Ausweichmöglichkeiten genug, denn vor Pedra Badejo erstreckt sich eine recht lange, durch mehrere Felsnasen gegliederte Strandzone. Am belebtesten ist der Stadtstrand, zu dem man vom zentralen Platz nur die Straße runtergehen muss. Hier liegt auch der winzige Hafen mit der bescheidenen Fischereiflotte von Pedra Badejo. Bei Schlechtwetter werden die Boote mithilfe einer Winde an Land gehoben.

Auch Pedra Badejo pflegt eine Freundschaft zu Österreich, seit 1983 ist es mit Leibnitz verbandelt. In einer Reihe gemeinsamer Projekte wurden erfolgreich die Infrastruktur und die Wohnsituation in Pedra Badejo verbessert sowie Arbeitsplätze geschaffen.

Praia Baixo   📍 Karte 3, O 16

Hier freizeiten die Reichen

Praia Baixo hat sich vom armen Fischerdorf zur Wochenendidylle für Besserverdienende aus Praia entwickelt. Der Ort besitzt einen halbmondförmigen, durch vorgelagerte Felsen gut geschützten Sandstrand, der wohl empfehlenswerteste und auch für Kinder geeignete Badeplatz auf Santiago.

Schlafen

Gepflegt

Villa Morgana: Ferienressort mit schönem tropischem Garten und Pool, um den sich die Bungalows reihen. Restaurant mit guter Küche. Beste Unterkunft im Ort. Calheta de São Miguel, im Ortsteil Achada Batalha, T 996 93 56, villamorgana@gmail. com, €€

Ökoprojekt

Casa Ecotec: Das Projekthaus am Strand des Fischerdorfs Achada Igreja entstand im Rahmen der Städtepartnerschaft von Pedra Badejo mit Leibnitz (s. S. 170). Ökologisch betrieben mit Sonnenkollektoren für Warmwasser, Müllrecycling etc.

Pedra Badejo, im Ortsteil Achada Igreja, T in Österreich 0043 34 54 64 82, www.geo-vision.blogspot.de, €

Gästehaus

Quintal dos Amigos: Freundliche Unterkunft in Strandnähe unter Leitung einer deutsch-kapverdischen Familie. Es werden Apartments und Ferienwohnungen mit Kochgelegenheit vermietet. Garten, Pool, schattige Innenhöfe und Hausbar sind vorhanden.

Achada Fazenda, ca. 5 km südl. von Pedra Badejo, T 269 29 25, gunterheid@yahoo.fr, €€

Am Strand

Praia Baixo: Das Aparthotel bietet gut ausgestattete Wohneinheiten für Selbstversorger mit einem oder zwei Schlafzimmern. Es steht unmittelbar am Strand, die bunten Fischerboote liegen direkt vor der Tür.

Praia Baixo, www.praiabaixo.com, €€

Essen

Gehen Sie davon aus, dass Sie sich selbst versorgen müssen. An der Straße zwischen Calheta und Pedra Badejo gibt es zwar ein paar Lokale, aber ohne Vorbestellung ist dort schwer eine warme Mahlzeit zu bekommen. Die Mercearias am Wegrand verkaufen nur das Nötigste.

Kaffee im Garten

Esplanda Silibell: Gemütliches Café mit schönem Garten, das unter deutscher Leitung steht. Auch Vermittlung von Wanderführern.

Ponta Calhetona, am südl. Ortsrand von Calheta de São Miguel, T 273 20 78, www.silibell.de, meist tgl. geöffnet

Einkaufen

Marktleben

Sonntags wird in **Pedra Badejo** ein bunter Straßenmarkt abgehalten, der sich fast über den ganzen Ort ausbreitet.

Bewegen

Birdwatching & mehr

Geovision: Einheimische Führer leiten sehr interessante Exkursionen mit naturkundlichem Hintergrund. Im Angebot sind etwa Strandspaziergänge mit Vogelbeobachtung an zwei Lagunen, ein Besuch einer der beiden verbliebenen Brutkolonien des Kapverdischen Purpurreihers sowie eine vierstündige Wanderung durch eine Schlucht südlich von Pedra Badejo zur Beobachtung der Grünen Meerkatze, einer im 18. Jh. auf Santiago eingeführten Affenart.

Pedra Badejo, T 989 59 14, www.geo-vision.blogspot.de

Feiern

• **Festival de Batuko e Funaná:** 29. Sept. Dieses Festival für die traditionellen Musikrichtungen der Kapverden findet am Tag des Ortspatrons Sankt Michael in Calheta statt.

Infos

• **Transport vor Ort:** Zwischen den größeren Orten an der Ostküste fahren Aluguers, auch regelmäßig, aber alles andere als häufig. Bringen Sie also genügend Zeit mit!

Maio – die (noch) Vergessene

M

Maio schlummert. In unmittelbarer Nähe der schönsten Strände knabbern Ziegen an dornigem Gestrüpp, in der Hauptstadt bevölkern sie die Straßen. Auch Esel und Hühner tappen hier frei rum. Dazu bläst der Wind den Sand durch die Gassen. Cidade do Maio, die Kapitale der Insel, besitzt zwar den Status einer Großstadt *(cidade),* aber eben nur auf dem Papier. Es hat also durchaus seinen Grund, Maio als Vergessene zu bezeichnen. Und das, obwohl es nicht nur rund um die Hauptstadt einige wirklich bezaubernde Strände und Buchten zu entdecken gibt.

Auch auf der restlichen Insel geht es bescheidener zu als bei den bekannteren Nachbarn. Norden und Osten von Maio sind kaum besiedelt, in dieser Ödnis versuchen nur Ziegenhirten zu überleben. Für die Erkundung des Nordens braucht man sogar einen Jeep, so sandig sind hier die Pisten. Doch es lohnt sich. An die Praia Real und die Praia do Galeão kommen Schildkröten zur Eiablage, im Hinterland ragen bis zu 30 m hohe Dünen auf und ganz in der Nähe stößt man auf trockene Salzwiesen, die Terras Salgadas, mit einer ganz besonderen Flora.

ORIENTIERUNG

Infos: www.tropikalmaio.com (private Seite mit vielfältigen Auskünften), www.municipiodomaio.cv (offizielle Seite der Gemeinde, nur auf Port.).
Transport: Maio wird von Praia aus ca. 3 x wöchentl. angeflogen. Eine Schnellfähre verbindet die Insel mit Santiago. Vor Ort verkehren Aluguers, man bekommt aber auch einen Mietwagen.
Planung: Die größte Auswahl an Unterkünften bietet Cidade do Maio. Hier finden Sie zahlreiche kleine Hotels und inhabergeführte Pensionen. Auch die Infrastruktur für Selbstversorger ist ok. Wenn Sie außerhalb wohnen, brauchen Sie Vermieter, die Sie versorgen, oder einen Mietwagen.

Wer Einsamkeit und Ruhe sucht, wird sie auf Maio garantiert finden. Für die Zukunft bestehen jedoch andere Pläne, denn die Strände versprechen einen lukrativen Pauschaltourismus. Ferienresorts sollen entstehen, Apartmentanlagen für sonnenhungrige Europäer. Zwar gibt es solche Ideen schon lange und bislang verliefen sie immer im Sand der Dünen, doch wer weiß. Kommen Sie lieber bald nach Maio!

Cidade do Maio

📍 **Karte 3, P 16**

Eine Hauptstadt mit 3000 Einwohnern, das gibt's auch nur auf den Kapverden. Aber **Cidade do Maio** ist eine sympathische Hauptstadt. Mit farbenfroh angestrichenen Häusern, mit vielen Pflanzen und – wie bereits erwähnt – mit jeder Menge Tieren. Allerdings tut sich auch hier einiges. Am Nordrand der Stadt entstand in den letzten Jahren die Urbanisation Fontona, ein auf dem Reißbrett geplanter, rechtwinklig angelegter Stadtteil. Deutsche und Italiener haben sich dort eingekauft, um einen Teil des Jahres auf Maio zu leben. Inzwischen besitzt Fontona fast so viele Einwohner wie der zentrale Bereich der Stadt.

Trotz der relativen Unerschlossenheit gibt es in Cidade do Maio diverse Unterkünfte. Für Verpflegung sorgen einfache Bars und Restaurants.

Ehemals repräsentative Plätze

An der zentralen **Praça Fina** steht die katholische **Igreja Nossa Senhora da Luz.** Sie wirkt städtisch: Ein breiter Treppenaufgang führt zum Eingang, der von zwei Türmen flankiert wird. Den Frontgiebel zieren barocke Elemente, wie sie für den portugiesischen Kolonialstil typisch sind. Drinnen ist dagegen beruhigende Schlichtheit angesagt. Auf dem Platz vor der Kirche wird man auch nicht hippelig – Menschenmenge: Fehlanzeige. Wenn nicht gerade die Messe vorbei ist, stehen Sie wahrscheinlich ganz allein hier.

Nach Süden geht die Praça Fina in die **Praça Évora** über. An der südlichen Ecke steht die **Casa L. A. Codoso,** das

Noch schlummert Maio, noch geht das Leben hier seinen ganz normalen, fast behäbigen Gang. Doch die Vorhut des Tourismus ist auch auf dieser Insel angekommen.

AUCH HIER: NAMENS-VERWIRRUNG

Heute heißen Gemeinde und Hauptstadt offiziell **Cidade do Maio.** Ihr ursprünglicher Name lautete **Porto Inglês,** also ›Hafen der Engländer‹, wobei Engländer als Synonym für Ausländer im Allgemeinen diente. 1975 taufte man den Ort – in schlechte Erinnerung an alte Zeiten – zu **Vila do Maio** um, was sich wiederum änderte, als er 2015 zur Cidade erhoben wurde. Vila do Maio ist immer noch gebräuchlich, auch im Internet kommt man damit weiter.

einst prächtigste Haus der Insel. Bauherr war ein gewisser António Évora, der Anfang des 20. Jh. über das Salzmonopol von Maio verfügte.

Sie will noch eine werden

Cidade de Maios Uferstraße, die **Avenida Amílcar Cabral,** ist eine breite Allee mit spärlichem Bewuchs in der Mitte. Flaniert wird nur gelegentlich und schicke Straßencafés fehlen auch noch. Sie haben aber von hier einen schönen Blick auf den nördlichen Stadtstrand.

An ihrem südlichen Ende kriegt man es mit den Engländern zu tun. Hier steht am Meer eine frisch gestrichene Festung, das **Forte de São José** aus dem 18. Jh., in dem lange Zeit eine englische Garnison stationiert war. Ihre Aufgabe lautete, die jährlich rund 80 Handelsschiffe aus der Heimat zu schützen, die hier Salz an Bord nahmen. Esel schleppten es von den Salinen herbei. Anschließend fuhren die Engländer nach Neufundland, um dort Kabeljau zu fangen, der mit dem Salz zu Stockfisch verarbeitet wurde. Wen wundert es bei dieser Geschichte, dass auch die

Uferstraße bis zur Unabhängigkeit einen anderen Namen trug: Passeio dos Ingleses (›Promenade der Engländer‹).

Zukünftiges Kapital

Knapp 800 m zieht sich die helle **Praia da Vila** in einem Bogen bis zum nördlich gelegenen Hafen. Noch fehlen große Hotelanlagen. Zumindest können Sie in der **Bar Tropikal** (s. S. 176) im Schatten sitzen oder sich in einem Liegestuhl bräunen.

Hinter dem Hafen geht es knapp 5 km auf feinem Sand weiter um den Südwestbogen der Insel bis zu den Feriendörfern Bela Vista Maio Beach und Villa Maris bei Morro.

Ehemaliges Kapital

Auf der Höhe des Hafens dehnt sich im Landesinneren ein riesiger Strandsee mit **Salinenbecken** aus. In geringen Mengen wird hier immer noch Salz produziert, aber die Zeiten, in denen Maio durch den Salzhandel zu Geld kam, haben ausgedient. Die Salinen sind heute ein Dorado für Vogelbeobachter. Häufig finden sich Seeschwalben und verschiedene Wattvögel ein, darunter der Rennvogel *(Cursorius cursor)* – etwa 10 % der Weltpopulation dieser Spezies ist hier heimisch. Ebenso kommen im Sommer Meeresschildkröten zur Eiablage an den Strand. Ca. 500 ha des Areals stehen unter Schutz. Die Salinenbecken gehören seit 2005 zu den Feuchtgebieten der internationalen Ramsar-Konvention (www.ramsar.org).

Viel Sand und viel Einsamkeit

Der Strand südöstlich der Stadt an der **Ponta Preta** ist der landschaftlich wohl beeindruckendste, zum Baden eignet er sich jedoch wegen gefährlicher Strömungen nicht. Von Cidade do Maio kann man ihn schnell erreichen: Am südlichen Stadtrand führt eine Straße hinter der Ferienanlage Stella Maris ca.

1,5 km weiter nach Süden. Sie endet an der Ponta Preta, wo ein ausgetrocknetes Flusstal ins Meer mündet. Dort beginnt die schöne gelbsandige und sehr einsame **Praia Ponta Preta.** Sie erstreckt sich etwa 5,5 km in östlicher Richtung. Infrastruktur ist keine vorhanden, was sich jedoch ändern soll, denn weitere Urlaubsresorts sind geplant. Noch weiden auf dem Plateau Ziegen. Die Gegend steht als **Reserva Natural Casas Velhas** unter Naturschutz, der touristischen Erschließung sind somit etwas die Hände gebunden. Zum Strand hin fällt die Ebene ein paar Meter steil ab. Hier tritt rötliches Gestein zutage, es handelt sich um verwitterten Kalk. Weiter im Osten wird der Strand schmaler, dahinter dehnt sich bald eine riesige Salzwiese aus.

Schlafen

Feriendorf
Stella Maris Village: Das kleine gepflegte Hotelresort hat unterschiedlich große Wohneinheiten, alle mit Balkon oder Terrasse und Küchenzeile. Sie müssten sich dort selbst verpflegen, es gibt kein Restaurant. Frühstück können Sie aber bestellen. Besonders schön klingt der Tag im Infinity Pool aus.
Ponta Preta, T 955 96 75, https://stella-maris-vacation-villa.business.site, €€

Einfach, doch liebevoll geführt
Kaza Tropikal: Vier gemütliche und geräumige Zimmer werden von engagierten Gastgebern vermietet. Die Einrichtung ist schlicht, aber alles funktioniert und ist picobello sauber. Entweder Sie schauen vom eigenen Balkon oder von der Dachterrasse aufs Meer. Die Eigentümer wohnen im Erdgeschoss. Sie betreiben auch die Bar Tropikal am Strand.
Rua Jaime Mota, T 959 41 51, www.tropi kalmaio.com, €

Günstig, einfach, sauber
Mar a Vista: Das Haus liegt direkt an der Uferstraße. Große Ansprüche an den Komfort dürfen Sie nicht stellen, dafür ist es günstig. Alle Zimmer haben einen Balkon mit Meerblick.
Av. Amílcar Cabral, T 997 95 94, buchbar über Booking.com, €

Im Zentrum
AH Maio: Zentral gelegenes kleines Hotel, das auch bekannt unter dem Namen Marilu ist.
Praça Évora, T 255 11 98, buchbar über Booking.com, €

Essen

Container mit Terrasse
Wolf Djarmai: Der Platz ist genial – direkt an der Kirche im Schatten des ehemals prächtigsten Hauses der Insel. Aber hier steht nicht ein edles Restaurant, sondern ein aufgeschnittener Schiffscontainer, der als Bar und Küche fungiert. Die Terrasse ist liebevoll mit Wellblech gedeckt, von dem etwas wackeligen Deckengerüst hängen alte Bojen als Zierde. Eine Speisekarte gibt es nicht, dafür frischen Fisch des Tages mit Gemüse zu günstigen Preisen. Nicht nur die Einheimischen lieben es.
Praça Évora, T 971 03 31, tgl. 9–22 Uhr, €

French Cuisine auf Kapverdisch
Kulor Café: Im Erdgeschoss befindet sich ein Laden, im Obergeschoss wird eine kleine, aber feine Auswahl an kulinarischen Genüssen serviert. Das Angebot richtet sich nach dem Tagesfang.
Am Anfang der Rua Ponta Preta, oberhalb des Stella Maris, T 981 13 03, wenn genügend Gäste in der Stadt sind, tgl. geöffnet, €€

Mit italienischem Einschlag
Big Game Maio: Ein großes und helles Restaurant, das sich über zwei Stockwerke erstreckt. Auf der Straße sind ebenfalls

Sitzgelegenheiten. Die ambitionierte Küche produziert eine Mischung aus italienischer und kapverdischer Küche, wobei der Schwerpunkt auf Fisch und Meeresfrüchten liegt. Auch ein Hotel mit zehn Zimmern ist angeschlossen.

Av. Amílcar Cabral, T 971 05 93, www. biggamemaio.com, tgl. 12.30–14.30, 18.30–21 Uhr, €€

Genug vom Fisch
Enzo: Wenn Ihnen Fisch zum Hals rauskommt, besuchen Sie Enzos Pizzeria und Café in der Markthalle, dort bekommen Sie günstige Pizza und einen guten Espresso.

Mercado Municipal, T 952 62 12, nur tagsüber geöffnet, €

Einkaufen

Nahrungsmittel
In der Stadt verteilt gibt es kleine Supermärkte, das Angebot ist jedoch beschränkt. Der mit der besten Auswahl ist **Ramos** in der Avenida Amílcar Cabral. Meerestiere können Sie in der **Fischmarkthalle** kaufen, die am Beginn des Stadtstrandes liegt. Auf dem **Mercado Municipal** bekommen Sie alles für den täglichen Bedarf, auch den Ziegenfrischkäse von der Insel.

Souvenirs
Atelier de Artes São José: Der moderne Laden hält alles bereit, was die Kunsthandwerker auf Maio erzeugen – Keramik, Holz- und Flechtarbeiten, Fischskulpturen aus Altmetall, Muschelschmuck, farbenfrohe Landschaftsbilder etc.

Neben dem Forte de São José, unregelmäßige Öffnungszeiten

Bewegen

Quer durchs Gemüse brausen
Über die **Kaza Tropical** (s. S. 175)

können Sie Fahrräder und Quads mieten. **Big Game Maio** (s. S. 175) organisiert ebenfalls Ausflüge per Quad.

Ausgehen

Beach Bar
Bar Tropikal: Von morgens bis abends können Sie hier verweilen, gelegentlich gibt es Livemusik.

Praia da Vila, www.tropikal.com

Feiern

• **Festa de Santa Cruz:** 1.–3. Mai. Das Kreuzerhebungsfest am 3. Mai fällt mit den Feierlichkeiten zum Gedenken an die Entdeckung der Insel am 1. Mai 1460 zusammen, der Maio seinen Namen verdankt. So wird tagelang kräftig gefeiert.
• **Festa São João:** 24. Juni. In der Johannisnacht gibt es traditionelle Tabanca-Tänze (s. S. 159), anschließend wird ein großes Feuer entzündet. Die Feierlichkeiten dauern bis zum 26. Juni.
• **Festa do Cristo Rei:** 21. Nov. Das Fest wird zu Ehren von Jesus Christus mit traditionellen Tänzen und Gesängen gefeiert.

Infos

• **Flugzeug:** Bestfly (www.bestfly.aero) fliegt mehrmals pro Woche von Praia nach Maio. Der Flughafen liegt etwa 3 km nördlich des Stadtzentrums. Die Fluggesellschaft hat kein Büro in der Stadt.
• **Fähre:** Eine Schnellfähre verkehrt etwa alle zwei Tage nach Praia auf Santiago. Den aktuellen Fahrplan gibt es unter www. cvinterilhas.cv.
• **Transport vor Ort:** Die Abfahrt der Aluguers ist am Ortsausgang in Richtung Figueira. Morgens geht es in die Stadt, am frühen Nachmittag wieder zurück in die Dörfer.

Kilometerlang zieht sich der Strand von Cidade do Maio nach Norden.
Er ist lang genug, damit jeder sein ganz persönliches Plätzchen findet.
Sand und Sonne gibt es zur Genüge, nur Schatten ist rar.

● **Mietwagen:** Maio Car, Av. Amílcar Cabral, T 255 17 00, maiocar@cvtelecom.cv. Verschiedene Wagen mit Vierradantrieb (ca. 70 €).

Der Westen und der Norden

Je weiter man sich von der Hauptstadt entfernt, desto einsamer wird es. Spärlicher Bewuchs stemmt sich gegen den steten Wind. Die Landschaft ist weitgehend flach, nur im Osten erstreckt sich ein ockerfarbener Höhenzug, aus dem markant der 294 m hohe **Monte Batalha** aufragt.

Morro 📍 **Karte 3, P 15**

Strand mit Ferienresorts

Kokospalmen umrahmen das ruhige **Morro.** Die Bewohner halten Kühe, Schweine, Ziegen und Hühner. Aus dem Meer holen sie Langusten und Tintenfisch. Der Ort liegt gut 1 km vom Meer und der feinen hellsandigen **Praia de Morro** entfernt. Die ersten Feriendörfer wurden bereits erbaut, weitere Investoren stehen in den Startlöchern. Der Strand verspricht touristisches Potenzial. Noch ist Maio verkehrstechnisch schlecht angebunden – die einen freut es, andere nervt es. Ausgedehnte Strandspaziergänge können Sie nach Süden bis Cidade do Maio (ca. 6,5 km) und nach Norden bis zur **Ponta do Osso da Baleia** (ca. 3,5 km) unternehmen.

UNTERGANG UND AUFERSTEHUNG

U

Dürrekatastrophen suchten die Kapverden in der Vergangenheit immer wieder heim. Mit ein Grund dafür scheint die großflächige Vernichtung der Pflanzendecke zu sein, die bereits mit den ersten Siedlern im 15. Jh. einsetzte. Schiffe mussten repariert werden und nahmen Brennholz an Bord, auf Boa Vista wurden die Kalköfen damit befeuert. Auch kochen bis heute viele Einheimische auf Holzfeuer. Überweidung durch halb wild lebende Ziegen tut ein Übriges. Schon in den 1920er-Jahren begann man mit Aufforstungsprojekten, seit der Unabhängigkeit erhält das Land auch internationale Unterstützung. So kümmern sich auf Maio deutsche und belgische Entwicklungsorganisationen um die Aufforstung mit Akazien, um die Wüstenbildung (Desertifikation) einzudämmen. Auch auf Santiago, Santo Antão, São Nicolau, Fogo und Brava gibt es heute ausgedehnte Wälder aus Eukalypten, Kiefern und Akazien. Die meisten dieser Bäume sind zwar nicht auf den Kapverden heimisch, können aber forstwirtschaftlich genutzt werden und sorgen dafür, dass sich der natürliche Wasserhaushalt stabilisiert.

Calheta

♀ Karte 3, P 15

Strand mit hübschem Ort

Auch ein Großteil der Bewohner von **Calheta,** Maios zweitgrößter Ansiedlung, lebt vorwiegend vom Fischfang und von der Viehhaltung. Allerdings sind von hier viele nach Übersee emigriert. Sie überweisen der Familie daheim nun regelmäßig Geld, weshalb im Ort ein bescheidener Wohlstand zu beobachten ist. Ins Auge fällt zunächst die fein herausgeputzte **Kirche** mit ihrer auffällig breiten Fassade. Spicken Sie auch mal in die Seitenkapelle hinein, die hat einen wunderbaren Spitzbogen. Am blumengeschmückten **Platz** vorbei lohnt es sich, links in die **Rua São José** einzubiegen, um die Häuser mit ihren bunten Fassaden und gepflegten Vorgärten zu bewundern. Sogar zwei doppelstöckige Gebäude sind darunter, eine Besonderheit für ein Dorf wie Calheta. Treppenaufgänge führen außen an der Vorderseite zur Veranda im Obergeschoss.

Beim Ort erstreckt sich die schöne, 650 m lange **Praia Baxona**, die die Inselbewohner im Sommer gerne zum Baden und Picknicken aufsuchen.

Perímetro Florestal da Calheta

♀ Karte 3, P 15

Es waldet sehr

Auf Maio nennt man das einen Wald! Immerhin rund 75 000 Akazien zählt der **Perímetro Florestal,** mit dessen Aufforstung 1964 begonnen wurde. Große Heuschrecken fliegen hier wie Vögel umher. Auch lassen sich Schwärme von den gar nicht scheuen Schopfperlhühnern beobachten. Dieser in ganz Westafrika heimische Vogel gilt als Stammform unserer Hausperlhühner.

Maio war ursprünglich zwar nicht wirklich bewaldet gewesen, doch bedeckte niedriges Buschwerk die ganze Insel. Dem ging es im 18. Jh. an den Kragen, als der Salzhandel blühte, damit die Bevölkerung und der Bedarf an Brennholz stark anwuchsen. So präsentierte sich Maio zu Beginn der Aufforstungsbemühungen durchweg wüstenhaft und kahl.

Morrinho
♀ Karte 3, P 15

In **Morrinho** ist nur die Hauptstraße ein wenig belebt. Viele Häuser stehen leer und verfallen, denn in früheren Jahrzehnten sind auch von hier viele Bewohner ausgewandert. Oleanderbüsche zieren den weiten Vorplatz der **Kirche** mit ihrer asymmetrischen Fassade und dem seitlich in Bodennähe angebrachten Glockenstuhl.

Holz zu Kohle
Die verbliebenen Menschen leben in Morrinho von der Viehhaltung. Sie füttern die Tiere mit den Schoten von Akazien. Außerdem produzieren sie Holzkohle. An mehreren Stellen im Ort können Sie die Herstellung persönlich verfolgen, u. a. in der Hauptstraße und an der Piste, die von der Kirche Richtung Westen aus dem Ort hinausführt. Zu Haufen aufgeschichtet schwelt Akazienholz vor sich hin und verwandelt sich allmählich in Kohle. Da sich die einst aufgeforsteten Akazien inzwischen von selbst vermehren, ist genügend Material für die Herstellung von Holzkohle vorhanden, ohne dass der Bestand der Bäume gefährdet wäre.

Schildkröten, Sand und Wüste
Zur Westküste sind es von Morrinho aus etwa 2,5 km. Bevor die Piste das Meer erreicht, wird eine wüstenhafte Landschaft gequert. Dann breitet sich vor Ihnen ein lang gezogene Bucht mit der fast weißen **Praia de Santana** aus. Sie ist durch einen breiten Dünengürtel von der Wüste getrennt, am Südweststrand kommen Sie am besten drüber hinweg. Zum Schwimmen ist der ca. 5 km lange Strand wegen unberechenbarer Strömungen nicht geeignet, aber ein Sonnenbad nehmen können Sie. Und im Sommer vielleicht Unechte Karettschildkröten (s. S. 256) dabei beobachten, wie sie ihre Eier im Sand ablegen. Geführte Exkursionen zu diesem nächtlichen Ereignis gibt es jedoch (noch) nicht.

Parque Natural do Norte
♀ Karte 3, P–Q 14–15

In den wilden Norden
Der gesamte Bereich nördlich der Straße Morrinho–Cascabulho bis zur Ponta Pedrenau an der Nordostküste gehört zum **Parque Natural do Norte** (auch Reserva Natural de Terras Salgadas). Zu entdecken gibt es zwei herrliche Strände, die allerdings nur nach reichlich Geholper zu erreichen sind: die **Praia Real** und die **Praia do Galeão**, an denen sich ebenfalls gerne Schildkröten einfinden. Im Hinterland erstrecken sich bis zu 30 m hohe Dünen und die **Terras Salgadas**, völlig platte, trockene Salzwiesen, die mit einer dürren Flora bewachsen sind.

Schlafen

Ein neues Feriendorf
Bela Vista Beach: Das Feriendorf besteht aus zehn geräumigen Bungalows, die sich um einen Innenhof gruppieren. Alle Wohneinheiten sind mit einer kompletten Küche eingerichtet. Für Selbstversorger.
Morro, Praia de Morro, T 957 90 01, €

Feriendorf
Villa Maris Ecolodge: Die Anlage ist etwas größer, aber nicht unpersönlich. Es besteht die Wahl zwischen Studios, Apartments oder Bungalows, jeweils mit Gartenblick, und einer Villa am Strand. Wer mag, bucht Frühstück und Abendessen dazu.
Morro, Praia de Morro, T 595 79 68, buchbar über Booking.com, €€

Im Turm oder in einer Kapelle
Torre Sabina: Sie wohnen ungestört direkt am Strand, entweder in einem Turm mit drei Etagen oder in einer Kapelle. Das Frühstück wird im Garten serviert, Abendessen kann auf Wunsch dazugebucht werden.

Für Ausflüge aufs Meer stehen Seekajaks zur Verfügung. Die deutschen Gastgeber unterstützen Sie bei Unternehmungen auf der Insel. Auto- oder Fahrradverleih.
Calheta, Praia Baxona, T 256 12 99, www.inseltraum.biz, €€

Essen

In der Einöde
A Caminhada: Kleines, recht beliebtes Restaurant, die überschaubare Speisekarte richtet sich nach dem Tagesangebot.
Morro, T 595 69 69, zur Sicherheit vorher telefonisch anmelden, €

Einkaufen

Lebensmittel
Casablanca: Für die Verhältnisse auf der Insel ist der Supermarkt gut bestückt. Angeschlossen ist das **Restaurant Loja Bert** mit Spezialitäten aus Gambia.
Morro, www.maiocapeverde.com, tgl. 8–18 Uhr, €

Feiern

• **Festa de São José:** 19. März. Zu Sankt Josef ziehen in Calheta Tabanca-Tänzer (s. S. 159) durch die Straßen. Der Ort wird für diese allegorischen Umzüge gerühmt.

Der Osten und der Süden

♀ Karte 3, P–Q 15–16

Im Osten ist's einsam. Die Dörfer liegen meist in den Senken, wo sich etwas Feuchtigkeit im Boden halten kann. In größeren

DER WIND UND DAS RAD

Wenn Sie die Insel per Fahrrad erkunden möchten, machen Sie sich auf Wind gefasst. Der bläst vor allem an der Ostküste ziemlich heftig und kann Ihnen gehörig den Spaß verderben. Gehen Sie die Runde im Uhrzeigersinn an. Von Cidade do Maio über Calheta nach Pedro Vaz sind es rund 27 mäßig hügelige Kilometer. Nun haben Sie den Nordostpassat im Rücken und können die letzten 21 km und ca. 230 Höhenmeter praktisch fliegend zurücklegen.

Orten wie Barreiro und Figueira da Horta im Süden leben noch jeweils rund 500 Einwohner, in den meisten anderen nur um die 100. Das Gebirge ist nicht hoch, aber rau und steinig. An der Küste weht ständig der Nordostpassat, weshalb sich hier auch kein längerer Strandaufenthalt anbietet, ohnehin sind die dortigen Buchten nur über Pfade oder sehr holprige Pisten zu erreichen.

Wildost-Atmosphäre
Zwischen Morrinho und Pedro Vaz wirkt die Landschaft durch die aufgeforsteten Akazien fast schon lieblich. In **Pedro Vaz** fördern vom Wind angetriebene Wasserschöpfräder das notwendige Nass für ein wenig Bewässerungsanbau. Am Ende der Welt gibt es sogar eine Bar neben der Kirche. Die beste Gelegenheit für einen Drink, bevor Sie vielleicht die Wanderschuhe schnüren und sich zu einer der nahen Buchten aufmachen, die nur zu Fuß erreichbar sind.

Der Rest eines Dorfes
Ca. 1,7 km hinter Pedro Vaz liegt westlich der Straße die einsame **Capela Nossa Senhora do Rosário** in der steinigen Einöde. Sie ist der Rest des ehemaligen Dorfes **Po-**

voação **Penosa,** der ältesten Inselsiedlung, die bis ins 18. Jh. existierte. Eine Mauer umgibt das idyllische Gelände, in dem Akazien Schatten bieten. Normalerweise ist die Rosenkranzkapelle verschlossen. Ein Gedenkstein über dem Eingang und ein Giebelkreuz schmücken die Fassade. Dahinter erhebt sich der 436 m hohe **Monte Penosa,** Maios Gipfelkönig.

Einsamer geht's kaum

Weiter geht die Inselrunde über das minimal größere **Alcatraz** ins winzige **Pilão Cão.** Viehställe, wohin man schaut. Die Häuser sind auffallend farbenfroh gestrichen. Ablenkung gibt es aber für Bewohner wie Besucher keine. Westlich des Dorfes ist der 265 m hohe **Monte Branco** zu erkennen, der ›weiße Berg‹. Seinen Namen verdankt er dem hellen Kalkgestein.

Noch runde 5 km Wüstenhighway jetzt, dann wird's wieder etwas grüner. Erstes Anzeichen ist eine alte knorrige Feige (*figueira*), weit und breit der einzige Baum und Überbleibsel eines einstmals größeren Feigenbestandes, der dem nun folgenden Tal seinen Namen gab. In der **Ribeira da Figueira** wird Bewässerungsfeldbau betrieben. Maniok, Zuckerrohr, Bananen, Süßkartoffeln und Zwiebeln gedeihen einigermaßen gut, wenn nicht gerade die Regenzeit ausfällt, wie Ende 2017. Die Straße quert die zwei Flussarme und erreicht kurz darauf **Figueira da Horta.**

Grünerer Süden

Vom Gebirge ziehen sich bizarre Täler nach Süden. Zwar führen deren Flüsse selten bis nie Wasser, der Boden ist jedoch feuchter als anderswo. Ein wunderbares Beispiel dafür ist das Tal der **Ribeira Chico Vaz,** wo Zuckerrohr und Gemüse angebaut werden. Wie eine Oase wirkt es in der ansonsten staubtrockenen Landschaft.

Südöstlich von Figueira liegt das Dorf **Ribeira Dom João** am Rand des gleichnamigen Tales, in dem Kokospal-

men wachsen. Die Bewohner können von der Ziegenkäseproduktion einigermaßen überleben. Vom Sportplatz am südlichen Ortsrand führt ein kurzer Fußweg zum Meer, wo Sie zwei malerische Buchten erwarten. Ribeira Dom João liegt ca. 12 km von Vila do Maio entfernt, Sie können es also gut mit dem Fahrrad erreichen.

Das gilt noch mehr für **Barreiro.** Der Ort hinterlässt einen armen und zugleich gepflegten Eindruck. Immerhin sind die meisten Häuser gestrichen, der Mittelstreifen der breiten Dorfstraße sogar begrünt.

Essen

Sorgen Sie für Verpflegung und genügend Trinkwasser, wenn Sie sich in den Osten der Insel aufmachen. Vor Ort werden Sie kaum etwas bekommen.

Feiern

● **Festa Nossa Senhora da Luz:** 2. Feb. Zu Ehren von Maria Lichtmess, der Inselpatronin, findet eine Wallfahrt zur Rosenkranzkapelle (Capela Nossa Senhora do Rosário in Penoso) statt.

Diese Ziege muss gute Milch geben – sie hat was zum Knabbern und einen Traumstrand (fast) für sich allein.

Zugabe
Rebellion im Stillen

Die Rabelados auf Santiago

Oft romantisiert werden die rätselhaften Rabelados (›Rebellen‹) von Santiago. Sie lebten in abgeschlossenen Gemeinschaften nach eigenen religiösen Vorstellungen. Ihre Rückzugsgebiete waren lange Zeit die abgelegenen Höhenzüge und Täler der Serra Malagueta. Heute stehen die Rabelados als Symbol für den kapverdischen Widerstand gegen die Kolonialregierung, ursprünglich stellten sie sich gegen neue Lehren der katholischen Kirche. Als die ihnen Mitte des 20. Jh. vorwarf, Häretiker zu sein, mussten ihre spirituellen Führer ins Gebirge flüchten.

Ursächlich war das Eintreffen weißer, von der Salazar-Regierung geschickter Priester ab 1941 gewesen. Sie sollten in Abstimmung mit Papst Pius XII. die ›wahre‹ katholische Lehre unter der Bevölkerung Santiagos verbreiten. Zuvor hatten einheimische Priester die Badiu-Kultur geduldet. Die Badius waren Christen, die jedoch ihre afrikanisch inspirierten religiösen Bräuche weiterhin pflegten. Viele Badius fügten sich. Andere zogen sich unter der Führung von Nhonhá Landim zurück und nahmen eine ablehnende Haltung den Autoritäten gegenüber ein. Aus ihnen entwickelte sich die Gemeinschaft der Rabelados. Die Kolonialbehörden warfen den Rabelados nun vor, Separatismus zu betreiben und eine kommunistische Revolte zu planen.

Um der Verfolgung zu entgehen, bildeten sie enge Gemeinschaften, die kein Eindringen von Außenstehenden erlaubten. Wenn sie erwischt wurden, folgte meist die Verbannung auf andere Inseln, um ihren Zusammenhalt zu brechen. Schlimmer war die Internierung im Konzentrationslager von Tarrafal (s. S. 166).

Seit dem Tod von Nhonhá Landim bilden die Rabelados keine geschlossene Gemeinschaft mehr, sondern verteilen sich auf mehrere Gruppen in verschiedenen Orten, etwa 2000 von ihnen gibt es noch auf der Insel. Heute leben sie unbehelligt in ihren Dörfern im Norden. Die Serra Malagueta haben sie zum großen Teil verlassen.

In Espinho Branco (Kriolu: Rabu Spinhu Branku, s. S. 168) lebt mit rund 300 Menschen die größte Rabelado-Gemeinde auf Santiago. Dank der Initiative der kapverdischen Künstlerin Mizá, die ihre Wurzeln in der Kultur der Rabelados ›wiederentdeckt‹ hat, entwickelte sich Espinho Branco zu einem Vorzeigedorf. Der 2006 verstorbene Korbmacher Nho Agostinho Gonçálves war viele Jahre lang der spirituelle Führer der Gemeinschaft, der Einzige von den Älteren, der lesen und schreiben konnte und auch eine Menge von althergebrachter Pflanzenheilkunde verstand. Jetzt ist Moisés Lopes Pereira an seine Stelle getreten.

Eine Schulpflicht für ihre Kinder lehnten die Rabelados bis vor wenigen Jahren ab. Auch waren sie nicht bereit, für den Staat zu arbeiten oder Abgaben zu entrichten. Sie leben von der Landwirtschaft und Viehzucht sowie von der Produktion kunsthandwerklicher Artikel.

Auch ihre Häuser, in Gemeinschaftsarbeit gebaut, sind Flechtwerk. Strohmatten bilden Wände und Dächer. Letztere werden aber auch oft mit Palmwedeln gedeckt. Der Fußboden besteht schlicht und einfach aus gestampftem Lehm.

Die Lebensführung der Rabelados ist bescheiden, ganz nach dem Vorbild Jesu Christi. Ihr Zeichen ist ein Kreuz, an einer Halskette getragen. Daneben hängen Amulette an der Kette, die gegen den bösen Blick schützen sollen. Samstags und sonntags wird nicht gearbeitet. Dann trifft sich die Gemeinschaft in einem Versammlungshaus, wo Senior Lopes Pereira aus der Bibel liest. Er ist auch für die Rechtsprechung zuständig. Die traditionsbewussten Mitglieder seiner Gemeinde akzeptieren die Entscheidungen klaglos.

Zivilisatorische Neuerungen lehnten die Rabelados bis vor wenigen Jahren gänzlich ab. Medizinische Eingriffe wie Impfen, Spritzen oder Blutabnahme werden nach wie vor vermieden. Nur im äußersten Notfall konsultiert ein Rabelado einen Arzt. Aber Fernsehen, Radio und Autofahren sind bei aller Strenge heute nicht mehr tabu. Junge Leute versuchen immer öfter, aus der Gemeinschaft mit ihren strengen Regeln auszubrechen und in die Städte abzuwandern. Viele von ihnen bringen kaum Verständnis für das verbissene Festhalten ihrer Eltern an den alten religiösen Regeln auf. Aber ganz ohne Fortschritt geht es nicht, so schickte die Gemeinde Ende 2016 drei Frauen nach Indien, damit sie dort lernen, wie Solarpaneelen hergestellt werden. ■

Mittelpunkt des Kunstschaffens in Espinho Branco ist Rabelarte, aber auch an vielen anderen Stellen im Ort stoßen Sie auf Ateliers.

Fogo und Brava

Die schönsten Herrenhäuser der Kolonialzeit — die stehen in São Filipe, der Hauptstadt von Fogo. Außerdem können Sie hier den zweithöchsten Berg im Nordatlantik besteigen. Brava ist die Insel der Hibiskushecken und sehr verschlafen.

São Filipe ⭐

Herrschaftliche Kolonialhäuser, teils verfallen, teils restauriert, machen aus São Filipe eine charmante Hauptstadt. Setzen Sie sich in eines der Lokale und genießen Sie die Atmosphäre.

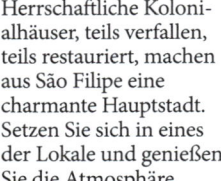

Im Schatten chillen

Der Innenhof eines alten Herrenhauses, eine gemütliche Sitzgruppe, darüber flattern Sonnensegel – die Fogo Lounge in São Filipe ist von morgens bis abends ein beliebter Platz, um der Hitze und dem Trubel zu entkommen.

Im Norden von Fogo wachsen zwischen Kaffeesträuchern Orangen.

Eintauchen

Kaffee, wohin man schaut

Um Mosteiros-Igreja erstrecken sich Kaffeeplantagen, umgeben von üppiger tropischer Vegetation. Wenn die Bohnen von Hand gestampft werden, schmeckt der Kaffee am besten.

Chã das Caldeiras ⭐

Die Dörfer hier liegen am Fuß des Vulkans, ihre Bewohner leben mit dem Feuer. Beim letzten Ausbruch Ende 2014 wurden sie fast vollständig zerstört. Langsam schreitet der Neuaufbau voran.

Seite 201

Pico do Inferno

Diesen Gipfel gibt es
erst seit dem Ausbruch
2014, noch immer
dampft und raucht es
aus seinen Spalten.
Trotzdem können Sie
ihn besteigen, sogar auf
einem relativ leicht zu
begehenden Weg.

Seite 207

Vulkankletterei

Chã das Caldeiras ist ein
Hotspot der Kletterszene. Das liegt nicht zuletzt
an Mustafa Eren, der
hier u. a. einen Klettersteig angelegt hat.

Seite 211

Nova Sintra

In dem verschlafenen
Ort finden Sie Ruhe hinter einer Hibiskushecke.

Seite 214

Zur Essigquelle

Morbiden Charme
verströmt das ehemalige
Badehaus bei der Fonte
de Vinagre auf Brava.

Seite 216

Von den Bergen ans Meer

Aussichtsreich durch
tropisches Gefilde wandern Sie vom zentralen
Bergkamm Bravas nach
Fajã d'Água, wo Kokospalmen wachsen.

Gamaschen
helfen nicht nur
gegen Tiefschnee, sondern
auch gegen
Vulkanasche in
den Schuhen.

FOGO

Mosteiros-Igreja

Pico do Inferno

São Filipe

Chã das Caldeiras

Nova Sintra

Fonte de Vinagre

Fajã d'Água

BRAVA

0   10 km

Nehmen Sie auf eine Reise nach
Fogo Mütze und Handschuhe mit,
wettertechnisch ist in der Caldeira mit
allem zu rechnen.

erleben

Fogo – die mit dem Vulkan und den Sobrados

E

Ein Vulkan dominiert Fogo, schon beim Anflug auf den winzigen Inselflughafen beeindruckt seine Wucht. Er erhebt sich in einem Gebirgskessel, von 1000 m hohen Felswänden umgeben. An seinen Flanken bricht der Feuerberg regelmäßig aus, letztmalig 2014. Tote gab es keine zu beklagen, aber die Zerstörung war enorm. Doch die Menschen dort oben sind zäh und hartnäckig – sie bauten alles wieder auf, wollen nicht weg. Quartieren Sie sich bei Ihnen ein, auf 1600 m, und lassen Sie diese grandiose Mondlandschaft auf sich wirken. Auch wenn Sie keine geologischen oder wandertechnischen Ambitionen haben: Es lohnt sich! Aber nehmen Sie warme Sachen mit, es kann kalt werden.

Wir haben vorgegriffen, vor lauter Begeisterung. Sie sind ja noch gar nicht richtig da. Nach einer holprigen Landung auf der Insel stehen Sie erst mal verloren auf einer Rollbahn in der Steppe. Der Südwesten ist heiß und trocken. Gemächlich laden die Packer Ihren Koffer aus dem Flugzeug, geben sich der Langsamkeit hin, der Hitze wegen.

Wenig entfernt liegt São Filipe, die Hauptstadt. Sie ist ein Schmuckstück, zumindest in der Unterstadt. Aber auch hier ist es heiß. Die Menschen sitzen im

Schatten, Frauen tragen Regenschirme, der Hitze wegen.

Der Norden der Insel ist feucht. Bis in große Höhen ziehen sich Kaffee- und Orangenplantagen. Mosteiros sieht aus, wie Sie sich die Tropen vorstellen. Bewegen Sie sich langsam, der Hitze wegen.

São Filipe ✈ ⭐

📍 **Karte 3, G 17**

Wer ist die Schönste im ganzen Land? Keine Frage: **São Filipe,** zumindest die Unterstadt von São Filipe, die **Vila Baixa.** Hier finden Sie die größte Ansammlung von Herrenhäusern aus dem 18. und 19. Jh., die Sobrados (s. S. 267). Teilweise liebevoll restauriert, teilweise verfallen, doch auch die maroden Gebäude haben was, verströmen einen morbiden Charme.

Wo es eine Vila Baixa gibt, darf eine **Vila Riba** (›Oberstadt‹) nicht fehlen. Während es in der hübschen Unterstadt reichlich lebendig zugeht – außer am Nachmittag, da schläft ganz São Filipe –, ist die Oberstadt um einiges ruhiger. Ursprünglich wohnten hier die Sklaven und die armen Landarbeiter. Noch heute ist der Stadtteil nicht sonderlich attraktiv. Es fehlt an historischen Gebäuden, die Wohnhäuser sind nicht immer verputzt, Farbe ist Luxus, den sich die Besitzer selten gönnen.

Hier logierten die Herrschaften

Die bedeutendste Achse der Unterstadt ist der lange Platz **Alto São Pedro.** In seinem Zentrum steht ein Pavillon, drum herum leuchten Blumenbeete – zumindest, wenn es nicht zu trocken ist. Gesäumt wird der Alto São Pedro von den allerfeinsten Kolonialhäusern und einen **Aussichtsbalkon** ❶ hat er auch – von dem aus hat man das ganze Geschehen im Blick.

Frisches, luftig präsentiert

Bescheiden ist das Angebot, wenn Sie eine Markthalle wie in Paris oder Budapest erwarten, üppig hingegen für kapverdische Verhältnisse: Obst, Gemüse, Gewürze und eine ganze Menge mehr

São Filipe ist das architektonische Aushängeschild der Kapverden – so viele so gut erhaltene Sobrados, alte Herrenhäuser, finden sich sonst nirgendwo auf den Inseln.

Lieblingsort

Aus Liebe zur Insel und ihren Menschen

Der Schweizerin Monique Widmer liegen Fogo und São Filipe am Herzen.
Man merkt es in ihrem liebevoll eingerichteten **Casa da Memória** ❸ (›Haus
des Gedächtnisses‹). Hier hat sie Gegenstände zusammengetragen, die zumeist aus den Häusern der wohlhabenden Stadtbevölkerung stammen – eine
Anrichte aus dunklem Holz, feinstes Porzellan, Glaskaraffen und Kerzenstän-
der, ein antiker Schaukelstuhl. Sie können auch alte Fotos bewundern und
den ältesten Herd der Insel. Zu jedem der Stücke gibt es eine Geschichte,
die Monique Widmer in einem Katalog zusammengefasst hat. Das Privatmu-
seum ist in einem Sobrado aus den 1820er-Jahren untergebracht, auch der
mit langer Geschichte. Anfangs diente das Gebäude als Wohnhaus, später
als Geschäft und dann als Warenlager. In seinem Innenhof wurden in den
1960er-Jahren Filme gezeigt, das erste Open-Air-Kino der Insel (Praça 12 de
Setembro, T 281 27 65, https://gersonbsemedo.wixsite.com/my-site-9, Mi–Fr
10–12 Uhr, Spende erwünscht, s. auch Kasten S. 189).

türmen sich auf den Tischen. Die Mini-äpfel kommen aus 1600 m Höhe vom Fuß des Vulkans, die Bananen und der Kaffee aus dem feuchten Norden der Insel, die Chilischoten von Santiago. Überall auf Fogo wächst der Peruanische Pfefferbaum, von dem die rosa Beeren stammen. Probieren Sie auch den frischen Ziegenkäse, er schmeckt nicht nach altem Bock, versprochen! Den offenen und luftigen **Mercado Municipal ❷** durchstreifen Sie am besten vormittags, wenn das Gedränge groß und das Leben prall ist. Danach können Sie in einer der einfachen Bars einkehren, die sich um das Marktgelände reihen. Dazwischen liegen Geschäfte, die wie Tante-Emma-Läden aussehen, aber ihre Waren säckeweise verkaufen, wie auf einem Großmarkt.

Alto São Pedro, Mo–Sa bis ca. 15 Uhr

Ein Blick in die Geschichte
Sprechen Sie Portugiesisch? Nein? Macht nichts, in dem kleinen **Museu Municipal de São Filipe ❹** kriegt man trotzdem etwas mit von der Geschichte und dem Leben auf der Insel. Im Innenhof beispielsweise steht ein traditionelles Rundhaus mit Strohdach, wie es bis in die 1990er-Jahre hinein in Chã das Caldeiras üblich war. Die letzten Gebäude dieser Art fielen dem Vulkanausbruch von 2014 zum Opfer.

Auch das Haus selbst, ein hübsch restaurierter Sobrado, ist sehenswert. Im Obergeschoss hängt übrigens ein Plan, auf dem alle historischen Sobrados der Stadt eingezeichnet sind.

Rua 4 de Setembro, T 281 12 95, Mo–Fr 10–15 Uhr, ca. 100 ECV

Stille, außer nach Gottesdiensten
Am unteren Ende der Vila Baixa öffnet sich die **Praça Igreja.** Selten ist dort was los, vom angrenzenden Steilabbruch genießen Sie aber einen schönen Blick auf den Stadtstrand und die Insel Brava.

ZWEI STARKE FRAUEN

Ein interessantes Interview mit Monique Widmer und Gilda Barbosa, die gemeinsam die Casa da Memória (s. S. 188) führen, steht unter www.vista-verde.com. Helga Amado Alves sprach mit den beiden anlässlich des 20-jährigen Jubiläums des Museums am 5. Mai 2021.

Auf der Seite zum Zentrum hin steht die schlichte **Igreja Nossa Senhora da Conceição ❺**. Ihr Doppelturm ist fast von der ganzen Stadt aus zu sehen. Um das Gotteshaus gruppieren sich die ältesten Sobrados von São Filipe, die teilweise bis in die Mitte des 18. Jh. zurückgehen.

An der Westseite des Platzes, über dem Meer, liegt das **Fortim Carlota ❻** (auch Farolim de São Pedro). Die Festungsanlage stammt aus dem 17. Jh. Bis 1975 diente sie als Polizeistation, bis 2004 als Stadtgefängnis.

Die alten Gräber
Wenn Sie vom Kirchplatz aus über das Tal der **Ribeira de São João** hinwegblicken, sehen Sie schon den **Antigo Cemitério ❼** (›alter Friedhof‹), der bis in die 1990er-Jahre hinein genutzt wurde. Viele der Grabstätten datieren auf das 19. Jh. und natürlich gehörten die aufwendigeren der weißen Oberschicht. Sie sind im klassizistischen Stil gehalten, mit Säulen und Pfeilern verziert. Der Marmor dafür wurde eigens aus Portugal herbeigeschafft. Ganz links befinden sich die Gräber der deutschstämmigen Familie König, die um 1900 nach Fogo kam.

Schwarz, lang, nur zum Spazieren
Wenn Sie beim **Hotel Ocean View** 3 (s. S. 191) die Treppe hinuntersteigen, landen Sie geradewegs auf der schwarzsandigen **Praia de São Filipe.** Eine etwa

0   100   200 m

Ribeira da Trinidade

Hafen

Hospital

Rua Achada Pato
Rua Achada Pato

VILA BAIXA

Rua da Central Eléctrica

Rua Cobom

Rua do Pensão Las Vegas

Pracinha

Praia de
São Filipe

Câmara
Municipal
(Rathaus)

Rua do Mercado

Alto São Pedro

Rua da Central Eléctrica

Praça
Igreja

Rua da Biblioteca Municipal

1 = Rua 4 de Setembro
2 = Praça 12 de Setembro
3 = Rua Câmara Municipal

VILA RIBA

Ribeira de São João

Rua da Central Eléctrica

Flughafen

---

40 m hohe Felswand trennt sie von der Stadt. Der Strandabschnitt direkt unterhalb des Zentrums ist weniger attraktiv, schöner wird es weiter südlich. Dort ist der Sandstreifen breiter und sauberer. Baden können Sie jedoch fast nie. Die Brandung ist meist zu stark und auch bei ruhiger See ist vor der Unterströmung Vorsicht geboten.

Schlafen

Im alten Kolonialwarenladen

1 Casa Beira Mar: Das herrschaftliche Haus stammt aus den Anfängen des 19. Jh. Ganz klassisch befand sich im Erdgeschoss der Laden, oben waren die Wohnräume untergebracht. Heute werden hier sechs unterschiedlich große Zimmer vermietet, eins mit Küchenzeile. Das Frühstück wird im lauschigen Innenhof serviert. Praça Igreja, T 281 34 85, 979 23 22, www.cabo-verde.ch, €

Die komfortable Variante

2 Xaguate: Ein Vier-Sterne-Hotel, doch im Vergleich zu einem europäischen Pen-

dant müssen Sie Abstriche machen. Immerhin kann man sich im Pool im Garten erfrischen. Die Rezeption ist rund um die Uhr besetzt und es gibt ein Restaurant. Die Zimmer sind groß und komfortabel. Nördlich der Ribeira da Trinidade, T 281 50 00, https://de.xaguate.com, €€

Das Haus eines Schriftstellers

3 Bela Vista: Die Zimmer dieser Pousada sind alle unterschiedlich eingerichtet und verteilen sich um einen Innenhof, im Obergeschoss befinden sich mehrere Terrassen. Hier wohnen Sie ganz im Stil der Kolonialzeit. Achada Pato, Praça Igreja, T 281 12 20, www.pousadabelavista.cv, €€

Das Haus eines reichen Händlers

4 The Colonial Guest House: Anfang des 20. Jh. war dies eines der repräsentativsten Gebäude der Stadt. Es gehörte einem einflussreichen Geschäftsmann, der das erste Telefon der Stadt besaß. Die heutigen Besitzer haben es liebevoll im alten Stil renoviert, zudem betreiben sie die Reiseagentur Zebra Travel (s. S. 192). Die Zimmer sind groß und luftig. Im Vor-

São Filipe

Ansehen
❶ Aussichtsbalkon
❷ Mercado Municipal
❸ Casa da Memória
❹ Museu Municipal de São Filipe
❺ Igreja Nossa Senhora da Conceição
❻ Fortim Carlota
❼ Antigo Cemitério

Schlafen
1 Casa Beira Mar
2 Xaguate
3 Bela Vista
4 The Colonial Guest House

Essen
1 Pipi's Bar
2 Tropical
3 Seafood/ Hotel Ocean View

Bewegen
❶ Vista Verde Tours

---

hof befindet sich die gemütliche **Fogo Lounge** mit Restaurantbetrieb. Das Personal ist zuvorkommend und freundlich. Rua Câmara Municipal, Ecke Alto São Pedro, T 281 33 73, www.zebratravel.net, €€

Essen

Geschmackvolles Afrika
1 **Pipi's Bar:** Auf der Terrasse über dem Alto São Pedro kommt richtige Urlaubsstimmung auf – Sie sitzen gemütlich, können einen Cocktail trinken, das Treiben beobachten und so das Warten auf das Essen verkürzen. War zum Zeitpunkt der Recherchen geschlossen. Pipi alias Napili Silva arbeitet derzeit im Hotel Xaguate. Ob sie ihre Bar wieder eröffnen wird? Die Zeit wird es zeigen, ob sie hier wieder die exotische Mischung aus senegalesischen und kapverdischen Gerichten auftischen wird. Alto São Pedro, T 281 41 56, tgl. geöffnet, nachmittags 2–3 Std. geschl., €€

Mit Musik unter einer Palme
2 **Tropical:** Hinter einer etwa 3 m hohen Mauer versteckt sich ein Innenhof mit einer großen Palme, um die sich die Tische gruppieren. Häufig finden am späteren Abend Konzerte mit einheimischen Künstlern statt. Die Küche ist kapverdisch mit einem Hauch Afrika. In dem von außen unscheinbaren Lokal treffen Sie die einheimische Mittel- und Oberschicht, die sich ein auswärtiges Essen leisten kann. Oberhalb des Alto São Pedro, T 281 21 61, nur abends geöffnet, €€

Blick auf den Strand
3 **Seafood:** Das Restaurant liegt am Steilabbruch zum Strand, den Sie vom Speiseraum überblicken können. Hier bekommen Sie typisch kapverdische Gerichte, nicht nur Huhn oder Schwein, sondern auch Zicklein *(cabrito)*, und natürlich wird frischer Fisch serviert. Ausgefallene Meeresfrüchte wie Langusten sollten Sie vorbestellen. Über dem Restaurant wurde das **Hotel Ocean View** mit relativ großen Zimmern errichtet, deren Balkone ebenfalls einen tollen Meerblick bieten (buchbar über Booking.com). Praça Igreja, T 281 26 23, tgl. morgens bis abends, €€

Einkaufen

Dinge zum Essen
❷ **Mercado Municipal:** s. S. 189. Hier bekommen Sie auch Snacks.

Bewegen

Wandern & Ausflüge

1 **Vista Verde Tours:** Die Agentur steht unter deutscher Leitung. Bei den Touren wird großer Wert auf Begegnungen mit der Bevölkerung gelegt. Im Angebot sind Ausflüge und Wanderungen.

Nahe Praça Igreja, www.vista-verde.com, Mo–Fr 10–12, 15–17 Uhr

Bootstouren & Exkursionen

4 **Zebra Travel:** Die Agentur organisiert u. a. Bootsausflüge, auch zur Delfinbeobachtung und zum Hochseeangeln.

In The Colonial Guest House, s. S. 190, www.zebratravel.net

Feiern

• **Bandeira de São Filipe:** letztes Aprilwochenende–1. Mai. Das Fest zu Ehren des hl. Philippus, des Stadtpatrons, ist das Ereignis des Jahres auf Fogo. Zu diesem Anlass reisen viele Emigranten aus Übersee an. Zu Beginn wird tagelang der Mais für das traditionelle Gericht *xerem* gestampft, wozu der *pilão* (wörtl. ›Mörser‹) ertönt, ein von Trommeln begleiteter Gesang. Dann wird die Schlachtung der Opfertiere, jeweils ein Kalb, eine Ziege und ein Stier, feierlich zelebriert. An der anschließenden Prozession nehmen Pferde teil, die zuvor nach uraltem Ritus gereinigt wurden. Zentraler Programmpunkt sind die traditionellen Pferderennen, bei denen jeweils drei Tiere gegeneinander antreten.

Infos

• **Flüge:** Der Flughafen liegt ca. 1,5 km südl. der Stadt. Tgl. Verbindungen mit Bestfly (www.bestfly.aero) nach Santiago. Bei der Ankunft stehen Taxis und Aluguers bereit.
• **Fähre:** Mehrmals wöchentl. mit der Schnellfähre (www.cvinterilhas.cv) nach Santiago (ca. 5 Std.) und nach Brava (ca. 50 Min.). Der Hafen liegt ca. 4 km nördlich der Stadt.
• **Transport vor Ort:** Die Aluguers in Richtung Chã das Caldeiras (morgens in die Stadt, am frühen Mittag zurück) und nach Mosteiros starten am Mercado Municipal. Abfahrt der Aluguers nach São Jorge ist auf dem Platz an der Rua Achada Pato ca. 200 m nördl. des Alto São Pedro. Die Taxis sind gelb und

EIN (FAST) UNERREICHBARES VOGELSCHUTZGEBIET   **V**

Von São Filipe aus können Sie sie sehen: die **Ilhéus Secos** (auch Ilhéus do Rombo), eine unbewohnte Inselgruppe, die ca. 15 km vor Fogo liegt. Auf der kleineren, der **Ilhéu de Cima,** brüten zahlreiche Seevögel, u. a. die Fregattsturmschwalbe *(Pelagodroma marina),* der Kleine Sturmtaucher *(Puffinus assimilis),* der Madeirawellenläufer *(Oceanodroma castro)* und der Bulwersturmvogel *(Bulweria bulwerii).* Auch der endemische Kapverden-Wanderfalke *(Falco peregrinus madens)* fühlt sich hier wohl. Schildkröten kommen zur Eiablage an die Strände. Komischerweise gibt es auf der größeren **Ilhéu Grande** keine Vogelbrutstätten. Das muss aber mal anders gewesen sein, wie dicke Guanoschichten beweisen. Die Inselgruppe wurde von BirdLife International (www.birdlife.org) als Vogelschutzgebiet ausgewiesen und kann besucht werden, allerdings nur mit einem eigenen Boot, denn Ausflüge werden (noch) nicht organisiert.

kreuzen auf der Suche nach Fahrgästen regelmäßig durch die Stadt.
• **Mietwagen:** Die Hotels Xaguate (s. S. 190) und Ocean View (s. S. 191) können bei der Vermittlung helfen.

Der Nordwesten

Den Nordwesten Fogos können Sie auf zwei Strecken erkunden, die unterschiedliche Höhenbereiche erschließen. Die **Untere Ringstraße** verläuft als direkte Verbindung zwischen São Filipe und São Jorge auf einer Höhe von etwa 300 m. Landschaftlich reizvoller, aber ungleich holpriger ist die **Obere Ringstraße,** die sich bis über 800 m hinaufzieht. Der Hauptverkehr zwischen den Orten im Westen spielt sich auf der unteren Straße ab. Sie passiert Straßendörfer, die jedoch außer ein paar Mercearias keine besonderen Highlights zu bieten haben.

São Lourenço ♀ Karte 3, G 17

Dem hl. Laurentius gewidmet
Hübsche Häuschen, für kapverdische Verhältnisse bereits richtige Villen, begleiten Sie auf Ihrem Weg von São Filipe nach **São Lourenço.** Dort erhebt sich die älteste erhaltene Kirche der Insel, die **Igreja de São Lourenço** aus dem 16. Jh. Sie befindet sich heute in der Obhut des Kapuzinerordens (www.capuchinoscv.org, nur Port.), der sich um die Seelsorge in der Gemeinde und speziell um die Ausbildung von Jugendlichen kümmert.

Der dreischiffige Bau mit den beiden Glockentürmen entstand in seiner jetzigen Form erst in der Barockzeit. Vor dem Hauptaltar verdient eine Marmorgrabplatte von 1538 Beachtung, ein

Überbleibsel aus der ursprünglichen Kirche. So auch das marmorne Taufbecken, das rätselhafte Wappenzeichen zieren. Hinter dem Altar steht in einer Wandnische die Statue des Kirchenpatrons. Der hl. Laurentius, von den portugiesischen Entdeckern hoch verehrt, ist eingerahmt von einer recht modernen Bemalung, die die sonst oft übliche Altarrückwand aus Holz ersetzt. Ähnliche Gemälde schmücken die Wände hinter den Seitenaltären. Die Kirche wird derzeit umfassend renoviert und ist mehr oder weniger Großbaustelle. Das Taufbecken und die Marmorplatte von 1538 sind aber noch zu sehen. Sie lagen Ende 2018 etwas lieblos im Bauschutt.

Neben der Kirche erstreckt sich ein riesiger Friedhof mit einer Reihe teils recht luxuriöser Grabstätten. Hier liegen die Großgrundbesitzer beerdigt, die in der Nähe ihre Sommerhäuser besaßen. Vom Friedhof aus bietet sich ein wundervoller Blick über die welligen Hänge hinab zum Meer und hinüber zur Nachbarinsel Brava.

TOUR
Von der Steppe in eine Oase

Von São Lourenço nach Achada Malva

Was für eine Freude: Auf dieser Wanderung geht's nur bergab, und das nicht einmal besonders steil. Die Landschaft kann nur als idyllisch bezeichnet werden.

Aus Pflasterweg wird Pfad

Gestartet wird in **São Lourenço** (s. S. 193), das von São Filipe aus mit Aluguers erreichbar ist. Vom Südrand des dortigen **Friedhofs** schlängelt sich eine schmale Straße in westlicher Richtung gen Tal. Ihr folgt man ein paar Meter, bis sie nach links zu einem einsamen **Bauernhof** abzweigt. In früheren Zeiten verlief eine Pflasterstraße weiter geradeaus abwärts, doch davon ist nur mehr ein schmaler Pfad übrig geblieben – ab und zu lässt sich die Pflasterung noch erkennen.

Als die Landwirtschaft noch einträglicher war, standen hier herrschaftliche Bauernhäuser. Das erkennen Sie aber nur noch, wenn Sie genauer hinsehen.

Aus Pfad wird wieder Pflasterweg

Auf diesem Pfad geht es nun Richtung Meer, bei klarer Sicht reicht der Blick bis Brava. Gen Westen wandert man stets bergab. Vereinzelt kommen Höfe ins Blickfeld, viele bereits verfallen. Nach etwa 20 Min. wandelt sich der Pfad wieder zum Pflasterweg und wenig später erreicht man die **Untere Ringstraße,** die geradeaus überquert wird. An dem **Bauernhof** an dieser Stelle hat man die Möglichkeit, die Wanderung vorzeitig abzubrechen und auf ein Aluguer zu warten.

Aus Steppe wird Oase

Nach Achada Malva geht es auf dem nun straßenähnlichen Pflasterweg weiter abwärts. Rund 45 Min. sind es, bis man an eine querende Pflasterstraße gelangt, in die man rechts einbiegt. Von hier sind es nur noch ein paar Schritte nach **Achada Malva,** eine grüne Bewässerungsoase mit

ein paar wenigen Häusern drum herum. Als *achada* wird im Portugiesischen ein vulkanisch entstandener, abgeflachter Fels- oder Gesteinsvorsprung bezeichnet, der meist zu einer oder mehreren Seiten hin abfällt. Auf Vulkaninseln sind dies oft Stellen, die für die Besiedelung und Landwirtschaft günstige Bedingungen bieten.

Wasser bedeutet Leben: die Oase Achada Malva.

Aus Pommes wird Gemüse

Eingerahmt von hohen Kokospalmen gedeihen auf den gepflegten Feldern vorwiegend Kohl, Möhren, Tomaten, aber auch Papayas und je nach Jahreszeit sogar Erdbeeren. Die Oase wird durch ein Schlauchsystem wassersparend feucht gehalten – Tröpfchen für Tröpfchen. Zuletzt hat sich die Landwirtschaft auf Fogo äußerst positiv entwickelt, innerhalb weniger Jahre vervielfachte sich die Anbaufläche. Als Besucher merkt man es in den Restaurants der Insel: Wo früher Pommes und Reis die Standardbeilagen waren, bekommt man heute vielerorts frisches Gemüse.

Aus Land wird Stadt

Die meisten Wanderer lassen sich von São Filipe aus mit dem Taxi zum Ausgangspunkt nach São Lourenço fahren und in Achada Malva wieder abholen. Etwas Zeit zum Umschauen in dem Oasenort eingeplant, kann man die Rückfahrt gute 2 Std. nach Abmarsch vereinbaren. Die Taxikosten betragen insgesamt etwa 1500 ECV. Es ist üblich, erst nach Rückkehr in São Filipe zu bezahlen. Wahlweise kann man auch zu Fuß nach São Filipe zurückkehren. Dazu folgt man der Zufahrtstraße nach Achada Malva gen Süden. Unterwegs wird die Straße zum **Porto Vale de Cavaleiros** passiert, dem Hafen von Fogo. Von Achada Malva bis São Filipe sind es ca. 6,5 km bzw. gut 1.30 Std. Die kaum befahrene Pflasterstraße verläuft in leicht welligem Gelände.

Infos

Start:
São Lourenço,
Karte 3, G 17

Transport:
Anfahrt nach São Lourenço mit Taxi oder Aluguer, für die Rückfahrt ab Achada Malva ein Fahrzeug vorbestellen.

Anspruch:
Ca. 500 Höhenmeter Abstieg mit mäßigem Gefälle. Reine Gehzeit 1.30–2 Std.

São Jorge und Ponta da Salina
📍 Karte 3, H 16

Häuser entlang der Straße

Leicht kann es passieren, dass Sie über **São Jorge** hinausschießen, ohne es zu bemerken: Ein Ortsschild gibt es nicht, ein klassisches Zentrum ebenso wenig. São Jorge ist ein Straßendorf.

Am Westrand zweigt eine Pflasterstraße in Richtung Atlantik ab. Kurz vor dem Meer passieren Sie den örtlichen **Friedhof.** Holzkreuze ohne Inschrift zeugen von Armut, aber es gibt auch ein paar aufwendigere Grabstätten. Sie stammen zumeist aus den 1970er-Jahren, als das Wohlstandsgefälle im Ort noch wesentlich ausgeprägter war.

Fischerhafen mit Naturpool

200 Höhenmeter tiefer liegt **Ponta da Salina**, der Fischerhafen von São Jorge. Eine Felsbrücke aus schwarz-grauem Lavagestein überspannt einen geschützten Naturpool. Nebenan erstreckt sich ein dunkler Sandstrand in einer Bucht, die von Strömungen und allzu hoher Brandung abschirmt. Zum Baden eignet sich der Strand besser als der Naturpool, den scharfkantige Lava begrenzt. Den einheimischen Jugendlichen scheint das nichts auszumachen: Barfüßig springen sie rein und klettern über die Steine wieder raus.

Essen

Für einen Ausflug in den Westen sollten Sie sich Verpflegung mitnehmen. Es gibt hier nur ein paar einfache Mercearias.

Infos

• **Transport vor Ort:** Die Untere Ringstraße wird relativ häufig von Aluguers befahren. Ansonsten sind Sie auf Taxidienste oder einen Mietwagen angewiesen.

Der Süden

Trocken und karg ist es die meiste Zeit des Jahres im Süden von Fogo. Doch zumindest zeigen die Berge Einsicht und fallen in diese Himmelsrichtung relativ sanft ab, sodass die Bauern ihre Felder leicht bewirtschaften können. Bohnen und Mais pflanzen sie am häufigsten an. In Taleinschnitten, wo es etwas feuchter ist, wachsen auch Bananen und Papayas. Die Hauptverbindungsstraße nach Osten verläuft auf einer Höhe zwischen 500 und 600 m. Aber auch eine Etage drüber können Sie sich noch mit dem Auto fortbewegen, da befinden Sie sich schon auf ca. 900 m.

Santuário de Nossa Senhora do Socorro
📍 Karte 3, G 17

Einsam an der Küste

Umgeben von einer braunen Steinwüste und dürren Akazien liegt das **Santuário de Nossa Senhora do Socorro.** Die Kapelle ist der Schutzheiligen der Reisenden und Schiffbrüchigen geweiht. Nur am 5. August, wenn die jährliche Wallfahrt stattfindet, können Sie das Innere betrachten, ansonsten ist in dieser menschenleeren Gegend Kontemplation angesagt – oder ruhiges Badevergnügen. Direkt unterhalb der Kapelle liegt ein kurzer Sandstrand, wo Sie ins Wasser hüpfen können. Einen alten Schiffsanleger und Reste einer Zisterne gibt es auch, hier versorgten sich die Bootsbesatzungen früher mit Frischwasser.

Die Anfahrt ab São Filipe erfolgt über die Untere Ringstraße. Nach ca. 6,5 km ist

Forno erreicht, von wo eine knapp 5 km lange Stichstraße durch den Weiler **Luzia Nunes** hinunter zur Kapelle führt.

Monte Gênebra ⚲ Karte 3, H 17

Terrassierter Vulkankegel
Ein internationales Bewässerungsprojekt können Sie ganz in der Nähe der Kapelle auf dem Rückweg zur Hauptstraße besichtigen. Kurz vor **Luzia Nunes** zweigt die Piste dorthin nach rechts unten ab. Schon von Weitem sehen Sie den 355 m hohen **Monte Gênebra,** einen alten, regelmäßig geformten Vulkankegel. Seine Hänge sind terrassiert und an seinem Fuß befindet sich eine Oase, in der Gemüse und tropische Früchte angebaut werden. Möglich wurde das durch deutsche Entwicklungshilfe, die hier Ende der 1970er-Jahre für die Zuleitungen des nötigen Nasses sorgte. Es folgten mehrere Dürren und einige Zeit des Stillstands. 2010 ließ das kapverdische Landwirtschaftsministerium Probebohrungen nach einer Süßwasserquelle durchführen, die erfolgreich waren. Allerdings dauerte es bis Ende 2017, um die solarbetriebenen Wasserpumpen zu installieren – auf weite Sicht reduzieren sie die Kosten für die Bewässerung der Oase mithilfe konventioneller Energie um 70 %. Wer von oben aufs Grün blicken will, kann über einen Pfad in 15 Min. den Vulkankegel besteigen.

Der Osten

Bei einer Fahrt entlang der Ostseite ist Staunen angesagt: Wie schwarze Zungen ziehen sich die Lavaströme den Berg hinunter. Seit 1724 sind an dieser Inselseite elf Ausbrüche des Pico do Fogo registriert und kartografiert, zumeist floss die Lava jedoch die Osthänge hinab. Der Südosten präsentiert sich schon etwas grüner als der Süden, er ist klimatisch begünstigter. Im Nordosten dann sind die Täler üppig bewachsen, die Hänge des Vulkans von Orangen- und Kaffeeplantagen überzogen.

Cova Figueira und Umgebung ⚲ Karte 3, H 17

Alles im Blick
Egal, ob Sie auf der oberen oder unteren Straße gen Osten gefahren sind, an **Cova Figueria** (ca. 1200 Einw.) kommen Sie nicht vorbei. Einen Tante-Emma-Laden gibt es hier und ein paar schlichte Bars, die auf den ersten Blick nicht als solche zu erkennen sind. Sonst nichts.

Am Südrand des Ortes führt von der Ringstraße eine schmale Straße den Hang hinauf. Sie passieren **Mãe Joana** mit seinen bunten Häuschen und schönem Ausblick auf die umliegenden Vulkane. Am Ortseingang von

Nur am 5. August ist sie zu sehen: die Schutzheilige der Reisenden in der Kapelle von Socorro.

Estância Roque werden Sie von einem auffälligen Felsblock begrüßt, dem das Dorf seinen Namen (›Viehzuchtfels‹) verdankt. Oberhalb von Estância Roque türmen sich schwarze Gesteinsmassen auf – Reste des Lavastroms, der bei dem Ausbruch 1951 bis fast ins Meer floss und den Ort wie durch ein Wunder verschonte. Die Natursteinhäuser heben sich kaum von der Landschaft ab. Weiß ist nur die schlichte Kirche.

Nach Mosteiros

📍 Karte 3, H 16–17

Erster Blick auf den Vulkan
Nördlich von Cova Figueira kurven Sie 500 m über dem Meer entlang der Flanken des Vulkans. Beim **Miradouro Espigão** lohnt ein ausgiebiger Stopp: Nach Nordwesten blicken Sie auf den Pico do Fogo, einen majestätischen Berg, der Freud und Leid zugleich mit sich bringt. In Richtung Meer teilt die Lava die Landschaft mit scharfer Grenze in Braun-grün und Tiefschwarz. 1951 überdeckte ein Teil des Lavastroms den alten von 1857, dessen Reste Sie direkt an der Küste sehen. Die Häuser direkt unterhalb der Straße stehen mitten in der Lava, in die bizarre Schluchten eingeschnitten sind.

Die Vegetation kommt zurück
Das Gebiet um **Tinteira** wurde 1769 verschüttet, seitdem haben sich wieder Pflanzen angesiedelt. Wo es feuchter ist, werden Bohnen und Maniok angebaut. Die Häuser sind aus Naturstein, oft mit Stroh gedeckt. Sofern die Dächer aus Zement gegossen sind, dienen sie als Wassersammelflächen. In der Landschaft verstreut stehen runde, mit schwarzen Steinen begrenzte Ziegenpferche.

Sturer Esel – von wegen: Der hier schleppt zusätzlich zu seinem hölzernen Ballast auch noch seinen Herrn hinter sich her.

Regelmäßige Zerstörung

Etwa im 20-Jahre-Rhythmus verbreitete der Berg früher Angst und Schrecken: 1785 flossen zwei Lavaströme zu Tal, 1799 erreichte das flüssige Gestein ebenfalls die Küste, 1816 wieder Zerstörung bis nach unten, 1852 glücklicher Stopp der Feuersbrunst weiter oben. Die Orte **Relva, Achada Grande** und **Corvo** liegen auf den Lavazungen von damals. Inzwischen ist die Erde wieder fruchtbar, Weinberge wurden angelegt. Hier produziert die Winzerei **Adega de Sodade** Weiß-, Rot- und Roséweine.

Mosteiros   📍 Karte 3, H16

Ein Hauptort namens ›Kirche‹

Und plötzlich ist die Landschaft wieder ganz grün. Im Bereich der Gemeinde **Mosteiros** wachsen tropische Obstbäume, Bananen, Orangen und in mittleren Lagen Kaffeesträucher. Die insgesamt rund 10 000 Einwohner verteilen sich auf mehrere Ortsteile, der Hauptort heißt **Igreja.** In dessen Zentrum öffnet sich die kleine **Praça de Entroncamento.** Verfallene Kolonialhäuser zeugen von ehemaligem Wohlstand. Zurückgekehrte Emigranten haben sich in der Peripherie mehrstöckige Wohnhäuser gebaut.

Besondere Sehenswürdigkeiten gibt es im Ort keine. Allerdings finden Reisende wichtige Einrichtungen wie Bank, Post, Unterkünfte und Restaurants.

Der beste Kaffee von Cabo Verde

Inmitten tropischer Vegetation liegt das Dorf **Pai António.** Die Häuser verteilen sich zwischen Kaffeeplantagen, Bananenstauden und Terrassenfeldern mit Orangen. Überall ragen große Mango- und Papayabäume sowie Palmen heraus. Der Ort hingegen wirkt ärmlich. Die wenigsten Gebäude sind verputzt, von Farbe ganz zu schweigen. Und das, obwohl es mit

Unterstützung der Niederlande gelang, den Kaffee inzwischen sogar in die USA zu exportieren (www.trabocca.com). Die schmale steile Straße hierher zweigt ca. 1 km südöstlich von Mosteiros-Igreja ab. Sie windet sich über 2 km in engen Kurven bis zu einer Wendeplatte, die als Ortszentrum bezeichnet werden kann.

Zu Fuß bergauf

In Pai António beginnt der Aufstieg nach Chã das Caldeiras (s. S. 200). Etwa 4 Std. sollten Sie für die 1300 Höhenmeter einplanen. Es empfiehlt sich, die Wanderung frühmorgens zu beginnen, um den ersten, steileren Teil vor der Mittagshitze zu bewältigen. Vom Einstieg, an den man sich am besten mit dem Taxi fahren lässt, ist der Wegverlauf eindeutig. Er führt anfangs an ausgedehnten Kaffeeplantagen vorbei, die weiter oben auch von Orangenbäumen durchsetzt sind. Auf rund 1100 m wird das Waldgebiet Monte Velha (s. S. 206) erreicht. Dort trifft man auf ein Forsthaus und eine Pflasterstraße, die bis hinauf in die Caldeira führt. Entweder hier oder beim Verlassen der Waldzone, schon am Rand der Caldeira auf einer Höhe von rund 1450 m, wird eine Mautgebühr von ca. 100 ECV pro Person kassiert. Aufgrund des für Mitteleuropäer ungewohnt schwülwarmen Klimas sollten Sie die Tour mit einem Wanderführer unternehmen, der den zeitlichen Überblick hat und geeignete Pausenplätze kennt.

Schlafen

Ordentlicher Klassiker

Christine e Irmãos: Die Pension wirkt von außen unscheinbar, aber hier werden Sie nach alter Manier bewirtet und können in sauberen Zimmern schlafen. Mit Restaurant und Bar, die gerne von Einheimischen aufgesucht wird.
Mosteiros-Igreja, Rua Principal, T 283 10 45, www.pensaochristine.cv, €

In den Tropen

Gira Lua: Das Haus fällt auf, ist es doch eines der wenigen mit Farbe an den Außenwänden. Zudem steht es erhaben auf einem erloschenen Vulkanhügel. Die Zimmer sind ordentlich und geräumig und verhungern müssen Sie auch nicht – im Restaurant bekommen Sie deftige Kost.
Pai António, Monte Barro, T 953 41 45, buchbar über Booking.com, €

Feiern

• **Festa Nossa Senhora de Ajuda:** 15. Aug. Zu Mariä Himmelfahrt wird das örtliche Kirchweihfest begangen, das mit dem Dia do Município (›Gemeindefest‹) zusammenfällt. Kirchlicher und profaner Anlass gehen eine bunte Mischung ein. Neben einer feierlichen Prozession finden Sportveranstaltungen und das Musikfestival Praia/Lantcha mit bekannten in- und ausländischen Gruppen statt.

Infos

• **Transport vor Ort:** Aluguers nach São Filipe fahren frühmorgens, meist über die Nordwestseite. Ansonsten sind Sie auf Taxidienste angewiesen.

Chã das Caldeiras

📍 Karte 3, H 17

In einem Halbkreis begrenzen fast senkrechte Felswände eine Mondlandschaft: Krater, Spalten, aufgetürmtes Geröll, Ascheberge und dazwischen Felder, die Sie nicht als solche erkennen. An der Ostseite ragt der Pico do Fogo auf.

Die Menschen hier oben leben in ständiger Gefahr. Der Vulkan spuckt an seinen Flanken im Schnitt alle 20 Jahre, nur ab Mitte des 19. Jh. gab er Ruhe – bis 1951. Bei einem Ausbruch verlassen die Bewohner der Caldeira ihre Häuser. Sie kehren zurück, wenn die Lava noch nicht mal kalt ist. So war es auch bei den letzten zwei Ausbrüchen 1995 und 2014.

Die Anfahrt, die Spannung

Es dauert, bis Sie oben sind, bis Sie diese gewaltige Bergkulisse umgibt. Für die 30 km von São Filipe in den Kessel auf knapp 1700 m brauchen Sie über 1 Std.

An der Südflanke des Bergmassivs, bei **Achada Furna,** waren schon nach dem Ausbruch 1995 Ersatzhäuser für die Bewohner von Chã das Caldeiras errichtet worden. Sie standen bis Ende 2014 leer, da sich die Schäden in den oberen Dörfern damals in Grenzen hielten. Anfang 2015 mussten viele jedoch hier einziehen – ihre Häuser in der Caldeira waren dem Erdboden gleichgemacht worden.

Von Achada Furna führt eine Asphaltstraße hinauf. Nach den letzten Gebäuden von **Cabeça Funda** folgt eine Spitzkehre. Dann gilt es zu staunen: Links, in Richtung Westen, erhebt sich die **Bordeira,** die Kraterwand. Sie misst 1000 m vom Grund des Kessels. Im Nordosten, halb rechts voraus, ragt der Pico do Fogo auf. Willkommen im **Parque Natural do Fogo!** Das bringt auch ein Schild zum Ausdruck, meist belagert von einer bunten Kinderbande, die ihre selbst gemachten Figuren und Schalen aus Tuff zum Verkauf anpreisen. Genau hier floss übrigens 1951 die Lava zu Tal.

Nur wenig höher, aber höllisch

Am Schild endet der Asphalt. Bis zum letzten Ausbruch 2014 konnte man auf einer Pflasterstraße bis in die Dörfer der Caldeira weiterfahren, doch nun blockieren Gesteinsmassen die Strecke. Nach Portela, dem ersten Dorf in der

EINSTURZ ODER ERDRUTSCH?

E

Lange Zeit vermuteten Geologen, beim **Chã das Caldeiras** handele es sich um einen klassischen Einsturzkrater, also eine *caldera,* wie der aus dem spanischen Wort für ›Kessel‹ abgeleitete geologische Fachbegriff lautet. Namengebend war die Caldera de Taburiente auf der Kanareninsel La Palma, die im 18. Jh. erstmals wissenschaftlich beschrieben wurde. Im Nachhinein stellte sich heraus, dass es sich auf La Palma gar nicht um eine richtige Caldera handelt. Auch Chã das Caldeiras gilt heute nicht mehr als Einsturzkrater. Der Kessel ist vermutlich durch eine Kombination aus Einstürzen und Erosion entstanden.
Eine Caldera setzt eine oberflächennahe Magmakammer voraus. Hat sich diese entleert oder weiter ins Erdinnere zurückgezogen, stürzen die darüberliegenden Berg- und Gesteinsmassen senkrecht in sich zusammen. Neuere Studien haben gezeigt, dass auf Fogo eine solche Magmakammer nie vorhanden war. Die Ausbrüche speisen sich vielmehr aus einem mehr als 15 km unter der Erdoberfläche gelegenen Magmaherd. Untersuchungen des Ausbruchs um 1995 bestätigten diese Theorie. Zudem fehlt an den Flanken des Berges Auswurfmaterial, das zwingend für eine Explosionscaldera wäre. Die Öffnung des Kessels nach Osten – dort wo der Pico do Fogo steht – spricht ebenfalls gegen eine Caldera. Chã das Caldeiras soll demnach durch einen enormen Erdrutsch entstanden sein, der vom Vulkan Monte Amarelo im nordwestlichen Teil der Bordeira ausging. Anschließend hat der Pico do Fogo die entstandene Lücke gefüllt.

Caldeira, führt seitdem eine Piste am Fuß der Bordeira entlang.

Schorfig ist die Erde, aufgerissen. Gelbe Schwefelbrocken liegen um den Spalt, der sich 2014 am westlichen Fuß des Pico do Fogo öffnete (s. S. 202) und flüssiges Gestein in die Dörfer der Caldeira schickte. Es entstand ein kleiner Nebenvulkan, fast an der gleichen Stelle wie 1995. Der **Pico Pequeno** (›kleiner Gipfel‹) von damals existiert nicht mehr, er wird überdeckt vom neuen **Pico do Inferno** (›Höllengipfel‹), mit 2070 m etwa 150 m höher als sein Vorgänger. Immer wieder brechen Brocken ab und stürzen in den Spalt.

Einen ersten Blick auf den Pico do Inferno können Sie vom Ende der Pflasterstraße werfen. Wollen Sie näher ran, bleibt nur ein Fußweg. Von dort, wo die Straße blockiert ist, führen Trittspuren in einem Viertelbogen Richtung Norden. In einer knappen Stunde sind Sie auf dem Sattel, der die Flanke des Pico do Fogo vom Pico do Inferno trennt. Hier ergibt sich ein schaurig-faszinierender Blick in den Höllenschlund zur Linken. Direkt daneben liegt ein älterer Aschetrichter. Geologen rechnen mit einem Durchbruch in absehbarer Zeit, nehmen Sie also sicherheitshalber einen einheimischen Bergführer mit. Um nicht die gleiche Strecke wieder absteigen zu müssen, können Sie auf einem Pfad weiter nach Portela wandern.

Zuversicht nach Zerstörung

In **Portela** bzw. dem, was davon übrig geblieben ist, können Sie die Gewalt der Natur hautnah nachvollziehen: Dächer ragen aus dem kompakten Lavastrom heraus, schwarzes Gestein füllt Fenster- und Türrahmen. Andere Häuser wurden komplett überrollt. Der Ausbruch von 2014 zerstörte die Lebensgrundlage zahlreicher Menschen. Viele Bewohner können den Standort ihrer Häuser nur erahnen, es fehlen die ehemaligen

TOUR
Die Königstour des Archipels

Aufstieg auf den Pico do Fogo

Infos

Start/Ziel: Portela,
📍 Karte 3, H 17

Dauer: 6–7 Std.

Hinweise: Es sind ca.1300 Höhenmeter zu bewältigen. Die Tour verläuft größtenteils auf Asche- und Felswegen, abschnittsweise auch weglos in felsigem Gelände. Ein ortskundiger Bergführer ist empfehlenswert. Bei starkem Wind im oberen Bereich sollte die Tour sicherheitshalber abgebrochen werden.

Wer 2829 m hoch hinaus will, braucht etwas Zeit. Fahren Sie also am besten schon am Vortag nach **Chã das Caldeiras** und quartieren Sie sich in einer der Unterkünfte ein (s. S. 207). Dann können Sie die Vulkanwelt schon mal auf sich wirken lassen, einem frühen Aufbruch am nächsten Morgen steht auch nichts im Weg.

Vom ehemaligen Zentrum von **Portela** führt eine Piste in östlicher Richtung zum eigentlichen Einstieg. Es folgt zunächst ein gemächlicher Anstieg in Serpentinen über Asche- und Lapillifelder. Nach etwa 1.30 Std. und ca. 400 Höhenmetern wird ein Felsgrat mit grobem Geröll erreicht, über das man nun mehr oder weniger in Falllinie weglos Richtung Gipfel steigt. Vorsicht ist geboten, wenn voraussteigende Wanderer Steine lostreten.

1.30 Std. geht es nun in diesem Gelände ca. 500 Höhenmeter hinauf. Wer sich das nicht zutraut, kehrt am besten schon zu Beginn des Geröllgrats um, da sich der Abstieg über diesen recht mühsam gestaltet. Hat man den Grat bewältigt, streift man ein langes, steiles Aschefeld. Bis zum oberen Kraterrand sind es noch ca. 150 Höhenmeter über einen Serpentinenpfad auf losem, grobem Geröll. Am Kraterrand auf 2750 m hat man die Besteigung des **Pico do Fogo** offiziell geschafft. Der eigentliche Gipfel ist ziemlich brüchig, ein Drahtseil sichert den Aufstieg.

Auf mehr oder weniger derselben Route geht es wieder zurück zum Aschefeld. Dann beginnt der eigentliche Spaß: Etwa 800 Höhenmeter lassen sich rutschend, rennend oder hüpfend überwinden. Dabei staubt es gewaltig (elektronische Geräte gut verpacken). In maximal 30 Min. ist man unten, dann folgt ein lockeres Ausgehen auf der Piste bis **Portela**.

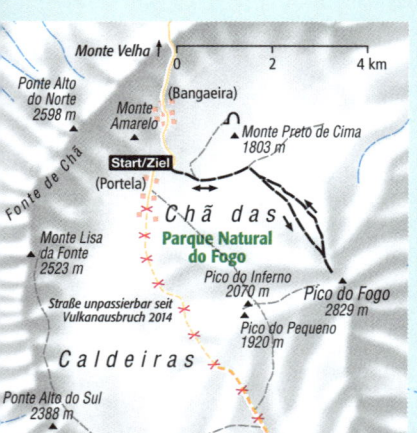

Orientierungspunkte. Portela wurde komplett niedergewalzt, das nördliche, tiefer gelegene **Bangaeira** zum großen Teil. Doch die Bewohner lassen sich nicht unterkriegen. Sie bauen auf, bauen neu und kämpfen um ihre Existenz. Der Tourismus lässt sie hoffen. Schon heute gibt es mehr Unterkünfte als zuvor.

Trittspuren und Pfade durchziehen die erstarrten Lavamassen. Vermehrt werden Hütten in traditioneller Rundbauweise errichtet, sie dürfen ohne Genehmigung gebaut werden. Der Untergrund ist teilweise immer noch so heiß, dass einige Gebäude über eine kostenlose Fußbodenheizung verfügen – im Winter sicherlich angenehm, in den Sommermonaten macht sie das Haus jedoch zur Sauna.

Sie nennen ihn den ›Vulkan‹

Verantwortlich für das Elend zeichnet ein Bilderbuchvulkan, der die Caldeira am Ostrand um 1200 bis 1300 m überragt. Mit 2829 m ist der **Pico do Fogo** nach dem 3718 m hohen Teide auf Teneriffa der zweithöchste Berg im Nordatlantik. Seine regelmäßigen Flanken sind schwarz, bei Wind ziehen feine Aschefahnen um den Berg. Es handelt sich um einen klassischen Schicht- bzw. Stratovulkan. Bei seiner Entstehung wechselten sich Ascheeruptionen und Lavaströme ab und bildeten die Gesteinsschichten, aus denen er besteht. Bis 1750 kamen alle Eruptionen aus dem oberen Krater, seither hat sich die Aktivität auf die Flanken verlagert.

Der letzte Ausbruch

Er begann am 23. November 2014 nach einem Vorrollen. Noch bestand Hoffnung. Explosionen begleiteten den Auswurf von Asche und glühenden Gesteinsbrocken. Insgesamt öffneten sich acht Krater, die sich im weiteren Verlauf der Eruption vereinten. Übrig geblieben ist nur ein Krater, der Pico do Inferno. Nach den ersten Explosionen folgten Lavaströme, die sich nach Süden und Westen ergossen.

CHRONIK DES AUSBRUCHS

Die ausführlichsten Infos zum Ausbruch finden Sie auf www.nosku-nhos.org. Das ist die Website eines gemeinnützigen Vereins aus Vorarlberg, der sich seit Jahren für die Bevölkerung auf Fogo einsetzt. Er unterstützte eine einheimische Familie, damit sie ihre Casa Monte Amarelo an Touristen vermieten kann, und richtete eine Sanitätsstation in der Caldeira ein. Beides liegt nun unter der Lava begraben. Ein neues Gesundheitszentrum ist in Planung, Baubeginn Ende 2018. Ein Rohbau der neuen Casa Monte Amarelo steht schon.

Am 30. November erreichten die glühenden Massen die ersten Häuser von Portela und zerstörten das kurz zuvor eröffnete Besucherzentrum des Naturparks. Die einzige Zufahrtsstraße in den Ort wurde verschüttet. Portelas Bewohner retteten ihr Hab und Gut an die Hänge des Monte Amarelo und schauten machtlos zu, wie ihr bisheriges Leben verschwand. Von der Schule, der Sanitätsstation, der Weinkooperative und anderen Einrichtungen ist am 3. Dezember nichts mehr vorhanden.

Am 7. Dezember rückte das glühende Gestein nach Bangaeira vor. Zahlreiche Filme auf Youtube dokumentieren die Kraft der Lava. Am Ende des Tages lag auch dieser Ort in Schutt und Asche. Die Ausbrüche endeten erst Anfang Februar 2015. Innerhalb von zweieinhalb Monaten hatten die Naturgewalten zwei funktionierende Dörfer zerstört und eine Gemeinschaft von ca. 1000 Einwohnern auseinandergerissen. Das Volumen der ausgeflossenen Lava wird auf 40 Mio. m³ geschätzt. Teilweise stieg die Rauchfahne 6000 m hoch auf.

TOUR
Die Caldeira ist mehr als nur der Berg

Ausflug mit Klettereinlagen in die Unterwelt und französischer Küche

6.45 Uhr. Es ist kalt. Meine Hände sind klamm. Dabei bin ich noch nicht mal an der frischen Luft, sondern in einer netten Unterkunft – die aber steht in **Portela** hoch oben in der Caldeira. Die Temperatur erinnert mich an einen mitteleuropäischen Wintertag. Nebel zieht von Norden in den Kessel und legt sich wie Watte über die Asche. Die Sonne versteckt sich hinter dem Pico do Fogo. Über allem erhebt sich im Westen die Wand der Bordeira, deren höchste Gipfel im Licht der aufgehenden Sonne orange erstrahlen. Hunde jaulen, Esel schreien, Hähne krähen. Ich sehe die Bewohner auf ihre Felder ziehen.

Um 7.30 Uhr wird das Frühstück aufgetischt: getoastetes Brot, fladenförmiger Ziegenkäse, selbst gemachte Marmelade, ein zuckriger Saft, den wir aus Anstand trinken, und Kaffee aus Mosteiros. Danach noch eine Banane als Energieriegel. Laetitia, die Hausherrin der **Casa Alcindo**, wurschtelt in der Küche. Nun heißt es warten auf Pirinha. Er ist einer der Brüder von Laetitias Mann Alcindo (der 15 Geschwister hat!) und unser Guide zur Gruta do Monte Preto. Superpünktlich steht er um 8.30 Uhr in der Tür und fragt in die Kälte, ob alles ok ist. Na klar!

Wir ziehen los. Unter unseren Füßen knirscht die Asche wie kalter Schnee. Schon nach wenigen Metern hält Pirinha an und zeigt uns die erste endemische Pflanze: eine kleine Version der

> Gehen Sie auf keinen Fall ohne kundigen Führer in die Höhle: Wenn Ihnen dort unten etwas passiert, haben Sie ein richtig großes Problem – es kann sein, dass tagelang niemand vorbeikommt.

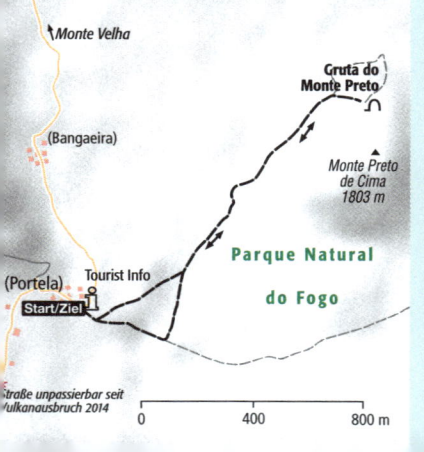

Monte Velha

Gruta do
Monte Preto

(Bangaeira)

Monte Preto
de Cima
1803 m

**Parque Natural
do Fogo**

(Portela)   Tourist Info

Start/Ziel

Straße unpassierbar seit
Vulkanausbruch 2014

0   400   800 m

Infos

Start/Ziel:
Portela,
📍 Karte 3, H 17

Dauer:
ca. 2 Std.

Hinweise:
Die Tour kann u. a.
über die Casa
Alcindo (s. S. 207)
organisiert werden
und kostet ca.
25 €/Pers. Bis auf
die Kletterei in der
Höhle gibt es keine
Schwierigkeiten zu
bewältigen.

Königskerze namens Verbasco, die nur in der Caldeira vorkommt. Unscheinbar steht sie in der schwarzen Asche. Kurz darauf wandern wir durch **Obstplantagen,** die auf den ersten Blick gar nicht als solche erkennbar sind. Doch bei den hüfthohen Sträuchern handelt es sich tatsächlich um Quitten- und (Granat-) Apfelbäume.

Schon 15 Min. nach unserem Aufbruch steigen wir in den Lavastrom von 1951 ein. Der Ausbruch damals soll laut Pirinha über drei Jahre gedauert haben, doch die Zerstörungen hielten sich in Grenzen. Etwa eine halbe Stunde lang geht es nun auf dem schwarzen Gestein locker und leicht dahin. Dann erreichen wir drei kleine ehemalige **Vulkanschlote.** Sie erinnern an große Termitenhügel und können bestiegen werden. Gleich nebenan öffnet sich die Erde. Blanker Stahl blitzt uns entgegen. Eine solide Drahtseilleiter führt in die Tiefe.

Die **Gruta do Monte Preto** (auch Braku Monte Pretu) wurde unter Leitung von Mustafa Eren (s. S. 207) erschlossen. Für erfahrene Klettersteiggeher ist die Leiter ein Klacks. Sie ist stabil verankert und pendelt nicht. Allerdings geht es senkrecht runter. An einer Stelle beult sich der Fels so aus, dass der Fuß nicht ganz auf die Sprosse passt. Ängstliche Gemüter kommen an ihre Grenze. Unten ist es dunkel. Scharfe Kanten gefährden den Schädel, einige Durchgänge können nur im Kriechgang durchquert werden. Man kommt nicht wirklich weit in der Höhle, aber das kurze erschlossene Stück ist die Expedition in die Unterwelt wert. Über die Leiter kraxeln wir wieder heraus aus dem düsteren Loch. Dieses Mal bin ich so schlau und verstaue meinen Fotoapparat im Rucksack. Den Abstieg habe ich etwas überheblich mit um den Hals baumelnder Kamera angetreten und bei jedem Schritt befürchtet, sie könne an der Felswand zerschellen. Erfahrung macht eben manchmal doch klug.

Am Abend serviert uns Laetitia eine Quiche und Fisch in Sahnesoße mit karamellisierten Orangenschalen. Den Reis hat sie mit Thymian aromatisiert. Laetitia nennt es bescheiden eine Eigenkreation mit einfachen Mitteln. Die Caldera ist eben mehr als nur der Berg.

So schnell kommt man sonst selten von einem Gipfel wieder runter – den Pico do Fogo kann man einfach abwärts rennen – ein ordentliches Staub-Asche-Bad muss dafür allerdings in Kauf genommen werden.

Immer am Abgrund lang

Die Bordeira, also die Kraterwand, fällt extrem steil zum Inneren des Kessels hin ab. An der Außenflanke, die im Wesentlichen Richtung Westen orientiert ist, sind die Abhänge zwar etwas flacher, doch die Wanderung über den Kamm der Bordeira bleibt recht abenteuerlich und ist geübten Alpinisten vorbehalten. Die Bergführer der Caldeira sicherten den Weg unter Anleitung des Bauingenieurs und Sportkletteres Mustafa Eren, der mit seiner kapverdischen Frau die Unterkunft Casa Marisa II (s. S. 207) betreibt und auch Guides für die Tour vermittelt. Eine erste Tagesetappe führt in der Regel von **Fernão Gomes,** dem oberen Eingang zum Monte Velha (s. rechts), bis zum **Ponte Alto do Sul.** Am zweiten Tag geht es auf dem Südteil der Bordeira weiter bis in das Gebiet von **Cova Tina.**

Wanderung durch einen Wald

Nördlich des ehemaligen Dorfes Bangaeira fällt das Gelände steil bis zur Nordküste bei Mosteiros ab. Aufgrund der stetigen Nordostwinde bilden sich hier regelmäßig Wolken. In dieser feuchten Zone wurden Eukalypten, Akazien, Zypressen und Kiefern gepflanzt – und siehe da: Es entstand ein Waldgebiet. **Monte Velha** (›alter Berg‹) heißt es und gehört zum Parque Natural do Fogo. Vom letzten Vulkanausbruch blieb es verschont, sodass sich hier ein erstaunlich grünes Fogo präsentiert, in dem auch zahlreiche endemische Kräuter und Sträucher zu finden sind (allerdings zerstörte ein Waldbrand nach dem Ausbruch ca. 800 ha).

Von Chã das Caldeiras führt eine alte Pflasterstraße bis zu einem ca. 250 m tiefer gelegenen Forsthaus mit Sitzgelegenheiten für ein Picknick. Das Betreten des Waldes ist gebührenpflichtig (100 ECV). Die

Maut wird normalerweise an einem Wär-
terhäuschen mit Schranke beim Verlassen
der Caldeira kassiert. Vom Monte Velha
kann man auch bis Pai António in der Gemeinde Mosteiros absteigen (s. S. 199).

Schlafen

Erstes Haus am Platz

Casa Marisa 2.0: Marisa und ihr Mann
Mustafa Eren verloren beim letzten Vulkanausbruch alles. Sie hatten zwei gut funktionierende Unterkünfte. 2015 konnten sie
nach harter Arbeit ihr neues Hotel eröffnen.
Besonderer Beliebtheit erfreuen sich die
12 Funkus – Rundhütten im traditionellen Stil, die komfortabel und mit privatem
Badezimmer ausgestattet wurden. Die
›normalen‹ Zimmer verteilen sich um einen
Innenhof des Haupthauses, in einem Flü-
gel liegen die Küche und das Restaurant.
Marisa hat bei einem französischen Koch
gelernt – Sie werden es merken! Mustafa
vermittelt Berg- und Kletterführer.
Portela, am Fuß des Monte Amarelo, T 976 23
33, buchbar über Booking.com, €€

Wanderherberge

Casa Fernando: Fernando ist altge-
dienter Bergführer. Seine einfachen, aber
sauberen Zimmer gruppieren sich um einen Innenhof. Die Einrichtung ist schlicht.
Es gibt nur Gemeinschaftsduschen und
-toiletten. Die Verpflegung ist deftig und
reichhaltig. Den Kaffee bereitet seine Frau
Rita zu (s. S. 219).
Bangaeira, am nördlichen Ortsausgang,
T 986 35 40, €

Beim Bergführer

Casa Lavra: Cicilio Montrond ist auf dem
Berg zu Hause. Im ehemaligen Zentrum
von Portela vermietet er vier saubere Zimmer. Seine Frau Helena Fernandes ver-
wöhnt Sie mit guter Küche, sie ist ausge-
bildete Köchin.
Portela, T 988 21 27, 977 11 90, €

Entstanden mit viel Schweiß

Casa Alcindo: Alcindo baute nach dem
Vulkanausbruch von 2014 das ganze Haus
neu, fast alleine. Er vermietet neun Zimmer
mit Bad. In einem Rundbau hat er das Restaurant untergebracht, wo Sie den ganzen
Tag essen können. Die Stromversorgung
ist durch Solarpaneelen gesichert. Alcindo
ist versierter Bergführer, seine Frau Laetitia
(s. S. 205) kocht französisch.
Portela, T 992 14 09, buchbar über Booking.
com, €

Essen

Reine Restaurants gibt es nicht. Am ehesten ist die Casa Marisa 2.0 auf externe
Gäste eingerichtet. Hier wird auch schon
mal ein Sonntagsbrunch organisiert, wobei die Benutzung des Hotelpools im Preis
inbegriffen ist.

Bewegen

Pico do Fogo, Pico do Inferno und die
Bordeira sind Ziele für Wanderer, Berg-
steiger und Kletterer. Viele Bergführer
sind in der Associação Guias Turisticas
Chã das Caldeiras organisiert. Jede
Unterkunft kann zuverlässige Führer
vermitteln. Mustafa Eren von der Casa
Marisa 2.0 ist in der Kletterszene eine
bekannte Größe.

Ausgehen

Oft kommt es zu spontanen Sessions
örtlicher Musiker.

Infos

- **Transport vor Ort:** Aluguers fahren frühmorgens nach São Filipe und am Nachmittag wieder zurück.

Brava – es grünt und blüht hier so schön

Sie ist die Insel des Hibiskus, der Bougainvillea und der Jacarandabäume. Überall auf Brava blüht es und für kapverdische Verhältnisse präsentiert sich die Landschaft außergewöhnlich grün. So erklärt sich auch der Beiname: Ilha das Flores – ›Blumeninsel‹.

Brava liegt im Abseits und wird selten besucht. Nur mit dem Schiff ist die Insel erreichbar. Auch organisierte Touren dorthin gibt es bislang nur wenige. So ist Brava den Individualisten vorbehalten. Speziell auf Wanderer übt die gebirgige Insel einen großen Reiz aus, aber auch auf Ruhesuchende. In erster Linie also auf Menschen, die Ursprünglichkeit zu schätzen wissen.

Erster Anlaufpunkt ist der Hafenort Furna. Dort ist allerdings recht wenig los, zu besichtigen gibt es auch nichts, daher fahren die meisten gleich weiter nach Nova Sintra. In Bravas Hauptstadt geht es beschaulich zu. Nova Sintra liegt auf ca. 500 m und ist die kühlste Inselhauptstadt der Kapverden. Besonders wenn Sie von São Filipe oder Santiago kommen, werden Sie die angenehme Temperatur zu schätzen wissen.

Im Inselinneren gibt es lediglich kleine Dörfer, deren Bewohner mehr

ORIENTIERUNG

Infos: www.brava.news (Aktuelles zu Brava, aber nur auf Portugiesisch).
Transport: CV Interilhas (www.cvinterilhas.cv) bietet alle 1 bis 2 Tage Fährverbindungen zwischen Brava, Fogo und Santiago. Der Aluguerverkehr auf der Insel ist eingeschränkt. Bei Ankunft der Fähre stehen sie am Hafen bereit. Bei Abfahrt kreuzen sie hupend durch Nova Sintra, um Passagiere aufzusammeln. Mietwagen gibt es keine.
Planung: Die meisten Unterkünfte befinden sich in Nova Sintra. Wenn die Fähre erst am späten Abend oder nachts ankommt, sollten Sie zumindest die erste Unterkunft vorbuchen. Sonst kann es passieren, dass Sie vor verschlossenen Türen stehen.

schlecht als recht von der Landwirtschaft leben. Emigration, die Suche nach Wohlstand in Übersee, war auf Brava schon immer ein großes Thema. Tropisches Flair mit Bananenstauden und Kokospalmen erwartet Sie in Fajã d'Água an der Westküste. Das war's dann auch schon mit nennenswerten Orten auf Brava, der kleinsten aller bewohnten Inseln der Kapverden.

Furna ♀ **Karte 3, F 17**

Wer nach Brava reist, landet unweiger-lich in **Furna.** Hier, im Nordosten der Insel, legen die Fähren an. Der Hafen wurde in einem vom Meer überflute-ten Vulkankrater angelegt und ist nach drei Seiten hin von hohen Felswänden geschützt.

Seit 1843 besitzt der Ort eine Hafen-anlage. Damals exportierte man Pur-giernüsse (für Lampenöl und Schmier-mittel), Ziegenleder und Kaffee. Der aktuelle Kai wurde aber erst im Jahr 2000 eingeweiht. Außerhalb des umzäunten Geländes für die Fähren und Fracht-schiffe ziehen die Fischer ihre kleinen Boote auf einem Slip an Land, andere lassen sie in der geschützten Bucht vor Anker liegen.

In dem 600-Seelen-Ort gibt es eine einfache Bar, die vorwiegend von Fi-schern und Seeleuten bevölkert wird. Furna ist für Touristen nicht mehr als eine Durchgangsstation, länger aufhalten tut sich hier niemand. Auf einer Felsklip-pe am Südrand der Siedlung thront die im Art-déco-Stil der 1930er-Jahre er-richtete **Igreja de Nossa Senhora dos Navegantes.**

Infos

● **Fähre:** Eine Schnellfähre (www.cvinter ilhas.cv) verbindet Brava tgl. mit Fogo (50 Min.), von dort Weiterfahrt nach Santiago (5 Std.). Bei Ankunft der Fähren stehen Aluguers für den Transport nach Nova Sintra bereit. Alle anderen Inselorte werden nur von dort bedient – und auch nur sporadisch.

Früh übt sich … Fußball ist natürlich auch auf den Kapverden angesagt. Und auch in Form von Tischfußball. Solche Geräte finden sich häufig auf öffentlichen Plätzen und werden viel genutzt.

TOUR
João d'Nole und Mato Grande – hübsch und aussichtsreich

Spaziergang in die Dörfer oberhalb von Nova Sintra

Infos

Start/Ziel:
Nova Sintra,
📍 Karte 3, F 17

Hinweise:
Wanderung auf
guten Wegen, teils
auf wenig befahrenen
Pflasterstraßen. Mit
Zwischenan- und
-abstiegen werden
insgesamt ca.
300 Höhenmeter
überwunden.

Eher ein gemütlicher Spaziergang als eine Wanderung führt in zwei Bergdörfer bei Nova Sintra. Das eine, João d'Nole (auch João da Noly), zählt gerade mal etwas über 60 Einwohner und ist ziemlich hübsch. Gassen durchziehen den Ort, flankiert von gepflegten Häusern mit üppigen Obst- und Gemüsegärten. Das andere, Mato Grande, ist etwas größer und nicht ganz so malerisch, gewährt aber dafür einen grandiosen Blick auf die Insel Fogo.

Vom zentralen Platz in **Nova Sintra** spazieren Sie zunächst nach Süden und passieren das örtliche Dieselkraftwerk sowie die nicht mehr genutzte Markthalle. An der nächsten Dorfstraße geht es rechts bis zu einer Gabelung vor einem Sobrado. Links sehen Sie bereits den Pflasterweg, der in ca. 15 Min. nach **João d'Nole** hinaufführt. Am dortigen Dorfbrunnen treffen Sie auf die Zufahrtsstraße in den Ort. Hier wenden Sie sich nach links. Sie durchqueren fünf Täler und erreichen die Straße ins 700 m hoch gelegene **Mato Grande**, das Sie nach weiteren rund 30 Min. erreichen. Hier ist eine Pause am **Aussichtspunkt** angesagt.

Zurück gehen Sie entweder denselben Weg oder Sie verlängern auf der Straße. Dazu spazieren Sie auf der Zufahrtsstraße nach Mato Grande bis zur Abzweigung nach João d'Nole. Am Dorfbrunnen steigen Sie dann auf bekanntem Weg nach **Nova Sintra** ab (ca. 1 Std.).

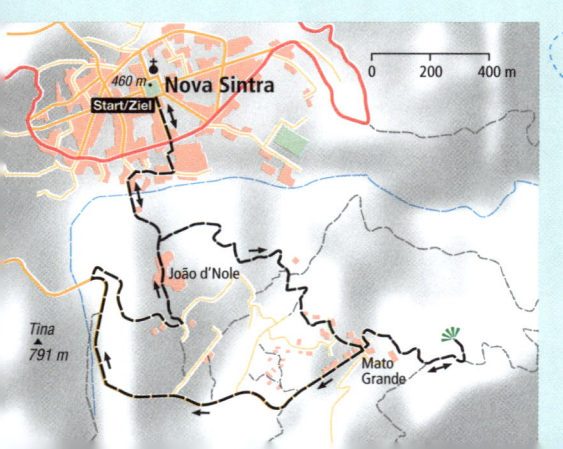

Nova Sintra

📍 **Karte 3, F 17**

Angenehm kühl, aber auch feucht ist es meist in **Nova Sintra.** Rund 1500 Einwohner leben in diesem Dorf, das sich tatsächlich Cidade (Großstadt?!) nennt, sozusagen die Inselmetropole ist. Im 18. und 19. Jh. war dies im Sommer der bevorzugte Aufenthaltsort für Adelige und Kolonialbeamte aus Santiago, die dem dortigen heißen Klima entflohen und es sich hier auf 500 m Höhe gut gehen ließen. Nicht von ungefähr stand Sintra, die ehemalige königlich-portugiesische Sommerresidenz bei Lissabon, für den Ortsnamen Pate. Etwas gediegener, aber immer noch beschaulich ist die Atmosphäre heutzutage. Man bummelt durch die Kopfsteinpflastergassen, guckt hier, guckt da, bestaunt die allgegenwärtigen Hibiskushecken, landet irgendwann auf der zentralen Praça Eugénio Tavares (s. unten) und setzt sich dort am besten in die Esplanada Sodadi (s. S. 213), um das Geschehen zu beobachten.

Zentraler Treff der wenigen

Aus allen vier Himmelsrichtungen laufen breite Straßen im rechten Winkel auf die **Praça Eugénio Tavares** zu, das Zentrum des Schachbretts (s. Kasten). 2015 erhielt der Platz ein Pflastermosaik, das die Symbole der Insel zeigt: Eine Karavelle steht für die Zeit der Entdeckungsfahrten, eine Hibiskusblüte für den Titel ›Blumeninsel‹, ein Wal symbolisiert die Emigration der Fischer, die auf amerikanischen Walfängern ihr Glück versuchten, und eine Note erinnert an den Morna-Dichter Eugénio Tavares (s. unten).

Komischerweise steht in Nova Sintra die **Igreja do Nazareno** (›Nazarenerkirche‹) direkt am Platz und die katholische **Igreja São João Baptista** am Ostrand

STADTPLANUNG DER PORTUGIESEN

Während der portugiesischen Barockzeit im späten 17. Jh. war es üblich, neu gegründete Städte in einem **Schachbrettmuster** anzulegen. Das ist in Nova Sintra deutlich zu erkennen. Brava wurde erst ab 1680 besiedelt.

der Stadt. Unweit davon befindet sich ein **Aussichtspunkt,** von dem sich ein prächtiger Blick bis zur Küste bietet.

Ein steinernes Schiff

Am östlichen Ortseingang, wenn man von Furna kommt, steht das **Barco de Santa Maria.** Es ist der steinerne Nachbau der Karavelle, mit der Kolumbus in die neue Welt aufgebrochen ist. Ähnliche Objekte begegnen Ihnen auch andernorts auf der Insel, z. B. in Fajã d'Água. Sie spielen beim Johannisfest (s. S. 214) eine wichtige Rolle. Das Schiff ›gehört‹ der Jungfrau Maria. Bei den europäischen Kelten war das Boot Attribut der Muttergottes. Dieser Glaube floss in die christliche Marienverehrung ein und wurde im Zeitalter der Entdeckungsfahrten weit über den Atlantik getragen. So spielt auch auf der Kanareninsel La Palma ein steinernes Schiff bis heute bei einem Marienfest mit.

Von Melancholie und Sehnsucht

Berühmtester Sohn der Stadt ist Eugénio Tavares (1867–1930). Der Tausendsassa dichtete und schriftstellerte nicht nur, sondern komponierte auch einige der bekanntesten Mornas (s. S. 285). Anfang des 20. Jh. war er ein wichtiger Kulturvermittler der Kapverden, doch sein Einfluss, auch als Menschenrechtler, reicht bis in die Gegenwart.

Als er noch in der Rua da Cultura wohnte, saß er nachmittags gerne in seinem mit Rosen bepflanzten Vorgarten und plauderte mit den Passanten. Das Haus wurde nach dem Tod von Tavares' Witwe verkauft und ging später in die Hände eines auf Brava ansässigen Deutschen über, der es schließlich der Stadtverwaltung überließ, zu dem Zweck, hier ein Museum einzurichten. In der **Casa Museu Eugénio Tavares** können Sie wertvolle Möbel und Einrichtungsgegenstände sehen, die Tavares anlässlich seiner Hochzeit geschenkt bekommen hat.

Rua da Cultura, am südwestlichen Ortsrand, www.eugeniotavares.org, tgl. ab 9 Uhr, Eintritt frei

Schlafen

Im renovierten Kolonialhaus
Nova Sintra: Sie wohnen in einem renovierten Haus aus der Kolonialzeit. Einige Zimmer der Pousada sind recht klein, aber hell und luftig. Das Frühstück wird im Hotel Cruz Grande serviert (s. unten). Im Haus gibt es WLAN, die Betreiber bieten einen Transferservice zum Hafen an.

Rua Direita 1, T 262 04 44, buchbar über Booking.com, €

Erstes Haus am Platz
Cruz Grande: Das Hotel ist recht neu, das Team zuvorkommend. Einige der unterschiedlich großen Zimmer haben eine eigene Terrasse. Im Haus gibt es ein Restaurant und Sie können Fahrräder mieten. Das Hotel liegt am Ortseingang, der zentrale Platz ist ca. 500 m entfernt.

Rua Principal 1, T 261 96 50, buchbar über Booking.com, €€

Italienisches Ambiente
Djabraba's Eco-Lodge: Sie wohnen im mediterranen Stil am Nordostrand der Stadt. Die geräumigen Zimmer sind mit natürlichen Materialien eingerichtet und verteilen sich über zwei Stockwerke. Wer

gerne so richtig großzügig urlaubt, kann eine der Suiten buchen, die unwesentlich teurer sind. Abendessen wird angeboten, sollte aber vorbestellt werden. Der Hausherr schickt seine Gäste auch gern zum Essen ins Zentrum – nicht, weil er keine Lust zu kochen hätte, sondern damit die kleinen Lokale in der Stadt auch ein Stück vom Tourismuskuchen abbekommen.

Cruz Grande, beim Steinschiff die Stichstraße rein, T 979 49 34, bei Facebook, €

Essen

In fast allen Restaurants ist es sicherer, sein Kommen ein paar Stunden vorher anzukündigen – sonst gibt es oft nichts oder es dauert ewig, bis das Essen auf dem Tisch steht.

Gepflegt & gut
O Castelo: Mittags essen hier die Beamten von Nova Sintra. Die Auswahl ist nicht besonders groß, aber die Qualität stimmt.

An der nördlichen Straße, T 285 23 14, Mo–Sa, €

Sie werden satt
Luanda: Die Atmosphäre ist familiär, auf den Tisch kommt solide kapverdische und portugiesische Küche, die Portionen sind groß. Was es gibt, steht auf einer Tafel vor der Tür.

Am Ortseingang von Furna kommend erste Straße links, T 285 16 66, Öffnungszeiten nach Bedarf, €

Hier kriegen Sie (fast) immer was
Cruz Grande: Das Hotelrestaurant ist auch auf externe Gäste eingestellt. Wenn Sie vergessen haben, eine Mahlzeit vorzubestellen, bekommen Sie hier am ehesten was. Der Preis liegt etwas über dem Ortsniveau.

Im gleichnamigen Hotel, s. links, tgl. geöffnet, €€

Der große Sprung nach vorn im Leben will geübt sein. Mit Mut, Selbstvertrauen, Überwindung von Hindernissen. Immerhin fehlt es kapverdischen Kindern nicht am Raum für waghalsige Experimente.

Treffpunkt

Esplanada Sodadi: Hier trifft man sich, um zu sehen, wie alles so läuft bzw. nicht läuft im Örtchen. Es gibt eine kleine Auswahl an Tagesgerichten.

Praça Eugénio Tavares, tgl. durchgehend, So nur nachmittags und abends, €

Einkaufen

Geschäfte für den täglichen Bedarf gibt es auf der Insel nur in Nova Sintra. Sie verteilen sich in den Straßen um den Hauptplatz.

Bewegen

Das Hotel Cruz Grande vermietet Fahrräder. Transfers von und zu Wanderungen kann Ihnen jeder Vermieter organisieren.

Feiern

● **Festa de Santa Cruz:** 3. Mai. Das ›Fest des hl. Kreuzes‹ wird in Nova Sintra besonders inbrünstig gefeiert.

● **Festa de Coroa de Espírito Santo:** Pfingstsonntag. Beim ›Fest der Krone des Heiligen Geistes‹ handelt es sich um das Relikt eines mittelalterlichen Kultes, der von der katholischen Kirche in Portugal jahrhundertelang bekämpft wurde, weil er als Ketzerei galt. Sein Ziel war es, die Berufspriesterschaft abzuschaffen. Stattdessen wollte man Laienpriester einsetzen, die jeweils nur für ein Jahr gewählt werden sollten und Männer oder Frauen sein konnten. Ursprünglich stand eine Armenspeisung im Mittelpunkt der Feierlichkeiten, heute wird ein großes Festessen für alle ausgerichtet.

Sehr blumig ist Brava, vor allem der Hibiskus sprießt fast überall und dient gerne auch als blühende Hecke.

• **Festa de São João (Nhô Sanjon):** 23./24. Juni. Johannes der Täufer ist der Ortspatron von Nova Sintra. Am 23. Juni zieht eine Prozession unter Führung eines Reiters zur Pfarrkirche. Im Mittelpunkt des Johannisfestes am 24. Juni steht das Barco de Santa Maria (s. S. 211). Frauen tragen in Körben Brotzöpfe, Kuchen, Früchte und Blumen herbei. Damit werden die niedergelegten Holzmasten feierlich geschmückt und dann aufgestellt. Dazu tanzen alle die Colá, einen fröhlichen Tanz. Anschließend dürfen die Masten von den Kindern geplündert werden.

Ein anderer Brauch steht in Verbindung mit der Seefahrt, zu der die Bewohner von Brava eine enge Beziehung haben. Amerikanische Walfangboote warben hier früher ihre Mannschaften an. Viele Insulaner wanderten per Schiff in die Vereinigten Staaten von Amerika aus. Beim Johannisfest verkleiden sich die Gemeindemitglieder als Seemänner, Kapitäne und Schiffsköche und stellen schicksalhafte Ereignisse nach, die

sich auf hoher See ereignet haben. Dann wird mit Musik und Tanz ausgelassen gefeiert. In ähnlicher Form kann man dieses Fest in verschiedenen Inselorten erleben, auch zu anderen Terminen, speziell an Juliwochenenden. Viele Emigranten reisen speziell zu diesen Ereignissen an.

Infos

• **Transport vor Ort:** Aluguers kreisen, v. a. ca. 2 Std. vor Abfahrt der Schnellfähre, auf der Suche nach Fahrgästen um die zentrale Praça Eugénio Tavares und durch die angrenzenden Straßen. Sporadisch werden Cova Joana, Nossa Senhora do Monte und Fajã d'Água angefahren. Die Aluguerfahrer bieten auch Taxidienste an, eine Inselrundfahrt von ca. 4–5 Std. auf allen befahrbaren Straßen der Insel kostet mit Stopps ca. 6000 ECV.

Die übrige Insel

Fonte de Vinagre
♀ Karte 3, F 17

Besser nicht trinken!
Wenn Wasser so sauer wie von der **Fonte de Vinagre** schmeckt, braucht man sich nicht zu wundern, wie es zu diesem Namen kam: ›Essigquelle‹. Aber schön ist's drum herum! Grün und mit vielen hohen Bäumen. Die Zeiten, als das Nass kräftig sprudelte, sind jedoch vorbei. Im 19. Jh. kamen Menschen mit den verschiedensten Krankheiten hierher, um in dem fluor- und karbonhaltigen Wasser zu baden. Das kompakte, fast würfelförmige Badehaus aus dieser Zeit bröckelt nun vor sich hin. Zu sehen sind noch Männerköpfe aus

Terrakotta, alle mit weit aufgerissenem Mund, die die vier Ecken des Ziegeldachs schmücken. Einheimische erzählen, es handele sich um Darstellungen eines populären Sängers namens Fonseca, der stets Durst hatte. Vom Badehaus ging einst ein ausgeklügeltes Bewässerungssystem aus, dessen *levadas* (Wasserrinnen) die umgebenden Terrassenfelder mit dem sauren Nass versorgten.

Etwa 100 m unterhalb des Badehauses liegt eine Wasserzapfstelle, wo die Einheimischen ihr Wasser holen. Früher meinte man, es sei der Gesundheit zuträglich, heute soll es für schlechte Zähne verantwortlich sein …

Die Fonte de Vinagre liegt südlich des Dorfes **Santa Bárbara** (dorthin mit dem Aluguer). Von der kleinen Kapelle im Ort führt eine Pflasterstraße nach Süden ins Tal. Sie endet direkt am ehemaligen Badehaus. Bis hinunter sind es knapp 1,5 km und nicht ganz 200 Höhenmeter. Sie können auch schon von Nova Sintra nach Santa Bárbara laufen, auf der alten Straße benötigen Sie dafür etwa 15 Min. Dazu gehen Sie vom Steinschiff am östlichen Ortseingang von Nova Sintra auf der steilen Pflasterstraße abwärts. Sie schneidet eine weite Kurve der neuen Straße ab und überquert sie. Nach einigen Kurven gelangen Sie nach Santa Bárbara.

Fajã d'Água   ♀ Karte 3, F 17

Ein bisschen karibisches Flair

Der Weiler Fajã d'Água liegt in einer der schönsten Buchten der Insel. Die beste Art, hierher zu gelangen: wie die Einheimischen, zu Fuß (s. S. 216). Aber auch eine Fahrt über die kurvenreiche schmale Straße beeindruckt. Dazu fahren Sie von Nova Sintra zunächst einmal auf der Hauptstraße nach Westen. In **Cova Rodela**, dem nächsten Ort, steht an der Hauptstraße ein riesiges, überaus fotogenes Exemplar eines Drachenbaumes. Hinter dem Dorf folgt die zentrale Straßengabelung im Hochland von Brava, wo es nach Fajã d'Água hinuntergeht. Die Nordwestseite der Insel, an der sich die Straße abwärts windet, ist steil und extrem zerfurcht. Weiter unten wird die Landschaft sehr trocken und einsam. Die Straße zerschneidet hier wie ein Hohlweg mächtige Schichten vulkanischen Tuffs.

Fajã d'Água breitet sich beiderseits der Mündung der **Ribeira do Fajã d'Água**

DER UNTERGANG DER MATILDE

Am Nordrand von Fajã d'Água erhebt sich eine kleine pastellfarbene Kirche, gegenüber liegt ein Park mit niedrigen Palmen. Dort wurde 1993 aus Basaltgestein das **Monumento aos Emigrantes** (›Emigrantendenkmal‹) errichtet. Es erinnert an den Untergang des Segelschiffs Matilde im Jahr 1943. Bei der Katastrophe ertranken 51 Männer, fast alle Familien auf Brava verloren bei diesem Unglück einen oder mehrere Verwandte. Thematisiert wurde das Trauma in der Morna »Valsa do Matilde«. Bei den Passagieren handelte es sich um Emigranten auf Heimatbesuch sowie um Jugendliche, die dem damals auf Brava herrschenden Hunger entfliehen wollten. Als Folge des Zweiten Weltkriegs waren 1943 die Schiffsverbindungen unterbrochen. Die Gruppe charterte das marode Boot und bezahlte die notwendigen Reparaturen. Doch die Matilde war wohl nur notdürftig hergerichtet worden und reichlich überladen. Sie lief am 21. August 1943 aus Fajã d'Água aus und geriet wahrscheinlich bei den Bermudas in einen Hurrikan.

mitten in der Bucht aus. Sie hat die Form eines gleichmäßigen Halbrunds, steil ragen die Berge im Hintergrund auf. An den unteren Ausläufern wachsen tropische Früchte. Die wenigen Häuser von Fajã d'Água verteilen sich entlang der Uferstraße, Kokospalmen sorgen für viel Flair.

Bis 1843 befand sich in der Bucht der Haupthafen von Brava. Vor dem Strand ankerten im 18. und 19. Jh. die amerikanischen Walfangboote, deren Mannschaften sich hier mit Trinkwasser und Proviant versorgten. Viele Männer Bravas heuerten auf den Walfängern an. Sie dienten vielen Bewohnern Bravas als Sprungbrett für die Emigration in die USA.

Wanderung in die Tropen

Ein idyllischer Pflasterweg mit wunderschönen Ausblicken erschließt das Tal der Ribeira do Fajã d'Água, das allein Fußgängern vorbehalten ist. Die Tour setzt gutes Schuhwerk und Trittsicherheit voraus.

Der Ausgangspunkt der Wanderung liegt in den Bergen knapp 200 m nordwestlich der Straßenabzweigung nach Fajã d'Água. Aus Nova Sintra kommend biegt in einer Linkskurve ein breiter Weg nach unten ab. Nach wenigen Metern treffen Sie auf einen Weg, der sich steil und in Serpentinen hinabschlängelt. Auf dem südlich gelegenen Bergrücken können Sie einen weiteren alten Weg erkennen, der von **Nossa Senhora do Monte** herunterkommt. Etwa 200 Höhenmeter tiefer vereinen sich die beiden Wege.

Steigen Sie nun stets abwärts. Etwa 1 Std. später passieren Sie den Weiler **Lavadura**, halten Sie sich weiter bergab. Nach einem steilen Abstieg auf einem gepflasterten Sepentinenweg queren Sie auf einer breiten Staustufe einen Talgrund und steigen dann leicht bergan zu einer zweiten Staumauer. Dahinter geht es rechts weiter zu den Häusern des Weilers **Lagoa.** Ein Pflasterweg führt durch die Ansiedlung. Dahinter führen wieder steile Serpentinen in ein Seitental. Folgen Sie dort einer Bewässerungsrinne bis zu einem Wasserbecken. Kurz darauf steigen Sie links ins Haupttal von Fajã d'Água ab. Rechnen Sie mit einer Gehzeit von insgesamt 1.30–2 Std. Für die Rückfahrt sollten Sie mit einem Aluguerfahrer einen Zeitpunkt vereinbaren, wann er Sie in Fajã d'Água abholt, Sammeltransfers sind selten.

Flughafen ohne Flugzeuge

An der **Ponta Espradinha** etwa 1 km südwestlich von Fajã d'Água endet die Straße am geschlossenen Flughafen. Dieser wirkt recht trostlos und lohnt eigentlich nur der Kuriosität halber den Abstecher. Er war von der Bevölkerung lange erhofft, mit deutscher Entwicklungshilfe gebaut und am Johannistag 1992 mit großem Hallo eröffnet worden. Doch wegen des häufig sehr starken Windes hat die ehemalige kapverdische Airline TACV schon vor vielen Jahren ihre Flüge nach Brava eingestellt. Bestfly, die die Inlandsflüge inzwischen übernommen hat, fliegt ihn auch nicht an.

Wanderung durch das Tal der Ribeira do Fajã d'Água

Piscinas Naturais sind die besseren Badeanstalten. Wenn die Wellen keine Waschmaschine daraus machen. Das Wasser ist zwar salzig, wird aber regelmäßig vom Meer ausgetauscht.

Swimmingpool(s) im Meer

Kurz vor der Landepiste schweift rechts von einer Parkbucht der Blick über die **Piscinas Naturais,** das grandiose Naturschwimmbad von Fajã d'Água. Eine sorgfältig angelegte Natursteintreppe führt hinunter zu der kostenlos zugänglichen Anlage, bei der es sich um ein gewaltiges System natürlicher Felsbecken handelt. Aber Achtung beim Baden: Häufig schlagen große Wellen in die Becken hinein!

Die Bergdörfer ⚲ Karte 3, F 17

Hier leben die Bauern der Insel

Oberhalb von Cova Rodela (s. S. 215) gelangt man in die feuchte, fruchtbare Bergregion der Insel. Die Bauern leben recht gut von der Landwirtschaft. Alle Dörfer im Zentrum haben jedoch kaum mehr als 200 Einwohner. Malerisch liegt dort **Cova Joana.** Üppige Hibiskushecken umgeben kleine Sobrados (s. S. 267). Auf der Weiterfahrt bietet sich oberhalb des Ortes noch einmal ein fotogener Blick zurück. Das nächste Dorf, **Nossa Senhora do Monte,** wurde exponiert auf einem Bergrücken erbaut. Gleich zu Beginn zweigt links eine Straße zu den Weilern **Lima Doce** und **Mato** ab. Von Mato aus ist der **Alto de Fontainhas** (976 m) zu sehen, der höchste Gipfel von Brava. Wenig spektakulär erhebt er sich über das umgebende Hochland.

In Nossa Senhora do Monte kommt man zunächst an der **Igreja Adventista do Sétimo Dia** (›Kirche der Sieben-Tag-Adventisten‹) vorbei. Hinter der nächsten Rechtskurve erhebt sich die katholische **Igreja Nossa Senhora do Monte,** die dem

Ort ihren Namen gab. Von deren weitem Vorplatz ergibt sich ein schöner Blick in den oberen Bereich des Tals von Fajã d'Água. In der 1826 gegründeten Kirche wird die Bergjungfrau verehrt.

Cachaço   📍 Karte 3, F 18

Viel Landschaft, wenig Menschen

Weiter südlich wird die Gegend einsamer. Man durchfährt einen lichten Akazienwald, in dem Ziegen und Kühe grasen. Recht abgeschieden liegt **Cachaço** am Straßenende. Sobald das Dorf nach Überfahren eines Bergrückens in Sicht kommt, bietet sich der beste Blick. Bei klarer Sicht ist von hier aus auch die Nachbarinsel Fogo zu erkennen.

Aus Cachaço kommt Frischkäse, dezent im Geschmack, für dessen Herstellung die Milch von Ziegen und Kühen gemischt wird. Er wird in Nova Sintra verkauft und in den dortigen Restaurants serviert. Man kann ihn aber auch vor Ort in der kleinen Molkerei erstehen – in der Gasse, die am Dorfbeginn links abzweigt.

Die Straße endet im Zentrum von Cachaço. Die Kirche liegt am unteren Ortsrand. Der noch recht neue Bau besitzt eine ungewöhnliche asymmetrische Fassade und einen offenen Glockenstuhl. Vom weiten Kirchenvorplatz aus eröffnet sich nochmals ein schöner Blick nach Fogo.

Wanderer gelangen von Nova Sintra über die Berge auf einer aussichtsreichen Route in rund 4 Std. nach Cachaço. Die vierstündige Tour sollten Sie aber besser mit einem ortskundigen Führer unternehmen, um sich nicht zu verirren.

Schlafen

Aussteigen auf Zeit

Kaza di Zaza: Tauchen Sie ein ins dörfliche Leben. Ziehen Sie sich in die Ruhe und Abgeschiedenheit zurück. Im tropischen Fischerdorf Fajã d'Água vermietet ein holländisches Paar drei Apartments. Im Erdgeschoss des Haupthauses liegt ein Zweizimmerapartment, ein weiteres daneben in einem authentisch renovierten Bauernhaus. Ganz speziell wohnen Sie in dem Häuschen, das auf einer Zisterne platziert wurde und einzementierte Bierflaschen als Blickfang – und Wände – hat. Das besitzt Campingcharakter, bester Blick inklusive. In allen Einheiten können Sie selbst kochen. Die Gastgeber unterstützen Sie beim Fischfang. Wenn Sie sich das nicht zutrauen, zahlen Sie ca. 8 € fürs Abendessen. Frische Eier, Gemüse und Obst kommen aus der Umgebung. Wenn Sie sich nicht mehr wegbewegen möchten und etwas aus der ›Stadt‹ brauchen, geht das Betreiberpaar gerne für Sie einkaufen. Für Langzeitaufenthalte gibt es auf Anfrage spezielle Angebote.
Fajã d'Água, T 285 50 32, 982 07 85, www.kazadizaza.com, €

Auf die einfache Art

Burgo: Drei einfache Zimmer werden in dem Motel vermietet, alle haben ein Bad und Meerblick. Komfort dürfen Sie nicht erwarten, aber sauber ist es. Die Mahlzeiten sind ohne Schnörkel und frisch.
Fajã d'Água, T 285 13 21, DZ ab 18 €

Essen

Bei den Pools

João de Alícia: Einfaches Lokal in der Nähe der Naturschwimmbecken, gut für eine inseltypische Mahlzeit mit Fisch.
Fajã d'Água, T 994 66 03, nur im Sommer, €

Bewegen

In der Unterkunft Kaza di Zaza können Sie Fahrräder mieten. Auch werden Transfers für Wanderer organisiert.

Zugabe
Wie er am besten schmeckt

Über das Geheimnis der perfekten Kaffeezubereitung

Rita ist klein, kräftig und zäh. Ihre Arme lassen jeden Fitnessstudiobesucher vor Neid erblassen. Fernando, ihr Mann, besitzt ein von der Sonne zerfurchtes Gesicht. Jahrzehntelang hat er Touristen auf den Pico do Fogo geführt. In der Hochsaison täglich, manchmal zwei Mal. Mit Mitte 50 fühlt er sich dafür nicht mehr stark genug, springt nur noch ein, wenn wirklich Not am Mann ist.

Die beiden betreiben die Pension Casa do Fernando am Rand von Bangaeira in Chã das Caldeiras. Beim letzten Vulkanausbruch hatten sie Glück: Sie verloren nur einen Anbau, die Lava schob sich über die Küche des Haupthauses. Mühevoll hat Fernando das erkaltete Gestein von Hand weggehämmert.

Ihre Gäste bekommen Kaffee aus Mosteiros. Rita und Fernando kaufen die Bohnen mit Schale, das ist günstiger. Rita knackt sie vorsichtig mit einem kleinen Mörser aus Aluminium. Die Bohnen liest sie von Hand aus, dann werden sie kurz über dem Feuer geröstet. Auf der Zisterne im Hof steht ein ausgehöhlter Baumstamm – der *pilão,* der Kaffeemörser. Er ist einen knappen Meter hoch und hat einen Durchmesser von etwa 40 cm. Die Stampfkammer läuft konisch aus. Ein Riss ist mit einem Blechstreifen repariert. Wie alt der *pilão* ist, wissen Fernando und Rita nicht mehr. Er ist auf alle Fälle älter als Fernando, »meine Eltern haben ihn schon benutzt«, sagt er.

Von den geschälten und gerösteten Kaffeebohnen kommen zwei bis drei Handvoll in den *pilão.* Rita stampft mit einem langen dicken Stößel aus härterem Holz. Seine Enden sind abgerundet und unterschiedlich dick, so kann er auch in dem kleineren Aluminiummörser verwendet werden. »Der Geschmack ist besser, wenn der Kaffee gestampft wird«, sagt Rita. Sie hat zwar eine Mühle, aber da kommt ihrer Meinung nach zu feines Pulver raus.

Der gemahlene Kaffee wird in einem Aluminiumtopf mit kochendem Wasser übergossen und zieht ein paar Minuten. Fernando gießt ihn durch ein Sieb in eine quietschbunte Thermoskanne. Fertig. ∎

Das Kleingedruckte

*Aus der Palmenoase direkt zum Verbraucher:
Probieren Sie mal den Saft einer
reifen Kokosnuss: herrlich erfrischend!*

Anreise

Die Kapverden sind nur mit dem Flugzeug zu erreichen. Eine Fährverbindung aus dem Ausland gibt es nicht. Die reine Flugzeit beträgt von Mitteleuropa aus ca. 6–7 Std. TUIfly (www.tuifly.com) fliegt von verschiedenen deutschen Flughäfen, u. a. von Düsseldorf, Frankfurt, Hamburg, Hannover, Köln/Bonn, München und Stuttgart, nach Sal und Boa Vista.

Von Lissabon aus bedient die portugiesische TAP (www.flytap.com) die internationalen Flughäfen der Kapverden (s. unten). Lissabon wird mehrmals tgl. von vielen mitteleuropäischen Flughäfen aus angeflogen, sodass man bei geschickter Planung ohne Zwischenübernachtung auf die Inseln kommt.

Internationale Flughäfen befinden sich auf den Inseln Sal (SID, Aeroporto Internacional Amílcar Cabral), Boa Vista (BVC, Aeroporto Internacional Aristides Pereira), Praia (RAI, Aeroporto Internacional Nelson Mandela) und São Vicente (VXE, Aeroporto Internacional Cesária Évora). Fluginfos für alle Flughäfen: www.asa.cv.

Bewegen und Entschleunigen

Baden

Ausgesprochene Strandinseln sind Sal und Boa Vista. Santa Maria auf Sal verfügt mit der Praia Santa Maria über den wohl schönsten hellen Sandstrand der gesamten Inselgruppe. Ohne Windschutz fühlt man sich dort jedoch auf Dauer wie in einem Sandstrahlgebläse. Die großen Hotels bieten ihren Gästen geschützte Areale. Der beste Badestrand auf Boa Vista, die Praia de Estoril, erstreckt sich von Sal Rei aus nach Süden und geht in die Praia das Dunas sowie anschließend in die weitläufige Praia da Chave über.

STECKBRIEF

Lage: Kap Verde liegt vor der Küste Senegals, die östlichste Insel Boa Vista ca. 600 km von Dakar entfernt. Von den Kanarischen Inseln trennen die Kapverden etwa 1500 km.

Größe: Die Landfläche beträgt 4033 km². Von den neun bewohnten Inseln ist Santiago mit 991 km² die größte, es folgen Santo Antão, Boa Vista, Fogo, São Nicolau, Maio, São Vicente, Sal und das winzige Brava (64 km²).

Geografie: Die Inseln sind vulkanischen Ursprungs. Mit 2829 m ist der Pico do Fogo die höchste Erhebung der Kapverden. Santiago, Fogo, Brava, Santo Antão und São Nicolau sind gebirgig und stark zerklüftet, die übrigen Inseln eher flach mit goldgelben Sandstränden.

Einwohner: 550000, davon etwa 300000 auf Santiago und dort in der Hauptstadt Praia 159000. Etwa 62 % der Kapverdianer leben im städtischen Umfeld.

Staat und Politik: Seit 1975 ist die Republik Kap Verde (port.: Cabo Verde, Kriolu: Kapu Verdi) unabhängig. Der Präsident und das Parlament werden demokratisch gewählt. Verwaltungstechnisch ist der Archipel in 22 Landkreise *(concelhos)* unterteilt.

Amts- und Umgangssprache: Amtssprache ist Portugiesisch, als Verkehrssprache ist Kriolu üblich. In Touristenzentren wird Englisch und Französisch verstanden, seltener Deutsch.

Zeitzone: Cape Verde Time, UTC −1 Std. Es gibt keine Sommerzeit. Während der Winterzeit gilt die Mitteleuropäische Zeit (MEZ) −2 Std., im Sommer −3 Std.

Als Bilderbuchstrand gilt die Praia Santa Mónica. Zum Baden ist es dort allerdings meist zu windig, auch die Strömungen sind gefährlich.

Mindelo auf São Vicente besitzt mit der Praia de Laginha einen sauberen, vor Wind und Wellen gut geschützten Stadtstrand. Die Badewanne der Einheimischen ist jedoch der Strand bei Baía das Gatas. Auf São Nicolau lädt nur der Strand bei Tarrafal zum Baden ein.

Santo Antão ist definitiv keine Badeinsel. Die Bewohner von Porto Novo besuchen für einen Sprung ins Meer die kleine Praia das Curraletes (auch Praia de Escoralet). An der Nordwestküste liegt östlich von Cruzinha da Garça die weitläufige schwarze Praia da Ribeira Seca, die jedoch nur zu Fuß oder per Geländewagen zu erreichen ist.

An den Stränden der Hauptstadt Praia auf Santiago herrscht am Wochenende Jubel, Trubel, Heiterkeit. Bessergestellte Kapverdianer gehen zum Baden an die Ostküste nach Praia Baixo. Der Strand bei Ribeira da Prata im Nordwesten eignet sich ebenfalls zum Baden. Santiagos Vorzeigestrand liegt jedoch in Tarrafal im Norden.

Entschleunigen lässt sich an den ruhigen Stränden von Vila do Maio auf der gleichnamigen Insel. Brava hat keine badetauglichen Strände, dafür malerische Felsbecken in der Bucht von Fajã d'Água. Der Strand von São Filipe auf Fogo ist weitläufig und tiefschwarz. Brandung, Wind und Strömung erlauben meist nur ausgedehnte Spaziergänge.

An allen nicht bewachten Stränden auf den Kapverden ist Vorsicht geboten. Auch unter einer ruhigen Meeresoberfläche können sich gefährliche Unterströmungen verbergen. Wenn Einheimische nicht ins Wasser gehen, sollten Sie es ebenfalls unterlassen.

Klettern

Klettern und Klettersteiggehen ist im Kommen. Besonders auf Fogo hat Mustafa Eren eine gute Infrastruktur aufgebaut.

Mit seiner Frau Marisa betreibt er in Chã das Caldeiras eine Unterkunft, wo sich die Kletterszene trifft (www.fogo-marisa.com).

Surfen

Sal ist die Hochburg der Surfer und Wellenreiter. Es finden regelmäßig Profiwettkämpfe statt. Die meisten Spots verteilen sich an der Südküste und sind Geübten vorbehalten. Für Anfänger eignet sich nur der Strandbereich direkt bei Santa Maria und der Sommer, wenn der Wind schwächer bläst.

Die Windverhältnisse auf Boa Vista sind mit denen auf Sal zu vergleichen. Die Bucht von Sal Rei liegt jedoch auf der windabgewandten Seite, sodass dort auch Anfänger eine Chance haben, auf dem Brett stehen zu bleiben.

Starkwindfans pilgern nach São Vicente in die Bucht von São Pedro, wo das Inselrelief einen Düseneffekt verursacht.

Tauchen

Von Sal, Boa Vista, Santiago, Santo Antão und São Vicente aus lässt sich die teils tropische Unterwasserwelt erkunden. Auf den Inseln gibt es zahlreiche Tauchschulen, z. B. die Eco Dive School in Santa Maria auf Sal.

Wandern

Santo Antão ist *die* Wanderinsel der Kapverden. Unzählige Wege durchziehen schroffe Täler, steile Flanken und führen an bizarren Felsspitzen vorbei. Die Touren folgen alten Verbindungswegen, die die Bevölkerung heute noch nutzt. Der Norden ist grün, der Westen um den höchsten Berg Tope de Coroa lockt mit Gesteinsformationen in den unterschiedlichsten Ockertönen. Immer wieder werden abgelegene Dörfer passiert, in denen die Zeit stehen geblieben scheint.

Ähnliche Landschaften bietet São Nicolau. Die Insel ist jedoch schlechter zu erreichen, daher auch ursprünglicher und ruhiger. Die besten Wandergebiete

WANDERKARTEN

Aktuelle Wanderkarten zu allen Inseln bietet der AB-Kartenverlag aus Karlsruhe (www.ab-kartenverlag.de). Der Betreiber Attila Bertalan, ein Kartograf, hat für seine Diplomarbeit eine Übersichtskarte der Kapverden erstellt und verfolgt dieses Projekt nun weiter. Sehr hilfreich sind auch Navigations-Apps. Bei Maps.me beispielsweise lädt man die Karten vorab herunter und kann sie dann im Offlinemodus nutzen.

liegen um den Monte Gordo und in den Tälern der Nordwestseite.

Auf Santiago bildet der Naturpark in der Serra Malagueta das interessanteste Wandergebiet. Hier schuf die Erosion Felsnadeln, steile Berge und Schluchten. An scheinbar unzugänglichen Hängen liegen Siedlungen, die auch hier durch ein Netz von Saumpfaden miteinander verbunden sind. Reizvolle Wege durchziehen die Flanken des Pico de Antónia, des höchsten Inselberges.

Spektakulär zeigt sich Fogo: Vulkanaschen, Lavaströme, bis zu 2829 m hohe Felswände. Ambitionierte zieht es auf den Pico do Fogo, der 2014 zum letzten Mal ausgebrochen ist. Eine alpine Herausforderung stellt die zweitägige Tour entlang der Kraterwand dar.

Brava, die kleinste der bewohnten Inseln, wird nur selten besucht. Die Gegend um den Hauptort Nova Sintra und das Inselzentrum lassen sich gut zu Fuß erkunden. Der beliebteste Wanderweg führt nach Fajã de Água an der Westküste. Die Inseln Sal, Boa Vista und Maio eignen sich für ausgedehnte Strandwanderungen.

Entweder Sie gehen auf eigene Faust auf Tour oder Sie lassen sich individuelle Pakete schnüren. Zuverlässige deutschsprachige Agenturen vor Ort sind u.a.

Aventura Turismo (www.aventura-turismo.com) und Vista Verde Tours (www.vista-verde.com).

Diplomatische Vertretungen

... von Deutschland
Honorarkonsulat
Carlos Ferreira Santos
Av. Dr. Alberto Leite 30 A
Mindelo
T 00238 231 27 25
mindelo@hk-diplo.de
Sämtliche Abwicklungen laufen jedoch über die deutsche Botschaft in Lissabon:
Botschaft der Bundesrepublik Deutschland
Campo dos Mártires da Pátria 38
1169-043 Lisboa
T 00351 21 881 02 10
www.lissabon.diplo.de

... von Österreich
Für die Kapverden ist die österreichische Botschaft in Portugal zuständig:
Österreichische Botschaft
Av. Infante Santo 43, 4. Stock
1399-046 Lisboa
T 00351 21 394 39 00
www.bmeia.gv.at/botschaft/lissabon

... von der Schweiz
Honorarkonsulat
Av. Jorge Barbosa
7959-001 Quebra Canela
Praia
T 00238 260 49 53
praia@honrep.ch
Sämtliche Abwicklungen laufen allerdings über die Botschaft der Schweiz in Senegal:
Ambassade de Suisse
Rue René Ndiaye
15800 Dakar
T 00221 33 823 05 90
www.eda.admin.ch/dakar

Auf den Kapverden bezahlt man mit Escudos – sie taugen nicht nur als Währung, sondern auch als Souvenir.

In Notfällen erhalten EU-Bürger und Schweizer Hilfe in den Botschaften und Konsulaten anderer EU-Länder in Praia.

... von Kap Verde
Botschaft der Republik Cabo Verde
Stavanger Str. 16
10439 Berlin
T 030 20 45 09 55
www.embassy-capverde.de

... in Österreich
Honorarkonsulat der Republik Cabo Verde
Dornbacher Str. 89
1170 Wien
T 01 489 78 82
www.konsulat-kapverde.meixner.at
Nur Visabefugnis. Den Amtsbereich für Österreich übernimmt die Botschaft der Republik Cabo Verde in der Schweiz.

... in der Schweiz
Botschaft der Republik Cabo Verde
Ave. Blanc 47
1202 Genève
T 022 731 33 36
cap.vert.consulat@bluewin.ch

Einreisebestimmungen

Deutsche, Österreicher und Schweizer benötigen für die Einreise nach Cabo Verde einen noch mindestens sechs Monate gültigen Reisepass. Für Kinder ist unabhängig vom Alter ein eigenes Reisedokument erforderlich. Seit dem 1. Januar 2019 sind EU-Bürger und Schweizer von der Visumspflicht befreit, sofern ihre Reise 30 Tage nicht überschreitet. Soll der Aufenthalt auf den Inseln länger sein, ist bei einer Botschaft oder bei einem Konsulat der Republik Kap Verde ein Visum zu beantragen. Unabhängig von der Visumspflicht müssen sich alle Besucher 5 Tage vor Reiseantritt auf der Website www.ease.gov.cv registrieren – unter Angabe von Daten aus dem Reisepass, Reisezeitraum, Flugnummer und Ort der Unterkunft.

Bei internationalen Flügen wird eine Flughafensicherheitsgebühr in Höhe von 3400 ECV fällig, die bei der Online-Registrierung oder vor Ort bei Ankunft (zusätzliche Gebühr) zu entrichten ist.

Zum Zeitpunkt der Recherche war außerdem bei Einreise nach Cabo Verde die Vorlage eines negativen Coronatests (PCR oder Antigen, max. 72 bzw. 48 Std. vor Ankunft durchgeführt) oder eines COVID-Zertifikats über eine Genesung bzw. vollständige Impfung vorzulegen. Bei der Einreise erfolgt eine Temperaturmessung. Vor der Rückreise nach Deutschland muss, wer nicht geimpft oder genesen ist, einen weiteren Coronatest durchführen lassen (max. 48 Std. vor Ankunft in Deutschland). Über die jeweils aktuellen Bestimmungen informiert das Auswärtige Amt unter www.auswaertiges-amt.de.

Für die Einfuhr nach Cabo Verde gelten folgende Freigrenzen: 200 Zigaretten oder 50 Zigarren oder 100 Zigarillos oder 250 g Tabak, 1 l Wein oder 2 l Bier, 0,5 l Spirituosen. Außerdem dürfen alle Gegenstände für den persönlichen Bedarf zollfrei eingeführt werden. Souvenirs und Artikel ohne kommerziellen Wert dürfen in unbegrenzter Menge ausgeführt werden. Die Einfuhr von Schildpatt und Souvenirs aus Schildkröten nach Europa ist verboten!

Wer Haustiere mitbringen möchte, benötigt ein amtstierärztliches Gesundheitszeugnis und eine Impfung der Tiere gegen Tollwut, die mindestens 30 Tage vor Abreise erfolgt sein muss.

Elektrizität

Die Spannung liegt wie in Europa zwischen 220 und 240 V bei 50 Hz. Es werden die gleichen Stecker wie in Mitteleuropa benutzt. Stromausfälle sind häufig, weswegen Sie besser eine Taschen- oder Stirnlampe einpacken sollten.

Feiertage

1. Januar: Neujahrsfest (Ano Novo)
13. Januar: Tag der Demokratie (Dia da Democracia)
20. Januar: Heldengedenktag und Tag der Ermordung von Amílcar Cabral (Dia dos Heróis Nacionais)
1. Mai: Tag der Arbeit (Dia do Trabalhador)
1. Juni: Internationaler Kindertag (Dia Internacional da Criança)
5. Juli: Tag der Unabhängigkeit (Dia da Independência)
15. August: Mariä Himmelfahrt (Assunção de Nossa Senhora)
1. November: Allerheiligen (Todos-os-Santos)
25. Dezember: Weihnachten (Natal)

Darüber hinaus gibt es variable Feiertage. Dazu gehören der Karnevalsdienstag (Terça-feira de Carnaval), der Aschermittwoch (Quarta-feira de Cinzas) und Karfreitag (Sexta-feira Santa). Fast jede Gemeinde auf den Inseln hat zusätzlich ihren eigenen offiziellen Feiertag. So begeht Praia am 19. Mai den Stadtfeiertag (Dia de Município).

Geld

Währung ist der Kapverdische Escudo (Escudo Cabo Verde, ECV oder CVE). Er ist zu einem festen Wechselkurs an den Euro gebunden: 1 € = 110 ECV, 1 CHF = 97,18 ECV, 100 ECV = 0,90 € =1,02 CHF. Im Umlauf sind Münzen von 1, 5, 10, 20, 50 und 100 ECV sowie Noten von 200, 500, 1000, 2000 und 5000 ECV.

Der Umtausch ist nur im Land selbst möglich. Die Ein- und Ausfuhr der kapverdischen Währung ist verboten. Kleingeld ist Mangelware, am besten etwas davon sammeln. Auf Sal und Boa Vista kann fast überall mit Euro bezahlt werden. Die hiesigen Hotels, Autovermietungen und Taxifahrer erwarten sogar oft die Bezahlung in Euro und weisen gar keinen Preis in Escudos aus. Allerdings werden Euro-Münzen meist nicht angenommen, da sie auf der Bank nicht gegen Escudos eingetauscht werden können. Am besten

EINTRITTSPREISE

Die Preise für Sehenswürdigkeiten, Naturparks etc. liegen in der Größenordnung von 200 ECV. Ausreißer nach oben sind die Fortaleza Real de São Filipe in Cidade Velha auf Santiago (Kombiticket mit Convento São Francisco 600 ECV) und der Salinenkrater Pedra de Lume auf Sal (500 ECV).

nimmt man Euro-Noten in kleineren Stückelungen mit. Hinweis: Bei Barzahlung mit Euro vor Ort wird meist zum Kurs von 1 : 100 umgerechnet.

Auf den anderen Inseln hingegen wird meist kapverdisches Bargeld verlangt. Man erhält es an den Wechselschaltern in den Flughäfen sowie in Banken gegen Euro und Schweizer Franken oder gegen Vorlage einer Kreditkarte (Visa und Mastercard). Auch an vielen Bankautomaten lässt sich Bargeld mit Visakarte und PIN abheben. Mastercard und Maestro werden von Automaten kaum akzeptiert, VPay gar nicht. Größere Hotels und Autovermietungen, aber nur wenige Restaurants und Geschäfte akzeptieren diese Kreditkarten ebenfalls. Andere Kreditkarten werden kaum angenommen und auch das Bezahlen mit Bankkarten (Maestro oder VPay) ist nicht möglich.

Gesundheit

Zu den Corona-Einreisebestimmungen s. S. 224. Für Anreisende aus Europa sind darüber hinaus keine Gesundheitsnachweise oder Impfungen vorgeschrieben. Emp-

fohlen wird eine Impfung gegen Hepatitis A, bei längerem Aufenthalt oder besonderer Exposition auch gegen Hepatitis B und Typhus. Wer aus afrikanischen Gelbfieberendemiegebieten (z. B. Senegal) auf die Inseln kommt, braucht eine Gelbfieberimpfung. Über den aktuellen Stand informieren die Gesundheitsämter der Heimatländer.

Aufgrund der hygienischen Verhältnisse, der Wärme und des ungewohnten Essens ist mit Durchfall zu rechnen, die Mitnahme von entsprechenden Medikamenten daher ratsam.

Zwischen August und November besteht auf Santiago Malariarisiko. 2017 wurden in Praia vermehrt Fälle registriert, sodass die auswärtigen Ämter erstmals eine Prophylaxe empfohlen haben. 2015 kam es zum Ausbruch von Zika-Virus-Infektionen, die besonders für ungeborene Kinder eine Gefahr darstellen. Denguefieber trat 2009/2010 vermehrt auf, seither hat sich die Lage entspannt.

Die Situation kann sich schnell ändern. Informieren Sie sich daher rechtzeitig vor der Abreise bei den Tropeninstituten oder im Internet unter www.fit-for-travel.de. Unter www.cdc.gov erhält man aktuelle Infor-

---

KULTUR- UND VÖLKERVERSTÄNDIGUNG

Verschiedene Vereine haben sich das Ziel gesetzt, Einheimische zu unterstützen. Der **Europäisch-Kapverdische Freundeskreis e. V.** (www.kapverde-journal.de) fördert kulturelle und wirtschaftliche Beziehungen zwischen Cabo Verde, Deutschland und Europa. Es werden zahlreiche Infoveranstaltungen angeboten, Hilfsprojekte unterstützt und Bildungsreisen organisiert. Auf der Website finden Sie viele Auskünfte, die den Rahmen eines Reiseführers sprengen würden. **Delta Cultura** (www.deltacultura.org) wurde 2002 in Österreich gegründet. Das erste Hilfsprojekt war eine Fußballschule für Straßenkinder auf Santiago. 2005 kam ein Bildungszentrum dazu, mit Hausaufgabenbetreuung, handwerklicher Weiterbildung und Sportangeboten. 2005 formierte sich die **Deutsch-Kapverdische Gesellschaft Sodade** (www.sodade.de). Der Schwerpunkt der Hilfsprojekte liegt in der Schulausbildung auf Santo Antão und São Vicente. **Nôs ku nhôs** (›Wir mit Euch‹, www.nos-ku-nhos.org) hat sich der schwierigen Lage in der Caldeira auf Fogo angenommen. Das neueste Projekt ist ein Gesundheitszentrum am Fuß des Vulkans.

mationen vom U. S. Department of Health & Human Services.

Ärztliche Versorgung

Die medizinische Versorgung ist nicht mit Europa zu vergleichen. Relativ gut ausgestattete Krankenhäuser befinden sich in Praia und Mindelo. Außerdem gibt es in jedem der 22 Landkreise ein Regionalkrankenhaus (u. a. ein gut ausgestattetes auf der Insel Sal) oder ein Gesundheitszentrum *(centro de saúde)*. In schweren Fällen ist jedoch ein Rettungsflug nach Europa notwendig. Empfehlenswert ist eine Auslandskrankenversicherung inklusive Krankenrücktransport.

Apotheken

Auch die Apotheken sind schlechter ausgestattet als in Europa. Wer auf spezielle Medikamente angewiesen ist, sollte ausreichend davon im Handgepäck mitnehmen.

Informationsquellen

www.kapverden.de: Umfangreiche Seite mit vielen Infos und aktuellen News.
www.bela-vista.net: Private Seite von Lucete Fortes und Pitt Reitmaier mit aktuellen News, allgemeinen Infos und Vermittlung von Unterkünften auf allen Inseln. Pitt Reitmaier arbeitete als Arzt auf Santo Antão, Lucete Fortes stammt von der Insel. Sie betreibt im Hafengebäude von Porto Novo einen Laden mit Karten, Büchern und Souvenirs.
www.asemana.publ.cv: Entgegen ihres Namens ist dies eine Tageszeitung, die – bislang leider nur auf Portugiesisch – über das aktuelle Geschehen auf den Kapverden informiert und regelmäßig umfangreiche Beilagen zu den Themen Wirtschaft, Kultur und Sport veröffentlicht.
www.auswaertiges-amt.de: Hinweise zum Land, u. a. zur aktuellen politischen und wirtschaftlichen Situation, zur Gesundheitsvorsorge, zu kulturellen Aspekten etc.

www.eda.admin.ch: Umfangreiche allgemeine Hinweise zu Cabo Verde der eidgenössischen Behörde für auswärtige Angelegenheiten.
www.embassy-capeverde.de: Botschaft der Republik Cabo Verde in Deutschland. Infos zu Einreisebestimmungen, Im- und Export, Auswandern etc. sowie Links zu Behörden auf den Inseln.

Internetzugang

Viele Hotels bieten WLAN gratis oder gegen Gebühr (ca. 4 € pro Std.). Außerdem kann man in vielen Cafés und Restaurants kostenlos ins Internet, desgleichen an einigen öffentlichen Plätzen, etwa am Flughafen von Praia. Wer unabhängig von kostenlosem WLAN sein möchte, sollte in einem der Läden *(lojas)* von Unitel eine aufladbare SIM-Karte *(cartão* SIM) erwerben. Eine Liste der Filialen findet sich unter www.uniteltmais.cv.

Kinder

Reisende mit Kleinkindern sollten beachten, dass die hygienischen Verhältnisse auf den Kapverden zumeist nicht mit denen in Mitteleuropa zu vergleichen sind. Fertignahrung findet man in den Läden nur sporadisch. Mit älteren Kindern können die Inseln problemlos bereist werden, spezielle Attraktionen jedoch gibt es nicht.

Klima und Reisezeit

Das Klima ist ganzjährig ausgeglichen und dank der Lage inmitten des Atlantiks wird es auf den Kapverden nie übermäßig heiß. Da die Inseln zwischen dem nördlichen Wendekreis und dem Äquator liegen, erreicht die Sonne zweimal im Jahr ihren Höchststand (22. Mai, 20. Juli). Generell steht sie zu allen Jahreszeiten sehr hoch am Himmel.

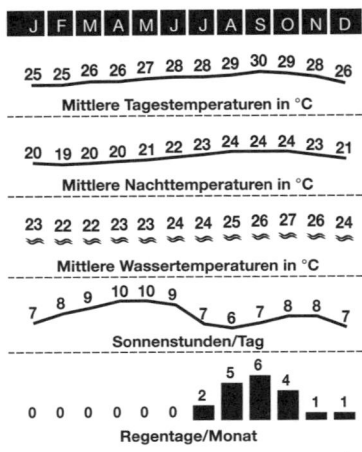

J	F	M	A	M	J	J	A	S	O	N	D

25 25 26 26 27 28 28 29 30 29 28 26

Mittlere Tagestemperaturen in °C

20 19 20 20 21 22 23 24 24 24 23 21

Mittlere Nachttemperaturen in °C

23 22 22 23 23 24 24 25 26 27 26 24

Mittlere Wassertemperaturen in °C

7 8 9 10 10 9 7 6 7 8 8 7

Sonnenstunden/Tag

0 0 0 0 0 0 2 5 6 4 1 1

Regentage/Monat

So ist das Wetter in Praia auf Santiago.

Kältester Monat ist der Februar mit Temperaturen von 20 bis 25 °C an der Küste. Am wärmsten wird es im September, dann klettert das Thermometer auf durchschnittlich 27 bis 32 °C. Kühler ist es allgemein auf den Inseln, die dem aus Nordosten wehenden Passatwind stärker ausgesetzt sind, also auf Santo Antão, São Vicente und São Nicolau. Auch auf Sal und Boa Vista weht stets ein kräftiger Wind, der trotz wüstenhafter Bedingungen für Abkühlung sorgt (Achtung: Gefahr von Sonnenbrand und Sonnenstich). Schwülwarm bis drückend kann es im Sommer auf den windärmeren Inseln Santiago, Fogo und Maio werden. Auf dem weit westlich in den Atlantik vorgeschobenen Brava hingegen ist es häufig relativ frisch. Im Winter sinken die Temperaturen in den höheren Lagen von Fogo, Santiago und Santo Antão auf erstaunlich niedrige Werte ab, hier kann das Thermometer schon mal 10 °C anzeigen.

Regen fällt auf den Kapverden kaum, höchstens einmal als nässender Passatnebel in den mittleren Lagen der Nordosthänge der gebirgigen Inseln. In den feuchten Nebelbänken, die sich dort häufiger bilden, ist es merklich kühler als an der Küste. Die seltenen tropischen Regenfälle im Sommer und Herbst sind kurz, aber sehr heftig, sodass es oft zu Wasserschäden kommt.

Für Rundreisen und zum Wandern am besten geeignet sind die Monate Oktober bis Mai. Von Juni bis September ist es meist zu heiß. Wenn es heftig regnet, werden Wege und Pfade zu reißenden Flüssen. Einer ganzjährigen Saison erfreuen sich demgegenüber die Tauchbasen und Surfstationen. Wind- und Kitesurfer, die über Erfahrung verfügen, treffen die besten Bedingungen im Herbst, Winter und Frühjahr an, wenn der Passatwind kräftig weht. Blutige Anfänger sollten dem relativ windarmen Sommer den Vorzug geben.

Preise

Die im Reiseteil dieses Buches angeführten Preiskategorien beziehen sich auf ein Doppelzimmer bzw. ein Hauptgericht.

Schlafen
€ = bis 50 €
€€ = 50–100 €
€€€ = ab 100 €

Essen
€ = bis 8 €
€€ = 8–12 €
€€€ = ab 12 €

Reisen mit Handicap

Die Fluggesellschaften nehmen Rollstühle in der Regel kostenfrei mit, bei allen Flügen muss er angemeldet werden. Fähranleger und Flughäfen sind auf Rollstuhlfahrer eingerichtet, barrierefreie Unterkünfte gibt es fast überall.

Allerdings sind die Straßen und Wege meist sehr holprig und oft steil, sodass ein Vorankommen Mühe bereitet und zumindest Rollstuhlfahrer eine Reise nur in Begleitung antreten sollten. Gut zu wissen: Die Menschen in Cabo Verde sind Improvisationsmeister!

Der Bundesverband Selbsthilfe Körperbehinderter e. V. (www.bsk-ev.org) hat als Tochtergesellschaft den Reiseveranstalter BSK-Reisen GmbH (www.bsk-reisen.org). Derzeit sind zwar keine Touren auf die Kapverden im Programm, aber das Unternehmen kann evtl. bei der Organisation helfen.

Reiseplanung

Stippvisite: Cabo Verde zum Kennenlernen

Das ganze Jahr über schönes Wetter und kilometerlange Sandstrände – das ist es, was die meisten Urlauber auf die Kapverden zieht, genauer auf die Badeinseln Sal und Boa Vista. Eintauchen in eine andere Kultur lässt sich in den großen Städten Praia sowie speziell in Mindelo, das über eine lebendige Kunst- und Musikszene verfügt. Möchten Sie wandern, werden Ihnen die ländlichen Inseln Santo Antão oder Fogo gefallen. Suchen Sie noch mehr Ruhe und Abgeschiedenheit, empfehlen wir einen Besuch der gebirgigen Inseln São Nicolau und Brava oder die kaum besuchte Strandinsel Maio.

Gibt es überlaufene Touristenhochburgen?

Der Fremdenverkehr ist ein wichtiger Wirtschaftsfaktor auf den Inseln, bis zum Beginn der Coronapandemie betrug sein Anteil am Bruttoinlandsprodukt um 45 %. Ca. 15 % der Gesamtbeschäftigten arbeiteten direkt im Tourismus. Aktuell hofft das Land auf eine Erholung des Reisesektors in der Saison 2022.

Die Zugpferde sind Sal und Boa Vista. Über 50 % der gesamten Übernachtungen werden auf Sal gezählt, auf Boa Vista sind es etwa 40 %. Auf Sal konzentrieren sich die großen Hotels im Bereich von Santa Maria, auf Boa Vista verteilt sich das Touristenaufkommen über die ganze Insel.

Santiago besitzt rein rechnerisch zwar die meisten Unterkünfte, doch handelt es sich dabei um kleinere Hotels oder Pensionen. Ohnehin fallen auf der großen Insel die Touristen kaum ins Auge. Das Gleiche gilt für die Wanderinsel Santo Antão, auf der insgesamt mehr Unterkünfte registriert sind als auf Sal. Diese beleben sich eher zur Wandersaison im Winter, insbesondere im Norden der Insel in Ponta do Sol. Dann sollten Sie auch hier rechtzeitig eine Unterkunft buchen.

Rundreisevorschlag: Klassiker und Eskapaden

Eine klassische Rundreise, wie sie für andere Ziele von den meisten Veranstaltern angeboten wird, gibt es auf den Kapverden nicht, dafür ist der Tourismus bislang noch zu wenig etabliert. Wir haben uns jedoch eine schöne Tour für Sie überlegt.

Starten Sie mit São Vicente, wo es einen internationalen Flughafen gibt. Die Insel bietet die unterschiedlichsten Land-

CORONA & DIE FOLGEN

Auch auf den Kapverden hat die Pandemie den Tourismussektor fast völlig zum Erliegen gebracht. Die Folge: Viele Unterkünfte, Lokale etc. mussten dichtmachen, andere sind noch am Kämpfen. Diese Unsicherheit schlägt sich auch in der Recherche des aktuellen Buches nieder – bitte überprüfen Sie vor Ihrer Anreise, ob die von Ihnen angesteuerten Adressen tatsächlich noch existieren bzw. geöffnet haben!

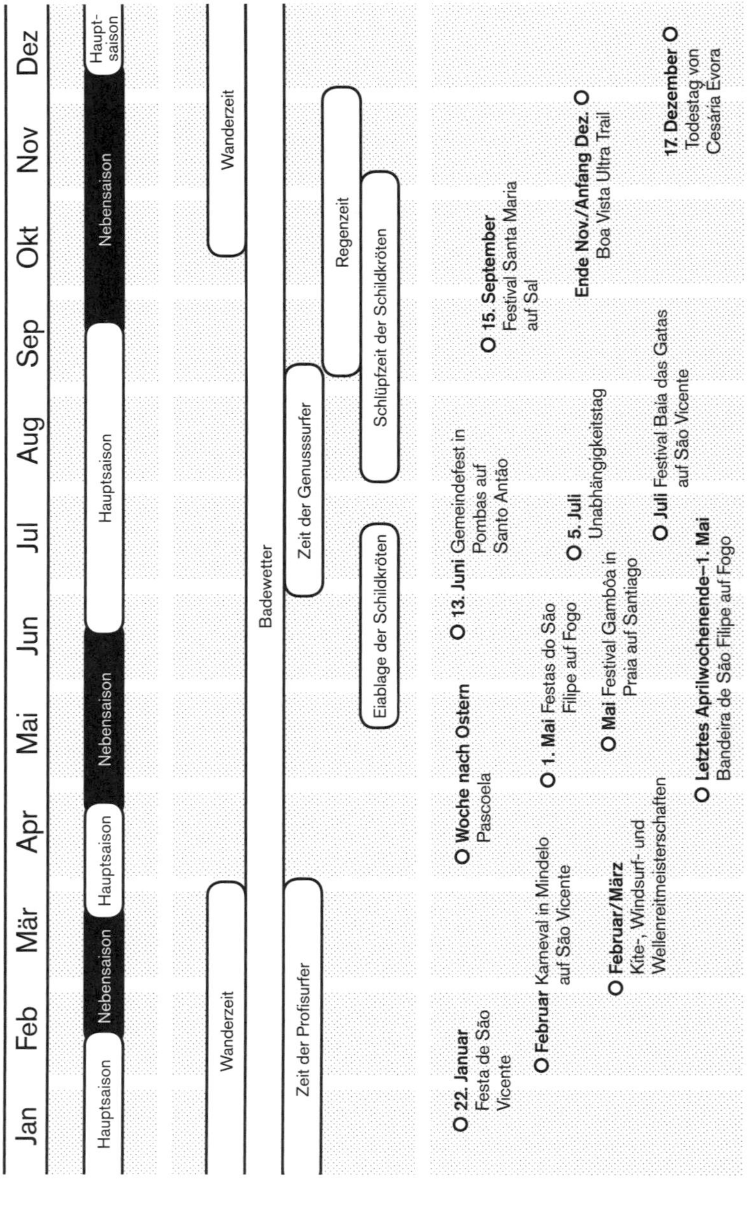

Jan	Feb	Mär	Apr	Mai	Jun	Jul	Aug	Sep	Okt	Nov	Dez

Hauptsaison — Nebensaison — Hauptsaison — Nebensaison — Hauptsaison — Nebensaison — Hauptsaison

Wanderzeit

Wanderzeit

Badewetter

Zeit der Profisurfer

Zeit der Genusssurfer

Eiablage der Schildkröten

Schlüpfzeit der Schildkröten

Regenzeit

O **22. Januar** Festa de São Vicente

O **Februar** Karneval in Mindelo auf São Vicente

O **Februar/März** Kite-, Windsurf- und Wellenreitmeisterschaften

O **Woche nach Ostern** Pascoela

O **1. Mai** Festas do São Filipe auf Fogo

O **Mai** Festival Gambôa in Praia auf Santiago

O **Letztes Aprilwochenende–1. Mai** Bandeira de São Filipe auf Fogo

O **13. Juni** Gemeindefest in Pombas auf Santo Antão

O **5. Juli** Unabhängigkeitstag

O **Juli** Festival Baia das Gatas auf São Vicente

O **15. September** Festival Santa Maria auf Sal

O **Ende Nov./Anfang Dez.** Boa Vista Ultra Trail

O **17. Dezember** Todestag von Cesária Evora

schaften und in ihrer quirligen Hafenstadt Mindelo ganz viel kapverdisches Lebensgefühl. Mit dem Schiff geht's dann nach Santo Antão. Auf Wanderungen entlang ursprünglicher Saumpfade erleben Sie ein ländliches Cabo Verde.

Und wieder fahren Sie übers Wasser, und zwar von Santo Antão über São Vicente nach São Nicolau. Die Insel ist die richtige Wahl, wenn Sie Ruhe und Abgeschiedenheit suchen. Landschaftlich erinnert sie an Santo Antão, nur ist hier viel weniger los.

Es folgt ein Sprung mit dem Flieger von São Nicolau auf die Südinseln, genauer nach Praia auf Santiago. Die Hauptstadt des Landes und die größte Insel des Archipels verströmen afrikanisches Flair. Praia mag keine Schönheit sein, ist aber allemal interessant. Die Naturhighlights liegen weiter nördlich in den Naturparks um den Pico de Antónia und in der Serra Malagueta.

Mit Praia als Basis lassen sich die ›Inseln unter dem Wind‹ (Ilhas de Sotavento) erkunden. Fähren schippern nach Fogo, das vom 2829 m hohen Pico do Fogo dominiert wird. Wenn Sie es gewohnt sind, in felsigem Gelände zu gehen, sollten Sie den Vulkan besteigen. Aber auch ohne Gipfelglück ist eine Nacht an seinem Fuß auf ca. 1600 m ein Erlebnis. São Filipe, die Hauptstadt der Insel, glänzt mit der größten Dichte alter Kolonialhäuser auf den Kapverden. Und auch spannende Landschaftskontraste hat Fogo zu bieten: Die Südseite ist wüstenhaft, im Norden sorgt der Passatwind für sattes Grün und den besten Kaffee der Inseln.

Vom touristischen Fogo nun ein Besuch im Abseits, es geht per Fähre nach Brava. Die kleinste bewohnte Insel des Archipels wird kaum besucht, obwohl die Schiffsverbindungen gut sind. Nova Sintra, die Hauptstadt, dämmert im Dornröschenschlaf und wartet auf den Kuss, der sie erweckt. Auf der gebirgigen Insel gehen die Uhren langsam, Entschleunigung ist garantiert.

Fürs Inselhüpfen per Fähre braucht man Zeit, aber ein Flieger kann dieses Gefühl des Ankommens nie ersetzen.

Von Brava können Sie per Schnellfähre direkt zurück in die hektische Zivilisation von Praia sausen. Oder haben Sie noch immer Sehnsucht nach Einsamkeit? Dann sollten Sie per Schiff gleich weiterfahren nach Maio, wo Sie weitläufige Strände fast für sich alleine haben.

Von dem, was die meisten Besucher der Kapverden gesehen haben, sind Sie bei obigem Vorschlag noch weit entfernt: den Stränden von Sal oder Boa Vista. Beide werden oft von Praia aus angeflogen. So können Sie Ihren Urlaub mit ein paar entspannten Strandtagen abschließen und von einer der beiden Inseln die Heimreise antreten – von beiden gibt es nach Deutschland sogar Direktflüge.

Ohne die Abstecher nach São Nicolau, Brava und Maio kann man die Rundtour in zwei Wochen gut bewältigen. Rechnen Sie für jeden Abstecher noch mal eine Woche dazu. Zeit lässt sich sparen, wenn man beim Inselhüpfen statt der Schiffsverbindungen aufs Flugzeug zurückgreift, aber das ist nur halb so schön. Die (Inlands-)Flüge und Unterkünfte können Sie von zu Hause aus buchen. Wer sich ohne Reservierung ins Abenteuer stürzt, sollte mehr zeitlichen Spielraum einplanen.

Mit Münzen lassen sich die öffentlichen Telefone nicht mehr abspeisen, sie wollen mit Karten bedient werden.

Sicherheit und Notfälle

Die Kapverden sind für afrikanische Verhältnisse ein sicheres Reiseland, die politische Lage ist stabil. Diebstähle und Überfälle entsprechen nicht der Regel, kommen jedoch vor. Insbesondere nachts, speziell auf Sal und Boa Vista, sollte man einsame Ecken meiden und z. B. nicht alleine am Strand entlangspazieren. Vorsicht sollte man auch in den Randgebieten der Großstädte Praia und Mindelo walten lassen, wo man als Tourist unweigerlich auffällt und daher auch einer größeren Gefahr ausgesetzt ist, beraubt zu werden. In den Städten fahren selbst Einheimische – zumindest die einigermaßen begüterten – nach Einbruch der Dunkelheit auch kurze Strecken mit dem Taxi. Machen Sie es Ihnen nach.

Wanderer sollten sich darüber bewusst sein, dass es keine Bergwacht und auch kein sonstiges Rettungswesen gibt.

Vor gefährlichen Tieren brauchen Sie sich nicht zu sorgen. Es gibt weder Schlangen noch andere tödliche Landtiere. Unangenehm ist der Biss des etwa 20 cm langen Hundertfüßlers, der aber sehr scheu ist. Auf Santiago gibt es vereinzelt Skorpione, doch auch sie sind scheu. Dennoch: Schuhe morgens ausschütteln, bevor man reinschlüpft.

Telefonieren

In jedem größeren Ort gibt es öffentliche Kartentelefone. Die Karten dafür sind in Postämtern, manchmal auch in kleinen Läden oder in Restaurants erhältlich. Ein Gespräch nach Europa kostet ca. 2,70 €/ Min. Bei Telefonaten von einem Postamt aus wird eine Mindestzeit von 3 Min. berechnet, auch wenn das Gespräch nicht so lange dauerte. Die Qualität der Verbindungen ist im Allgemeinen gut.

In Abhängigkeit vom Netzanbieter kann man sein Mobiltelefon auch auf den Kapverden nutzen, allerdings sind die Kosten sehr hoch, auch für angenommene Gespräche. Eine günstigere Alternative sind WLAN-Anrufe oder kapverdische SIM-Karten (s. S. 227).

Einheimische Festnetznummern beginnen mit einer 2, Handynummern erkennt man an der 9, 8 oder 5 an erster Stelle. Um von den Kapverden ins Ausland anzurufen, wählt man für Deutschland die 0049, für Österreich die 0043 und für die Schweiz die 0041. Die Vorwahl für die Kapverden lautet 00238.

Übernachten

Auf den touristischen Inseln Sal und Boa Vista sind in den Veranstalterkatalogen vorwiegend große Ferienresorts aufgeführt. Marktführer ist die TUI mit ihren RIU-Hotels und einem brandneuen Robinson Club. Kleine Unterkünfte, auch auf den weniger frequentierten Inseln, bieten ihre Zimmer und Apartments (oft mit Küche) gerne auf

Buchungsplattformen an, z. B. auf www. booking.com und www.airbnb.de. Auch bei Spezialanbietern wie Olimar (www. olimar.de) finden sich individuelle Unterkünfte. Gegen eine Vermittlungsgebühr von 10 % des Übernachtungspreises übernimmt Lucete Fortes (www.bela-vista.net) die Buchung ausgewählter Unterkünfte auf den Inseln. Suche und Abwicklung können bei ihr auf Deutsch erfolgen. Eine Besonderheit ist das Wohnen in abgelegenen, ländlichen Gegenden wie im Vale do Paúl auf Santo Antão oder in Chã das Caldeiras auf Fogo. Auch diese Unterkünfte finden Sie zumeist im Internet.

Bei einem *quarto* handelt es sich in der Regel um ein privat vermietetes Zimmer. Die Einrichtung ist meist schlicht, manchmal schlafen Sie im ehemaligen Kinderzimmer. Mit Pensão wird eine einfache Pension bezeichnet. Ein Residencial geht schon in Richtung Hotel und wird professionell geführt, das Frühstück ist meist im Übernachtungspreis inbegriffen. Pousadas liegen außerhalb der Städte und verfügen über einen gehobenen Standard. Entweder es ist ein Restaurant angeschlossen oder aber es besteht zumindest die Möglichkeit, ein Essen zu ordern.

Europäischen Standard dürfen Sie außer bei den internationalen Hotelketten nicht erwarten. Sauberkeit ist fast nie ein Problem, aber bei Einrichtung und Komfort könnten anspruchsvolle Gemüter enttäuscht sein.

Umgangsformen

Nord- und Mitteleuropäer werden schon lange nicht mehr als exotisch angesehen auf den Kapverden, auch nicht in den extrem abgelegenen Dörfern. Zum einen informieren Fernsehen und Internet über die ›Außenwelt‹, zum anderen kennt fast jeder irgendjemanden, der emigriert ist. Oder man war selbst eine Zeit lang im Ausland. Sie brauchen also keine Bedenken zu haben, mit Ihren gewohnten Umgangsformen anzuecken.

Bei der Begrüßung geben sich Männer die Hand (zumindest wenn es Corona irgendwann wieder erlaubt). Das Händeschütteln dauert oft sehr lange, manchmal so lange wie das Gespräch. Männer und Frauen sowie Frauen untereinander begrüßen sich mit einem Wangenkuss auf beide Seiten.

Die meisten Kapverdianer sind eher zurückhaltend. Wer höflich sein möchte, drängt sich nicht auf. Freundschaften entwickeln sich sukzessive. Im Geschäftsleben geht man langsam auf sein Gegenüber zu und vorsichtig miteinander um.

Eine erste Kontaktaufnahme auf dem Land mag vor diesem Hintergrund einen rauen Beigeschmack haben: Möchte ein Einheimischer Ihre Aufmerksamkeit bekommen, geschieht dies häufig durch ein lautes »ssst«, ein »eeyo« oder ein »hey«. Das mag nicht sonderlich höflich sein, ist aber nicht böse gemeint.

Der Umwelt zuliebe

Die Regierung ist sich durchaus bewusst, dass die Natur ein wichtiges Kapital darstellt. Im Land gibt es insgesamt 47 ausgewiesene Schutzgebiete. Seit 2017 sind herkömmliche Plastiktüten offiziell verboten.

Auch einige Nichtregierungsorganisationen engagieren sich im Naturschutz. Die Turtle Foundation (www.turtle-foundation.org) hat ihren Sitz auf Boa Vista und kümmert sich um die Meeresschildkröten und um den Erhalt ihrer Niststrände. Jagd und intensive Bautätigkeit gefährden die drittgrößte Nistpopulation der Welt. Ebenfalls auf Boa Vista trägt BIOS-CV (www.bioscaboverde.com) aktiv zum Erhalt der heimischen Tierwelt bei. Um deren Erforschung geht es der Sociedade Caboverdiana de Zoologia (www.scvz.org), die ihren Sitz in São Vicente hat.

Tourcert (www.tourcert.org) verleiht Reiseveranstaltern und Unterkünften ein Nachhaltigkeitssiegel. Zertifizierte Unternehmen müssen ihre Ziele und Projekte dokumentieren und einen Nachhaltigkeitsbericht erstellen. Unter dem Stichwort ›Community‹ können Sie nachschauen, ob Ihr gewählter Reiseveranstalter das Nachhaltigkeitssiegel hat. Im Forum Anders Reisen (www.forumandersreisen. de) sind zahlreiche kleine Veranstalter organisiert, die sich umwelt- und sozialverträgliches Reisen zum Ziel gesetzt haben. Wer die klimaschädlichen Emissionen einer Flugreise kompensieren möchte, kann das bei Atmosfair (www.atmosfair. de) tun. Das Geld fließt in weltweite Projekte zum Klimaschutz.

Die britische Travel Foundation (www. thetravelfoundation.org.uk) arbeitet mit Veranstaltern und Regierungen zusammen. Auf Sal und Boa Vista läuft ein Projekt mit dem Ziel, das Wasser-, Energie- und Müllproblem im Hotelgewerbe zu lösen. Der Schwerpunkt liegt auf der Sensibilisierung der Regierung und der Betreiber der Hotels, von denen über 40 % des gesamten Mülls stammt. Zudem werden lokale Touranbieter ausgebildet.

Verkehrsmittel

Flugzeug
Die Gesellschaft Bestfly (www.bestfly. aero) fliegt mit Propellermaschinen alle bewohnten Inseln außer Brava und Santo Antão an. Drehkreuze sind Praia auf Santiago sowie Sal und São Vicente, wo meist ein Umsteigen erforderlich ist. Sal, Santiago und São Vicente sind täglich. mehrmals miteinander verbunden, nach Boa Vista geht es von Sal aus ebenfalls täglich. Die anderen Inseln werden mehrmals wöchentlich angeflogen. Vor jedem Inlandsflug ist eine Flughafensicherheitsgebühr in Höhe von 150 ECV zu entrich-

ten, entweder gleich beim Ticketkauf oder später beim Einchecken.

Da sich die Abflugzeiten kurzfristig ändern können, sollten Inlandsflüge zwei bis drei Tage vorher rückbestätigt werden, entweder am Flughafen oder im Internet. Das Freigepäck auf Inlandsflügen ist auf 20 kg beschränkt, Handgepäck darf nicht schwerer als 6 kg sein. Der Check-in sollte mindestens 60 Min. vor Abflug erfolgen.

Schiff
Tägliche Schiffsverbindungen für Reisende existieren zwischen den Inseln São Vicente und Santo Antão. Alle anderen Inseln sind mehrmals pro Woche mit Schnellfähren oder Fährschiffen zu erreichen, teilweise mit Zwischenstopp oder Umsteigen. Aktuelle Fahrpläne und weitere Infos bietet die Website www.cvinterilhas.cv.

Relativ oft werden die angegebenen Abfahrtszeiten nicht eingehalten, auf Verzögerungen sollte man immer eingestellt sein. Manchmal fallen die Verbindungen auch monatelang aus, daher vorher genau informieren!

Bei allen Fahrten gilt es rechtzeitig am Hafen zu sein und sich die Tickets online oder am Schalter vor Ort mindestens am Vortag zu besorgen.

Bus
Nur in Praia und Mindelo verkehren Stadtbusse. Linienbusse im Überlandverkehr gibt es nicht.

Aluguer
Wichtigstes und günstigstes Transportmittel für die Einheimischen sind die Sammeltaxis, Aluguers genannt. Dabei handelt es sich meist um Kleintransporter oder Pickups mit offener oder überdachter Ladefläche, in Einzelfällen auch um größere Busse, jeweils mit dem Schild ›Aluguer‹ auf dem Dach oder im Fenster. Aluguers befahren bestimmte Strecken, die seitlich an der Karosserie angeschrieben sind. Städte sind relativ gut miteinander verbunden, in entle-

gene Dörfer besteht oft nur eine Verbindung pro Tag: morgens in die nächstgelegene Stadt und mittags wieder zurück.

In den größeren Orten gibt es zentrale Abfahrtsstellen, doch die Fahrer kreuzen auch durch die Straßen, um Passagiere einzusammeln. Genaue Abfahrtszeiten gibt es nicht – meist wird gestartet, wenn mindestens die Hälfte der Plätze besetzt ist. Unterwegs halten die Aluguers auf Handzeichen.

Der Preis pro Strecke und Person im Sammeltaxiverkehr (*passagem* oder *colectivo*) ist festgelegt und richtet sich nicht nach der Anzahl der Passagiere. Aluguerfahrer bieten auch Taxidienste (s. unten) an. Preisbeispiel für Santo Antão: Porto Novo–Ponta do Sol ca. 5,50 €.

Taxi

Taxis gibt es auf allen Inseln außer auf Maio, São Nicolau und Brava. Überall übernehmen die Aluguers neben ihrer Funktion als Sammeltaxi auf Wunsch auch exklusive Taxidienste (*freite* oder *privado*). Es gibt feste Preise für festgeschriebene Strecken, die etwa dem Zehnfachen einer normalen Aluguerfahrt entsprechen. Man sollte sie vor der Fahrt erfragen. Nachts wird 30 % Aufschlag verlangt. Preisbeispiel für Sal: Flughafen–Santa Maria ca. 15 €.

Mietwagen

Internationale Autovermieter, deren Fahrzeuge über Internetportale gebucht werden können, sind nur auf Sal, Boa Vista, Santiago (Praia) und São Vicente vertreten. Weitere örtliche Anbieter auf diesen vier Inseln findet man auf der Website www.turismo.cv/page/rent-car. Auf den übrigen Inseln gibt es, außer auf Brava, ebenfalls örtliche Anbieter.

Zum Mieten eines Fahrzeugs genügt der nationale Führerschein. Meist wird als Zahlungsmittel der Euro erwartet. Je nach Wagenkategorie beträgt die Tagesmiete zwischen 36 und 100 €, die Wochenmiete ab ca. 200 €. Viele Mietwagenfirmen verlangen die Hinterlegung des Reisepasses oder eine Kaution in Höhe von 200 bis 300 €. Eine Kreditkarte kann in der Regel nicht als Kaution belastet werden. Oft ist die Höhe der Freikilometer begrenzt, zumeist auf 100 oder 180 km. Der Benzinpreis ist etwa so hoch wie in Mitteleuropa, er lag bei Redaktionsschluss durchschnittlich bei 127 ECV.

Viele Straßen sind nicht asphaltiert, sondern haben Kopfsteinpflaster. Hier gilt es, auf Schlaglöcher und herumliegende Steine zu achten. Das Fahren bei Nacht empfiehlt sich nicht, auch weil sich viele Tiere auf den Straßen tummeln. Die Asphaltierung schreitet allerdings auf allen Inseln voran. Da es noch nicht überall Straßen- oder Ortsschilder gibt, ist die Orientierung teilweise ziemlich schwer. Gutes Kartenmaterial und/oder eine Navigations-App (s. S. 223) leisten hilfreiche Dienste.

Klemmen Sie sich in Porto Novo auf Santo Antão hinters Steuer und fahren Sie auf der Estrada de Corda in den Himmel – nach Ribeira Grande.

Sprachführer Portugiesisch

AUSSPRACHE

Die Betonung liegt im Portugiesischen in der Regel auf der vorletzten Silbe.

ão wie nasales ›au‹
c vor ›a, o, u‹ wie ›k‹; vor ›e, i‹ wie ›ss‹
ç wie ›ss‹
-em/-im/-om am Wortende nasal gesprochen
es am Wortanfang wie ›isch‹
g vor ›a, o, u‹ wie ›g‹; vor ›e, i‹ wie ›sch‹
h wird nicht gesprochen
j wie ›sch‹
lh wie ›lj‹
nh wie ›nj‹
o wenn unbetont, dann wie ›u‹
s vor Konsonant wie ›sch‹; vor Vokal wie ›s‹
x wie »sch«, in Fremdwörtern (z. B. Taxi) wie »x«

Allgemeines

Guten Morgen	bom dia
Guten Tag	boa tarde (ab mittags)
Gute Nacht	boa noite
Hallo!	olá!
Auf Wiedersehen	adeus, até logo
bitte	faz favor
danke	obrigado (als Mann) obrigada (als Frau)
ja/nein	sim/não
Entschuldigen Sie!	desculpe!
Wie bitte?	como?

Unterwegs

Haltestelle	paragem
Bus/Auto	autocarro/carro
Zug	comboio
Tankstelle	posto de gasolina
rechts/links	à direita/à esquerda

geradeaus	em frente
Auskunft	informação
Postamt	correios
Bahnhof	estação
Flughafen	aeroporto
Stadtplan	mapa da cidade
Eingang	entrada
Ausfahrt/Ausgang	saída
geöffnet	aberto
geschlossen	fechado
Stadtzentrum	centro da cidade
Kirche	igreja
Museum	museu
Lebensmittelladen	mercearia
Brücke	ponte
Platz	praça/largo
Strand	praia

Zeit

Stunde	hora
Tag	dia
Woche	semana
Monat	mês
Jahr	ano
heute	hoje
gestern	ontem
morgen	amanhã
Montag	segunda-feira
Dienstag	terça-feira
Mittwoch	quarta-feira
Donnerstag	quinta-feira
Freitag	sexta-feira
Samstag	sábado
Sonntag	domingo

Notfall

Hilfe!	socorro!
Polizei	polícia
Arzt/Zahnarzt	médico/dentista
Apotheke	farmácia
Krankenhaus	hospital
Unfall	acidente
Schmerzen	dor
Panne	avaria

Übernachten

Hotel	hotel
Pension	pensão
Einzelzimmer/	quarto individual/
Doppelzimmer	com duas camas
mit/ohne Bad	com/sem casa de banho
Toilette	casa de banho
Dusche	duche
mit Frühstück	com pequeno almoço
Halbpension	meia-pensão
Gepäck	bagagem
Rechnung	factura

Einkaufen

Geschäft	loja
Markt	mercado
Lebensmittel	alimentos
Bank	banco
Kreditkarte	cartão de credito

Geld	dinheiro
Geldautomat	caixa automático
teuer/billig	caro/barato
Größe	tamanho
bezahlen	pagar

Zahlen

1	um/uma	17	dezassete
2	dois/duas	18	dezoito
3	três	19	dezanove
4	quatro	20	vinte
5	cinco	21	vinte-e-um
6	seis	30	trinta
7	sete	40	quarenta
8	oito	50	cinquenta
9	nove	60	sessenta
10	dez	70	setenta
11	onze	80	oitenta
12	doze	90	noventa
13	treze	100	cem, cento
14	quatorze	150	cento e cinquenta
15	quinze		
16	dezasseis	1000	mil

WICHTIGE SÄTZE

Allgemeines

Sprechen Sie Deutsch/Englisch?	Fala alemão/inglês?
Ich verstehe nicht.	Não compreendo.
Ich spreche kein Portugiesisch.	Não falo português.
Ich heiße …	Chamo-me …
Wie heißt du/heißen Sie?	Como te chamas/se chama?
Wie geht es dir/Ihnen?	Como estás/está?
Danke, gut.	Bem, obrigado/-a.

Unterwegs

Wie komme ich zu/nach …?	Como se vai para …?
Wo ist …?	Onde está …?
Könnten Sie mir bitte … zeigen?	Pode-me mostrar …, faz favor?

Notfall

Können Sie mir bitte helfen?	Pode-me ajudar, faz favor?

Ich brauche einen Arzt.	Preciso de um médico.
Hier tut es mir weh.	Dói-me aqui.

Übernachten

Haben Sie ein freies Zimmer?	Tem um quarto disponível?
Wie viel kostet das Zimmer pro Nacht?	Quanto custa o quarto por noite?
Ich habe ein Zimmer bestellt.	Reservei um quarto.

Einkaufen

Wie viel kostet …?	Quanto custa?
Wann öffnet/schließt …?	Quando abre/fecha …?

Im Restaurant

Ich möchte einen Tisch reservieren.	Queria reservar uma mesa.
Die Speisekarte, bitte.	A ementa, faz favor.
Die Rechnung, bitte.	A conta, faz favor.

Kulinarisches Lexikon

Allgemeines

acompanhamentos	Beilagen
açúcar	Zucker
adoçante	Süßstoff
azeite	Öl
entradas	Vorspeise
lista dos vinhos	Weinkarte
petiscos	Appetithappen
pimenta	Pfeffer
prato do dia	Tagesgericht
prato principal	Hauptgericht
prato vegetariano	vegetarisches Gericht
sal	Salz
sobremesa	Nachspeise
sopa	Suppe
uma meia dose	eine halbe Portion
vinagre	Essig

Zubereitung

assado	gebraten, auch: Braten
cozido	gekocht
doce	süß
estufado	geschmort
frio	kalt
frito	frittiert
grelhado/na brasa	gegrillt
guisado	geschmort
no espeto	am Spieß
no forno	im Ofen
picante	scharf
quente	warm, heiß
recheado	gefüllt

Vorspeisen

azeitonas	Oliven
chouriço	geräucherte Wurst
manteiga	Butter
pão	Brot
patê de atum/ sardinha	Thunfisch-/ Sardinenpaste
presunto	(roher) Schinken
queijo	Käse

Suppen

caldo verde	grüne Kohlsuppe
canja da galinha	klare Hühnersuppe mit Reis
creme de marisco	(cremige) Meeresfrüchtesuppe
sopa de legumes	Gemüsesuppe
sopa de peixe	Fischsuppe

Fisch und Meeresfrüchte

amêijoa	Teppichmuschel
atum	Thunfisch
bacalhau	Stockfisch
besugo	Meerbrasse
camarão	Krabbe, kleine Garnele
carapau	Bastardmakrele, Stöcker
cherne	Silberbarsch
choco	Tintenfisch, Sepia
dourada	Zahn-/ Goldbrasse
espardarte	Schwertfisch
gamba	Garnele
garoupa	Zackenbarsch
goraz	Rotbrasse
lagosta	Languste
lapas	Napfschnecken
lavagante	Hummer
linguado	Seezunge
lula	Kalmar
mexilhão	Miesmuschel
ostra	Auster
pargo	Seebrasse
peixe espada	Degenfisch
perceves	Entenmuschel
pescada	Seehecht
polvo	Krake
robalo	See-/Wolfsbarsch
salmão	Lachs

salmonete	Rotbarbe
sapateiro	Riesentaschen-krebs
sardinha	Sardine
sargo	Geißbrasse
tamboril	Seeteufel

Fleisch

bife	Steak, Schnitzel
borrego	Lamm
cabrito	Zicklein
carneiro	Hammel
coelho	Kaninchen
figado, iscas	Leber
frango	Hähnchen
galinha	Huhn
javali	Wildschwein
lebre	Hase
leitão	Spanferkel
lombo	Lenden-, Rückenstück
pato	Ente
perdiz	Rebhuhn
peru	Pute
porco (preto)	(iberisches) Schwein
vaca	Rind
vitela	Kalb, Färse

Gemüse und Beilagen

abóbora	Kürbis
alho	Knoblauch
arroz	Reis
batatas cozidas/ a murro/fritas	Salz-/Pellkartoffeln/ Pommes frites
beringela	Aubergine
brócolos	Brokkoli
cebola	Zwiebel
cenoura	Karotte
cogumelos	Champignons
courgette	Zucchini
couveflor	Blumenkohl
ervilhas	Erbsen
espinafre	Spinat
favas	Saubohnen
feijão (verde)	(grüne) Bohnen
grelos	Steckrübenblätter
massas	Nudeln
ovos	Eier

pepino	Gurke
pimento	Paprikaschote
salada (mista)	(gemischter) Salat

Nachspeisen und Obst

ameixa	Trockenpflaume
ananás/abacaxi	Ananas
arroz doce	Milchreis
bolo/torta (de amêndoa)	(Mandel-)Kuchen
cereja	Kirsche
figo	Feige
gelado	Eis
laranja	Orange
leite creme	karamellisierter Eierpudding
limão	Zitrone
maçã	Apfel
maça assada	Bratapfel
melancia	Wassermelone
meloa/melão	Melone
morango	Erdbeere
pêra	Birne
pêssego	Pfirsich
pudim flan	Karamellpudding
salada de fruta	Obstsalat
uvas	Weintrauben

Getränke

água com/sem gás	Mineralwasser/ stilles Wasser
aguardente (velho)	(alter) Branntwein
bagaço	Tresterschnaps
café/bica	Kaffee/Espresso
café com leite	Milchkaffee
caneca	großes Fassbier
cerveja	Flaschenbier
chá (preto/verde)	Tee (schwarzer/ grüner)
galão	Milchkaffee im Glas
imperial	kleines Fassbier
leite	Milch
macieira	Weinbrand
sumo de laranja	Orangensaft
vinho (branco/tinto/verde)	Wein (Weiß-, Rot-, junger)
vinho do Porto	Portwein

Das

Magazin

Mit Kind und Kegel

Aluguers nennen sich die öffentlichen Transportmittel auf den Kapverden — zu erkennen sind sie an einem meist handgemalten Schild vorne an der Windschutzscheibe oder an einer Leuchte auf ihrem Dach.

Wie viele Menschen passen in einen Minibus?

Praia, Santiago, 1999. Wir planen eine Fahrt nach Tarrafal, am anderen Ende der Insel. Am quirligen Kleidermarkt Sucupira ist die Sammelstelle der Aluguers. Die Fahrer haben Gehilfen, die das Ziel aus dem Fenster brüllen: »Trafall, Trafall, Trafall …« Wir sind die ersten Passagiere und bestehen darauf *colectivo* zu reisen, also das Auto mit anderen zu teilen, aus Kostengründen. Die Fahrt geht los, aber nicht nach Tarrafal, sondern erst einmal um den Markt herum: »Trafall, Trafall, Trafall …«.

Wir haben Glück. Das Auto ist nach etwa 20 Minuten halb besetzt und die Fahrt beginnt. Gut 60 km auf einer holprigen Pflasterstraße in einem nicht sehr wohlriechenden Toyota-Minibus stehen uns bevor. Von den 15 Plätzen sind nur sieben belegt, das ist ok.

Schon in den Außenbezirken der Stadt steigt eine Vierergruppe Jugendlicher mit dazu. Elf Passagiere, immer noch ok. Bei São Domingos will eine Bauersfrau mit einem Eimer Süßkartoffeln in dieselbe Richtung. Zwölf plus ein Eimer, bestens.

Assomada ist der Marktflecken der Insel, Landwirtschaftszentrum und Kornkammer. Es steigen ein: ein älteres Ehepaar mit vier großen Plastiktüten, eine Wohlbeleibte mit drei Hühnern (lebend) und drei Schulkinder. 18, ein Eimer, vier große Plastiktüten, drei Hühner – es wird eng.

Nördlich des Serra Malagueta holpern wir abwärts in Richtung Tarrafal. Nur noch 15 km. Irgendwo auf der Höhe von Ribeira Prata stehen drei Fischverkäuferinnen an der Straße. Das Geschäft hier läuft schlecht, sie wollen nach ›Trafall‹. 18 mit Beiwerk plus drei mit drei Eimern frischem Fisch. Der kommt unter die Sitze, nimmt keinen Platz weg, zählt nicht. Nach gut zwei Stunden kommen wir in Tarrafal an. Zurück fahren wir *freite* (s. S. 244), koste es, was es wolle …

Inzwischen ist die Straße von Praia nach Tarrafal asphaltiert, die Kontrollen sind strenger. Im städtischen Bereich geht es nicht mehr so rustikal zu, doch auf der restlichen Insel lässt sich immer noch einiges erleben. Nach zahllosen nervigen wie witzigen Erfahrungen mit Aluguerfahrten haben wir beschlossen, *colectivo* nur noch mit einem Pick-up zu fahren – das ist zwar nicht komfortabler, aber luftiger.

Wie privat ist eigentlich ein Taxi?

Nova Sintra, Brava, 2014. Wir wollen die Insel erkunden und mieten uns ein Auto mit Fahrer für den ganzen Tag. Es geht pünktlich los. Ziel ist zunächst das Dorf Cachaço, das abseits und einsam auf einer Hochebene liegt. Aluguers finden selten den Weg hierher, die Bewohner gehen viel zu Fuß – außer es kommt gerade zufällig jemand vorbei, der einen Wagen mit Fahrer gemietet hat … Unser Chauffeur scheint den älteren Herrn, der nur ein Stück mitmöchte, zu kennen. Er fragt uns – klar kann er mit. Ein Auto besetzt mit nur zwei Personen plus Fahrer ist ja eh die reinste Verschwendung. In Campo de Baixo ein paar Kilometer weiter steigt der Mann schon wieder aus. Er möchte uns bezahlen, aber so weit kommt's noch. So bedankt er sich herzlich und geht zu Fuß weiter.

Nach Fajã d'Agua führt eine schmale, steile Straße hinunter. Unten machen wir einen kleinen Spaziergang. Als wir zum Auto zurückkommen, haben wir vier jugendliche Mitfahrer. Chauffeur und Neupassagiere scheinen sich auch dieses Mal zu kennen. Schon fast wieder in Nova Sintra angekommen, klettert eine ältere Dame zu uns in den Wagen.

Sie erzählt viel, hat Freude, ihre Insel zu erklären, auch wenn wir nicht viel verstehen. Schon nach zehn Minuten verlässt sie uns wieder. Sie fragt den Fahrer, was es kostet. Der zeigt nur auf uns – und die Frau ist froh, nichts bezahlen zu müssen.

Das Jugendgrüppchen fährt bis in die Hauptstadt Nova Sintra mit. Am Ziel steigen sie aus, laut miteinander palavernd. Sie gehen stillschweigend davon aus, nichts bezahlen zu müssen – natürlich nicht. Unser Fahrer meint, bedanken sollten sie sich wenigstens. Sie wachen auf und tun es.

Wie lerne ich aus meinen Fehlern?

Praia, Santiago, 2018. Liebe Leserin, lieber Leser, wenn Sie glauben, wir sind durch die jahrelange Erfahrung schlauer geworden und hätten das System durchschaut: Sie täuschen sich.

Wir wollen von Praia nach Cidade Velha, eine kurze Strecke, etwas über 10 km. Geld sparen heißt die Devise, also doch wieder *colectivo*. Wir stellen uns, ganz schlau, an die Ausfallstraße am Westrand von Praia und warten. Es kommt kein Aluguer. Auch nicht nach gefühlten Stunden (eher 30 Minuten …). Im Hafen liegt ein großes Kreuzfahrtschiff, da wird doch wohl irgendjemand von den Passagieren Cidade Velha besuchen wollen. Stimmt, aber sie lassen sich von Bussen einer Reiseagentur dorthin transportieren.

Ein altersschwacher Toyota pruset vorbei und würde gerne Privattaxi spielen. »Heute fahren keine öffentlichen Aluguers«, versichert uns der Fahrer. Denkste, wir warten.

Nach öder, nicht näher benennbarer Wartezeit kommt doch einer – in die falsche Richtung. Wir nehmen ihn trotzdem. Es geht ins Zentrum von Praia zurück, dann vollladen. Das zieht sich. Aber endlich starten wir. Nur gut 15 Minuten

WIE KOMME ICH AUF DEN INSELN VON A NACH B?

Sammeltaxen auf den Kapverden heißen **Aluguers.** Viele sind für eine bestimmte Route registriert, die auf der Tür angeschrieben steht. Aus Kostengründen fahren die allermeisten Einheimischen *colectivo*, d. h., es geht los, sobald das Auto voll ist, bzw. auch halbvoll, je nach Lust und Laune des Fahrers. Betuchtere Kapverdianer mieten ein Aluguer für sich alleine, das nennt sich dann *freite* (›Fracht‹). Man sollte meinen, dass man dann alleine mit dem Fahrer im Auto sitzt, aber das klappt nicht immer … Eine weitere Möglichkeit, von A nach B zu gelangen, ist per Privattaxi. Eine solche Fahrt kostet etwa das 10-fache des Colectivo-Preises. Ein Aluguer muss kein bestimmter Wagentyp sein: Pick-ups mit Holzpritschen auf der Ladefläche oder Minibusse sind ebenso registriert wie komfortable klimatisierte Sechssitzer.

später ist das Ziel schon erreicht. Über die Wartezeit schweigen wir gelassen.

Bei der Rückfahrt glauben wir klüger zu sein. Wir steigen in ein Aluguer ein, in dem schon vier Leute sitzen. Mit sechs zahlenden Kunden kann es ja gleich losgehen. Wieder nix. Die vier Passagiere stellen sich als Kumpel des Fahrers heraus und möchten nur quatschen, nicht nach Praia …

Wie sieht das Fazit aus?

Wenn Sie Zeit und wenig Geld haben und etwas erleben möchten, fahren Sie *colectivo*. Haben Sie es eilig – auf den Kapverden fast unvorstellbar –, dann sollten Sie sich eine private Fahrt leisten. ■

*Busse gibt's nur in den größeren Städten und die Fahrt
damit ist wesentlich unspektakulärer als in einem der Aluguers,
die teilweise sogar bissige Haie an Bord haben.*

Alternativen zum Papst

Keine schlechte Zahl — Knapp 80 % der Inselbewohner sind katholisch, doch die Priester klagen, denn seit der Unabhängigkeit sind die Gläubigen in Scharen zu den aus Nordamerika importierten Freikirchen und Sekten abgewandert.

Bis zu Beginn des 20. Jh. gab allein die römisch-katholische Kirche auf den Kapverden den religiösen Ton an. Heute gehören ca. 1,7 % der Bevölkerung der Freikirche der Nazarener an. Weitere 8 % verteilen sich auf andere Freikirchen, etwa Adventisten und Baptisten, Zeugen Jehovas und Mormonen oder die brasilianische Racionalismo Cristão, deren Messen auch von Katholiken besucht werden. Bei den praktizierenden Gläubigen dürfte der prozentuale Anteil dieser Religionsgemeinschaften deutlich höher liegen. Vor allem die Mormonen verzeichnen einen regen Zulauf, etwa 14 000 oft sehr junge Mitglieder sollen sie inzwischen haben. Zahlreiche Missionare aus ihren Reihen sind ständig auf den Inseln unterwegs, viele davon wurden vor Ort ausgebildet.

Neue Faszination

Worin besteht eigentlich die Begeisterung, die die Kapverdianer für die importierten Kulte hegen? Zum einen gilt die katholische Kirche als Institution der portugiesischen Kolonialherren – viele Inselbewohner wandten sich aus politischen Gründen von ihr ab. Aber auch die mangelnde Präsenz der katholischen Priester in der Vergangenheit spielt gewiss eine Rolle. Mit der Schließung des Seminars von São Nicolau im Jahr 1931 (s. S. 60) begann ein langsamer, folgenschwerer Nieder-

FREIKIRCHEN UND MORMONEN

Bei Freikirchen handelt es sich – vom deutschsprachigen Raum aus betrachtet – um christliche Religionsgemeinschaften, die im Gegensatz zur katholischen und evangelischen Kirche keine Staats- oder Volkskirchen sind und sich nicht aus Kirchensteuern, sondern aus freiwilligen Beiträgen (die oft wesentlich höher liegen) finanzieren. In den USA spalteten sich viele Freikirchen von den reformierten Protestanten oder den Anglikanern ab.

Die 1830 in den USA durch Joseph Smith gegründete Religionsgemeinschaft der Mormonen hat ihren Hauptsitz in Salt Lake City und nennt sich offiziell Kirche Jesu Christi der Heiligen der letzten Tage. Ihre heilige Schrift ist neben der Bibel das Buch Mormon, das Smith angeblich von einem Engel übergeben wurde, von den traditionellen christlichen Kirchen aber nicht anerkannt wird. Die Lebensführung der Mormonen beruht auf strengen moralischen Regeln, Familie und Mission spielen zentrale Rollen.

gang des Klerus auf den Kapverdischen Inseln. Kirchen verwaisten und die bis dahin in großen Teilen einheimische Priesterschaft starb allmählich aus. Ab den 1940er-Jahren schickte die Salazar-Diktatur europäische Missionare auf die Inseln, darunter auch viele Kapuzinermönche aus Italien. Doch taten sich die Kapverdianer schwer, die weißen Priester zu akzeptieren. Erst mit der Ernennung des ersten von den Kapverden stammenden Bischofs kurz vor der Unabhängigkeit der Inselgruppe setzte die katholische Kirche ein Zeichen. Bis heute ist sie jedoch auf ausländisches Personal angewiesen, wozu die antireligiöse Erziehung während der Regierungszeit der sozialistischen Einheitspartei (1975–1991) sicherlich ihren Beitrag leistete.

Bürgernahe Rückkehrer aus Übersee

Den Klerus der Freikirchen und Mormonen stellen überwiegend in die Heimat zurückgekehrte Emigranten. Die erste nichtkatholische Kirche auf dem Archipel wurde 1909 in Vila Nova Sintra auf der Insel Brava errichtet, und zwar von João José Diaz, einem in den USA zur Nazarenerkirche übergetretenen Kapverdianer. Diaz übersetzte die portugiesischen Kirchenlieder ins Kreolische und gewann damit die Herzen der einfachen Bevölkerung. 1936 reiste Reverend Howard aus den USA an, um für die Nazarener auch auf anderen Inseln zu missionieren – erfolgreich, denn bald scharte er eine große Zahl von Anhängern um sich. Heute sind die kräftig blau gestrichenen Nazarenerkirchen nicht mehr wegzudenken von den Kapverden. Die Nazarener sprechen gerade junge Leute an, denn sie zeichnen sich durch rege Aktivitäten in den Gemeinden aus und treten ausgesprochen bürgernah auf. ∎

Beide folgen christlichen Traditionen: die Nazarener, in deren zumeist blau angemalten Kirchen die Predigt im Mittelpunkt steht, und die Rabelados, die ihren Glauben mit afrikanisch inspirierten Bräuchen vermischen.

Vom Pidgin zur Muttersprache

Keine Sorge — Sie müssen kein Kriolu lernen, um sich auf den Kapverden verständigen zu können. Das Land ist zweisprachig und nebst Armen und Beinen reichen ein paar Worte Portugiesisch aus, um mit den Menschen in Kontakt zu treten.

Ein junges Mädchen wurde im 15. Jh. ihrer Dorfgemeinschaft in Westafrika entrissen, fort von ihren Eltern, ihren Geschwistern, ihren Freunden. Portugiesen verschleppten sie auf eine Insel im Atlantik. In der Hitze von Santiago musste sie auf Feldern arbeiten, wenn sie Glück hatte, konnte sie im Haushalt helfen.

Ihre Sprache war Wolof. Verständigen konnte sie sich nur mit Mühe, auch viele andere Sklaven verstand sie nicht. Die kamen aus den verschiedensten Gegenden und hatten jeweils eine eigene Sprache. Aber sie musste die Befehle der portugiesischen Herren verstehen. Nur eine ungefähre Bedeutung konnte sie aus dem Zusammenhang schließen: pflanzen, pflügen, putzen, falsch, richtig, langsam, schneller etc. Intuitiv versuchte sie das Gehörte ihrer eigenen Sprache anzupassen und bildete so neue Worte. Genauso machten es die anderen Sklaven auf den Kapverden. Mit den Jahren glichen sich die neu entstandenen Begriffe einander an, die Behelfssprache Pidgin entstand.

Wie wird aus einer Behelfs- eine Muttersprache?

Die Eigentümer der Sklaven lebten meist ohne ihre Frauen fern der portugiesischen Heimat. Es kam, wie es kommen musste: Das Mädchen wurde, wie viele ihrer Leidensgenossinnen, schwanger. Ihre Tochter war eine Kreolin, d.h. Nachkomme einer ethnisch gemischten Verbindung, und lernte von Anfang an, sich in Pidgin zu verständigen. So entwickelte sich die einstige Behelfs- zur Muttersprache, dem Kriolu bzw. Kreol.

Wie jede Sprache entwickelte sich auch das Kriolu weiter und genügte bald komplizierten Anforderungen. Über 90 % des Wortschatzes leiten sich vom Portugiesischen ab, der Rest von verschiedenen afrikanischen Sprachen, vor allem vom Wolof aus dem Senegal, wo die meisten Sklaven herkamen.

›Euer Gnaden‹ statt ›du‹

Parallel zum Kriolu blieb Portugiesisch stets in Unterricht, Literatur und Behörden in Gebrauch und machte die

Die Frage nach dem Weg schafft Kontakte, manchmal über-schwenglicher, als einem lieb ist, doch kommt man so ganz leicht mit den Kapverdianern ins Gespräch.

gleiche linguistische Entwicklung durch wie in Portugal. Hingegen bewahrte das Kriolu, ähnlich wie das brasilianische Portugiesisch, Besonderheiten der portugiesischen Sprache des 15. bis 17. Jh., wobei sich zwei hauptsächliche Varianten des Kriolu herausbildeten. Auf den Sotavento-Inseln (Santiago, Fogo, Brava, Maio), wo die Sklaverei sehr ausgeprägt war, sind beispielsweise in der Aussprache starke afrikanische Einflüsse vorhanden. Die Kriolusprachigen auf den Barlovento-Inseln (Boa Vista, Sal, São Nicolau, SãoVicente, Santo Antão) pflegen auch heute noch eine Anredeform, die aus dem Portugiesischen der frühen Kolonialzeit stammt, in Portugal jedoch schon lange verschwunden ist: Anstelle von *tu* (›du‹) wird *bocê* (von port. *você*, ursprünglich *vossa mercê*, ›Euer Gnaden‹) verwendet. Während es früher die Ehrfurcht gegenüber Höhergestellten zum Ausdruck brachte,

ist dieser Beiton im heutigen Sprachgebrauch völlig untergegangen.

Angst erzeugt Verbote

Da die portugiesischen Kolonialbehörden separatistische Tendenzen befürchteten, verboten sie zunächst den schriftlichen Ausdruck in Kriolu, im 19. Jh. schließlich auch das Benutzen der Sprache in öffentlichen Einrichtungen. Die höheren sozialen Schichten der kapverdischen Gesellschaft schlossen sich der Meinung der Portugiesen an, Kriolu sei ein bäuerlicher Dialekt mit geringem Wortschatz und ohne Grammatik. Sogar in vielen Familien war sein Gebrauch verboten.

Das Kriolu blüht auf ...

1936 gab das Erscheinen der Zeitschrift »Claridade« dem eigenständigen intellektuellen Leben auf den Kapverden entscheidende Impulse, auch wenn viele Themen unter der Kolonialregierung behutsam angegangen werden mussten. Zuvor war die Literatur rein portugiesisch bzw. europäisch geprägt gewesen. Jetzt behandelten einheimische Schriftsteller Sujets von den Inseln. So liefern die nur neun Auflagen, die »Claridade« erlebte, heute wertvolle ethnologische Hinweise.

Erstmals wurde in »Claridade« der Text eines kapverdischen Sprechgesangs *(finaçon)* in Kriolu publiziert – ohne jedoch die Übersetzung ins Portugiesische mitzuliefern. Die Kenntnis des Liedes setzten die Herausgeber bei der Leserschaft also schlichtweg voraus.

… und bekommt sein eigenes Alphabet
Junge kapverdische Intellektuelle und Politiker sehen Portugiesisch heute als aufgepfropfte Kolonialsprache an. Sie möchten Kriolu zur Amtssprache erheben und seinen Gebrauch in den Schulen durchsetzen. Erste Tendenzen dazu gab es ja schon in den 1930er-Jahren. Verstärkt wurden diese durch die Unabhängigkeitsbewegung zwischen 1974 und 1976.

Die Tatsache, dass auf jeder Insel anders gesprochen wird, ist ein großes Hindernis dabei. Zwischen der Sprache von Santiago und derjenigen von Santo Antão sollen mindestens so große Unterschiede bestehen wie zwischen Portugiesisch und Spanisch. Nach zähen Verhandlungen, die sich seit 1979 über mehrere linguistische Kolloquien hinzogen und von der UNESCO gefördert wurden,

»Die Sprache gehört zum Charakter des Menschen.«

Sir Francis von Verulam Bacon (1561–1626)

konnte zumindest die strittige Frage der Schreibweise des Kriolu geklärt werden.

2005 erkannte die kapverdische Regierung offiziell das ALUPEC (Alfabeto Unificado para a Escrita do Caboverdiano) als gültig an. Es basiert auf dem lateinischen Alphabet. Geschrieben wird – im Gegensatz zum Portugiesischen –, wie man spricht, d. h. fast jeder Buchstabe entspricht exakt einem Laut und umgekehrt. Das bedeutet aber auch, dass jeder Kapverdianer – je nach geografischer und sozialer Herkunft sowie individueller Aussprache – unterschiedlich schreibt, jedenfalls solange das Kriolu nicht vereinheitlicht ist. Trotz seiner offiziellen Anerkennung wird das ALUPEC bislang nur von Literaten sowie von einigen Idealisten benutzt. Ansonsten bleibt Kriolu vorerst auf den mündlichen Gebrauch beschränkt. Als Umgangssprache hat es das Portugiesische inzwischen jedoch fast völlig verdrängt.

Fast am Ziel: Zweisprachigkeit
Cabo Verde gilt heute als zweisprachig, allerdings trifft dies nicht auf alle Bevölkerungsgruppen zu. Während sich in Kriolu fast alle Kapverdianer ausdrücken können, gibt es viele, die Portugiesisch zwar verstehen, aber nicht richtig sprechen und schreiben können. Das liegt insbesondere an den großen Unterschieden zwischen Stadt und Land, ist aber auch eine Generationenfrage, denn besonders unter den Älteren finden sich noch zahlreiche Analphabeten. Diese Form der Zweisprachigkeit hat zu einer Art doppelter Kultur geführt, sowohl was das Individuum als auch was die Gesellschaft anbetrifft. Dennoch wird sie weiterhin als einzig gangbarer Weg für die Kapverden angesehen. Das Portugiesische erleichtert internationale Kontakte durch die Einbindung in eine Sprachgemeinschaft, die mehrere Kontinente umspannt. Gleichzeitig soll Kriolu als nationale Sprache weiterentwickelt werden, um die verschiedenen Alters- und Bildungsgruppen zusammenzuführen. ∎

Und immer scheint die Sonne …

Tourismus ist ein Segen für die Kapverden — Er bringt Arbeitsplätze, hält das Leben am Laufen, sorgt für Infrastruktur … und für Verdruss: bei jenen, die nicht davon profitieren.

»Die Bedingungen zu schaffen, dass alle am Tourismus teilhaben können und er nicht ein Phänomen ist, von dem nur wenige etwas haben, das ist eine große Herausforderung, das wissen wir. Wir werden uns ihr stellen«, sagte Finanzminister Olavo Correia im November 2017 der Zeitung »Santiago Magazine«.

Tourismus für alle?

Ziel der Kritik ist immer wieder die TUI, die auf den Strandinseln Sal und Boa Vista kräftig investiert. Ein Großteil dieser Leistungen wird von der Bevölkerung jedoch nicht realisiert.

»Die wollen alles, eigene Flugzeuge, eigene Hotels, eigene Ausflüge«, meint stellvertretend für viele ein örtlicher Reiseleiter. Dem widerspricht nicht einmal Friedrich Peter Joussen, Vorstandsvorsitzender der TUI, der sich in der Bordzeitung »Flyjournal« (Ausgabe Winter 2017/18, S. 4) wie folgt äußert: »Wir bieten unter dem Dach der TUI alles aus einer Hand: Beratung, Flug, Hotels – und im Urlaubsland sind unsere Teams immer Ansprechpartner, organisieren Ausflüge oder die An- und Abreise.«

Die meisten Einheimischen glauben, dass nur wenige Kapverdianer in den RIU-Hotels der TUI arbeiten. Zahlen um die 10 % schwirren gerüchteweise umher.

Im Jahresbericht von RIU sieht das anders aus: Auf den Kapverden beschäftigen die RIU-Hotels 1700 Angestellte, über 1400 davon sind Einheimische. Mehr als 6 % der weltweit Angestellten der RIU-Hotels arbeiten auf den Kapverden, etwa zwei Drittel davon haben einen Festvertrag.

»Am Flughafen werden die ausländischen Reiseleiter wahrgenommen, die die Gäste abholen. Wie das Verhältnis von ausländischen zu einheimischen Angestellten im Hotel wirklich ist, wird von außen nicht gesehen«, sagt Heike Alter von der Incoming-Agentur Vista Verde Tours. Die hat sie zusammen mit Kai Pardon, dem Geschäftsführer des Reiseveranstalters Reisen mit Sinnen, 2004 auf Fogo gegründet. Inzwischen existieren Büros auf São Vicente, Sal, Santiago und Fogo, mehrheitlich kümmern sich einheimische Mitarbeiter um das Wohl der Gäste.

Zwischen TUI, Gästen und Einheimischen besteht offensichtlich ein Kommunikationsproblem. Auch Vista Verde Tours steht unter deutscher Leitung, hat aber mit keinerlei Anfeindungen in dieser Richtung zu kämpfen. Vielleicht liegt es daran, dass deren Kunden mehr ins Land eintauchen, Kontakt mit den Einheimischen haben. Vista Verde und Reisen mit Sinnen sorgen auf ihren Touren für Begegnungen und dafür, dass ihre Gäste am Leben der Bevölkerung teilnehmen. Man besucht beispielsweise Gitarrenbauer oder nächtigt privat bei Einheimischen. »In großen All-inclusive-Hotels ist nicht viel mit Individualität und Emotionalität«, meint Kai Pardon. Auch Alfred Mandl (s. S. 134), der Pionier im kapverdischen Tourismus, war immer der Meinung: »Das normale Leben ist das Ziel, der Tourismus soll unterstützen.« Bauern und Gäste sollten sich gegenseitig bereichern.

Wer profitiert?

Sal und Boa Vista sind die wichtigsten Ferieninseln der Kapverden. Hier begann der sogenannte Warmwassertourismus, also das Suchen nach Sonne, Strand und Erholung. Um die Jahrtausendwende wusste noch kaum jemand, wo die Kapverden überhaupt liegen. Im Jahr 2000 waren auf Sal gerade einmal 2500 Gästebetten registriert (75 000 Besucher jährlich), 2017 war es schon mehr als das Vierfache (ca. 350 000 Besucher). Noch gewaltiger ist der Sprung auf Boa Vista von rund 350 Gästebetten im Jahr 2000 (9500 Besucher) auf 5600 in 2017 (ca. 200 000 Besucher). Von 2017 bis 2019 gingen die Besucherzahlen auf den Kapverden nochmals um ca. 14 % nach oben. Corona sorgte 2020 dann für einen Einbruch von 75 %.

Von dem allgemeinen Sog der damit verbundenen Werbung für die

Nein, das Meer, das die Kapverden umspült, ist nicht so salzig, dass Sie sich darin treiben lassen könnten. Die Solebecken sind's, in denen es auch möglich wäre, beim Baden Zeitung zu lesen.

Inselgruppe und der zunehmenden Bekanntheit profitierte vor allem die Wanderinsel Santo Antão: In den letzten 18 Jahren verzehnfachte sich die Besucherzahl auf heute um 26 000 Besucher jährlich. Als wir 2000 zum ersten Mal auf den Inseln recherchierten, waren wir auf Santo Antão Exoten und auf Fogo froh, einen Europäer zu treffen. Auf Brava waren wir bei unserer Erstrecherche zwei von 258 Besuchern (pro Jahr!). Diese Zahl ist inzwischen auf 1600 angewachsen. Abgesehen von Brava brummt auf den Inseln die Tourismuswirtschaft, doch ein Teil der Bevölkerung bleibt auf der Strecke (s. S. 39, 274).

Die Mitläufer

São Vicente oder Santiago profitierten zwar vom Tourismusboom, doch auf den beiden Inseln verdoppelten sich die Besucherzahlen nur. Die touristische Zukunft, besonders der jeweiligen Inselhauptstädte Mindelo und Praia, dürfte im aufstrebenden Kreuzfahrttourismus liegen, mit allen damit verbundenen und bekannten Vor- und Nachteilen. Beide Städte bereiten sich schon auf den zu erwartenden Besucherzuwachs vor, indem sie die nötige Infrastruktur schaffen und Reiseleiter ausbilden.

Inseln im Abseits

An São Nicolau und Maio scheinen die Touristenströme vorbeizurauschen. Nach São Nicolau kommen seit fast 20 Jahren regelmäßig 1500 bis 2000 Besucher jährlich, die meisten dürften Emigranten auf Heimatbesuch sein. Auf Maio sind es inzwischen immerhin schon rund 1600 im Vergleich zu 700 im Jahr 2001 (2000 gab es noch keine Statistik). Beide Inseln haben Potenzial: Maio bietet weitläufige Strände und São Nicolau ein zerklüftetes Bergland. ∎

DIE ANFÄNGE DES KAP-VERDEN-TOURISMUS

Vor den Touristen kamen die Crews der Fluggesellschaften. In der Zeit des Apartheidregimes durfte die South African Airways (SAA) den afrikanischen Kontinent nicht überfliegen. Die Fluglinie musste für Ziele in Europa ihre Routenführung ändern und infolgedessen zum Auftanken einen Zwischenstopp einlegen – das machte man auf Sal. Die portugiesische Kolonialregierung und – nach der Unabhängigkeit – der Staat Kap Verde erteilten die Genehmigung dazu gerne, gegen harte Devisen. Die Crews übernachteten in Santa Maria im Hotel Morabeza, das Anfang der 1970er-Jahre erbaut wurde und in dem die SAA ständig 40 Zimmer reserviert hielt. 1986 kam das Novotel (heute Belorizonte) hinzu. Hier stiegen ebenfalls zunächst vorwiegend Airline-Crews ab, auch aus dem damals mitten im Bürgerkrieg befindlichen Angola sowie aus Kuba, das die angolanische marxistische Partei unterstützte. Ab 1989 betrieb die sowjetische Aeroflot in Santa Maria gar ein eigenes Hotel (heute Sab Sab). Mit dem Ende des Kalten Krieges ließ das Interesse der Sowjetunion und Kubas am Flughafen auf Sal schlagartig nach, und als 1990 der erste Schritt zur Aufhebung der Apartheid eingeleitet war, durfte die SAA wieder direkt über Afrika fliegen. Damit ging die Ära des Crew-Tourismus zu Ende. Italienische Reiseveranstalter und Surfer begannen die Insel Sal für sich zu entdecken. Ihnen folgten andere Nationalitäten. Der Wandertourismus etablierte sich durch Alfred Mandl (s. S. 134) auf Santo Antão.

Leben im Meer

»Die Unterwasserwelt der Kapverden ist tropisch wie im Golf von Guinea« — Das sagt einer, der es wissen muss. Der Meeresbiologe Prof. Dr. Peter Wirtz hat sich auf den Ostatlantik spezialisiert, insbesondere auf die Kapverden.

Die Artenzusammensetzung in den Gewässern um die kapverdische Inselwelt ist tropischer als auf gleicher geografischer Breite am afrikanischen Festland. An der Westküste Afrikas, vor dem Senegal, kommt es im Winter zu einer aufwärts gerichteten Strömung, die kaltes Wasser an die Oberfläche spült.

»Ich habe im Senegal bei 13 °C getaucht. Um die Kapverden beträgt die Wassertemperatur meist über 20 °C, im Oktober bis 28 °C, sehr selten geht sie mal auf 19 °C runter, d. h. die Unterwasserwelt der Kapverden ist tropisch«, sagt Peter Wirtz, dessen Steckenpferd die Entdeckung neuer Arten ist. Ausgesprochene Korallenriffe gibt es hier zwar nicht, dennoch überziehen kleinere, von Krustenanemonen durchsetzte Korallenkolonien die Felswände. Die Fauna ist bunt: Grün-gelb schimmert der Westafrikanische Kaiserfisch, verschiedene Rot- und Violetttöne schmücken den Papageienfisch, in Gelb-Schwarz kleiden sich die Falterfische. Eine endemische Art ist der Kapverden-Riffbarsch, der in seiner Kindheit gelb leuchtet und einen blauen Rücken hat, ab der Pubertät jedoch eine schwarze Farbe annimmt und eine weiße Schwanzflosse bekommt.

Tauchspots für alle

»Von der Logistik her ist Sal am besten. Da gibt es die meisten Tauchbasen. Die einzelnen Tauchplätze sind mit Bojen markiert. Dort kann man das Boot festbinden und muss nicht ankern. Es wird also am Meeresgrund nichts kaputt gemacht«, sagt Peter Wirtz. Boa Vista eignet sich seiner Meinung nach für Hobbytaucher eher weniger, weil es dort zu sandig ist und man mit dem Boot bei oft starkem Wind weit rausfahren muss. Für ihn als Profi liegt die Sache anders: Er hat vor Boa Vista Korallen entdeckt, die es nirgends sonst auf den Kapverden zu geben scheint.

Für Taucher im Kommen ist Santo Antão und São Vicente punktet mit immer besserer Infrastruktur. Peter Wirtz empfiehlt außerdem Santiago: »Da gehe ich immer wieder hin, die Bucht von Tarrafal ist so, wie man sich die Tropen vorstellt. Dort ist auch Schnorcheln sehr schön.«

Begrenzte Fangquoten

Ein beliebter Speisefisch auf den Kapverden ist der Thunfisch. Knapp 4000 Fischer holen jährlich etwa 1500 t davon mit hand-

---

TAUCHBASEN T

Auf Sal (Santa Maria), Boa Vista (Sal Rei, Praia Lacação), São Vicente (Mindelo), Santo Antão (Porto Novo) und Santiago (Praia, Tarrafal) gibt es Tauchbasen, in vielen wird Deutsch gesprochen. Adressen und weitere Infos finden Sie in den jeweiligen Kapiteln.

Beim Blick unter Wasser mag man's nicht glauben, dass die Tropen in anderen Breitengraden liegen!

werklichen Methoden aus dem Meer. In kleinen offenen Booten, zwischen 4 und 8 m lang, fahren sie hinaus, bleiben aber immer in Küstennähe.

Die industrielle Fischerei auf den Kapverden ernährt rund 1000 Fischer, die pro Jahr ca. 6500 t anlanden. Für Thunfisch besteht mit der EU ein Fischereiabkommen: Europäische Fangflotten dürfen in kapverdischen Gewässern auf Beutezug gehen. Der Staat bekommt dafür eine jährliche Ausgleichszahlung zwischen 500 000 und 550 000 €. Als Referenzmenge wurde ein Fang von 5000 t festgelegt. Von dieser Vereinbarung am meisten betroffen sind die handwerklichen Fischer, die mit ihren Booten nicht weit genug aufs Meer hinausfahren können, ihnen wird der Fisch vor der Nase weggefangen.

Thunfisch gibt es in verschiedenen Arten und Größen. Vergleichsweise bescheidene Ausmaße haben der Unechte Bonito *(judeu-liso)* und der Weiße Thunfisch *(atum-branco)*, die maximal 1 m lang werden und durchschnittlich 30 kg auf die Waage bringen. Der Rote Thunfisch erreicht bis zu 3 m Länge und 200 bis 300 kg. Als bester Speisethunfisch gilt der Gelbflossenthun, zu erkennen an seiner gelben Rückenflosse.

Erschwinglicher Luxus

In untermeerischen Felsspalten in Küstennähe leben Langusten, auch Stachelhummer genannt. Sie gehören zu den Krebstieren, haben im Gegensatz zu den Hummern aber keine Scheren, sondern auffällig lange Antennen. Echte Hummer gibt es bei den Kapverden nicht. Nach einer erheblichen Erhöhung der Fangquoten in den 1990er-Jahren gelten die Bestände heute als dezimiert, weshalb eine sommerliche Schonzeit (Juli bis September) für Langusten eingerichtet werden musste.

Unterschieden wird zwischen der in größeren Tiefen lebenden Rosa Languste *(lagosta rosa)*, die in Fallen gefangen wird, und der im Flachwasser heimischen Grünen Languste *(lagosta verde)*. Letztere holen Taucher per Hand aus dem Wasser. Die begehrte Delikatesse steht auf allen Inseln auf den Speisekarten und ist für europäische Verhältnisse günstig, wobei die Rosa Languste etwas teurer ist als die Grüne Languste.

Whale Watching, die sanfte Jagd

Im 19. Jh. und bis ins 20. Jh. hinein waren die Kapverden ein ertragreiches Fanggebiet für Buckelwale. Viele Walfänger kamen damals aus Nordamerika und verweilten monatelang in den Gewässern des Archipels, wo sie regelmäßig Hunderte dieser Tiere antrafen. Buckelwale ziehen in den Wintermonaten von ihren sommerlichen Nahrungsgründen in der Arktis zu den Kapverdischen Inseln, um sich dort zu paaren. Heute sind sie weitaus seltener, aber durchaus zu entdecken – auf Sal etwa von Januar bis Mai vor der Bucht von Murdeira. Noch größere Chancen, die Tiere zu Gesicht zu bekommen, bieten die Gewässer um Boa Vista. Allerdings muss man dazu schon aufs Meer hinausfahren, denn von der Küste aus sind Wale nur selten auszumachen. Das Gleiche gilt für Delfine, die regelmäßig an den Inseln vorbeiziehen. ∎

Wir lieben Schildkröten

Und die Schildkröten lieben Cabo Verde — genauer gesagt die Unechten Karettschildkröten. Die gefährdeten Tiere bevölkern die Inselgewässer und stehen unter strengem Schutz.

Von Juni bis Oktober kommen die Schildkröten an die Strände von Boa Vista, Sal und Maio zur Eiablage. Schon bei der kleinsten Störung bricht die Mutter die Aktion ab. Also bitte gaaanz still sein beim Turtle Watching!

Die weiblichen Schildkröten graben etwa 60 cm tiefe Sandgruben. In die legen sie ihre golfballgroßen Eier ab. Dann kehren die Muttertiere ins Wasser zurück. Was aus ihrem Nachwuchs wird, erfahren sie nie.

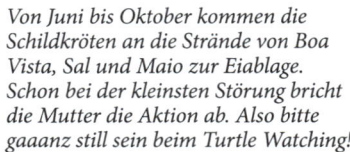

Nach 48 bis 60 Tagen schlüpfen die Jungtiere und verlassen ihr Nest – menschliche Starthilfe sichert ihr Überleben.

Die erste Hürde ist geschafft, das Meer nah. Wenn alles gut geht, kann eine Unechte Karettschildkröte ordentliche 70 Jahre alt werden. Geschlechtsreife erreicht sie allerdings erst mit 15 bis 30 Jahren.

Die Sprache der Kunst

Einflüsse aus Europa und Afrika — vermischen sich auf den Kapverden zu einer ganz eigenständigen Formensprache. Gemeinsam ist den Werken eine unglaubliche Dynamik.

Gemaltes …

Farbenfrohe markante Wandmalereien gibt es vielerorts an den Häusern oder als Dekoration in Restaurants und Geschäften. Symbolisch, häufig angelehnt an die naive europäische Malerei, stellen sie Landschaften oder Szenen aus der Vergangenheit oder dem Alltag der Bewohner dar: Frauen mit Wassereimern auf dem Kopf, Fischer und Bauern bei ihrer Tätigkeit, Esel mit Lasten auf dem Rücken, Ochsen, die Grogue-Mühlen (s. S. 124) antreiben, Emigranten bei der Abreise nach Übersee. Letztere thematisierte der Künstler Domingos Luísa in seinem imposanten, 14 x 4 m großen Wandgemälde in der Abflughalle des Flughafens von Sal. Seinen Stil beschreibt er als eine Mischung aus Kubismus und Realismus.

Die kapverdianischen Künstler lieben es, Wände zu bemalen. Das macht die Orte bunt und lässt oft so manchen Rückschluss auf das hiesige Leben zu.

ne versammelt sich im Quintal das Artes in Mindelo (s. S. 103).

… und Gewebtes

Schon seit Jahrhunderten wird die kapverdische Weberei für ihre *panos* gerühmt, auf schmalen Webstühlen gefertigte Tuchstreifen mit geometrischen Mustern. Ihren Ursprung hat diese Textilkunst in Westafrika, wo sie heute noch in ähnlicher Form in Guinea-Bissau zu finden ist. Von Sklaven wurde sie im 16. Jh. nach Santiago und Fogo gebracht. Dort ließen die portugiesischen Großgrundbesitzer eigens Baumwolle anbauen, um die *panos* in großer Zahl herstellen zu können, denn nicht zuletzt fungierten die Stoffe als wichtige ›Währung‹ im Sklavenhandel (s. S. 144).

Die festen, etwa 15 cm breiten und mit Mustern versehenen Tuchstreifen färbte man mit Indigo oder der Färberflechte *(urzela)* blau ein. Das Weben war den Männern vorbehalten, die Frauen kümmerten sich derweil um die Ernte, das Auskämmen und Spinnen der Baumwolle sowie um die Gewinnung der Naturfarben.

Jahrhundertelang wurden *panos* nach Westafrika ausgeführt, wo sie traditionell von den Frauen entweder um den Hals oder um die Hüften geschlungen wurden. Oder aber sie trugen ihre Kinder darin auf dem Rücken. Für andere Verwendungszwecke fügte man die Streifen zu breiteren Stoffbahnen zusammen. Heute besinnen sich die Kapverdianer ihrer afrikanischen Wurzeln, damit lebt die Herstellung von *panos* wieder auf.

Auf den alten Techniken fußend hat sich in jüngerer Zeit eine neue Form von Webkunst entwickelt. Nach Bildvorlagen stellen einige Künstler vielfarbige Wandbehänge aus Schaf- oder Baumwolle her. Ihre Produktion nimmt je nach Größe mehrere Monate in Anspruch, dadurch erklärt sich der hohe Preis dieser Stücke. ∎

Solche und andere Motive findet man – in handlicher Größe zum Mitnehmen – auch auf Batiken, Gemälden und Zeichnungen, die in Galerien und Kneipen zum Verkauf angeboten werden. Weitere bekannte Maler sind die Brüder Manuel und Tchalé Figueira, Maria-Luisa Queirós, Leão Lopes, Kiki Lima, David Levy Lima, Dina Lima und Mito.

Die Werke der jungen Künstlerszene auf den Kapverden zeichnen sich durch ein hohes Maß an Improvisation aus, was unmittelbar mit der Geschichte in Zusammenhang gebracht werden kann. Nach der Unabhängigkeit im Jahr 1975 herrschte auf den Inseln Not und Armut. Ein Großteil der Bevölkerung musste sich irgendwie durchschlagen – und improvisieren. So zeigen die Gemälde und Fotografien häufig verhärmte Charaktergesichter oder das Landleben in reicher Formensprache. Anschauungsmaterial bietet u. a. der Ausstellungsraum im Kulturzentrum Palácio da Cultura Ildo Lobo von Praia (s. S. 140). Die alternative Sze-

Überwiegend trockene Inseln in ein landwirtschaftliches Anbaugebiet zu verwandeln, das war die Aufgabe der ersten Sklaven auf den Kapverden.

Reise durch Zeit & Raum

Erst 1975 wurde Cabo Verde unabhängig — bis dahin hatte die portugiesische Kolonialregierung das Sagen im Land. Für die Bevölkerung war das Leben davor und danach nicht gerade glänzend. Der Aufschwung kam erst im 21. Jahrhundert.

Ein Kap steht im Weg
1456–1462

Als es dem Portugiesen Gil Eanes 1434 gelingt, das westafrikanische Kap Bojador zu umschiffen, ist damit das Tor zu den Kapverden und ins südliche Afrika eröffnet. Möglicherweise als erster Europäer sichtet der Venezianer Aloisio Cadamosto 1456 die Inselgruppe.

1461 werden António de Noli und Diogo Gomes vom portugiesischen Prinz Heinrich dem Seefahrer ausgesandt, um die Ost- und Südinseln in Besitz zu nehmen. 1462 entdeckt Diogo Afonso die nördlichen Inseln. Die ersten portugiesischen Siedler lassen sich auf Santiago nieder, dessen südliche Hälfte dem Genueser António de Noli als Lehen zugesprochen wird. Er gründet dort Ribeira Grande (heute Cidade Velha). Diogo Gomes erhält den Norden Santiagos, der sich allerdings wenig erfolgreich entwickelt.
Zum Anschauen:
Statuen der Entdecker stehen in Mindelo und Praia, S. 85, 140

Menschenhandel in großem Maßstab
1466–1494

Infolge ihres heißen, trockenen Klimas sind die Kapverden für portugiesische Auswanderer nicht besonders attraktiv.

Um die Inseln jedoch in ein blühendes landwirtschaftliches Produktionszentrum zu verwandeln, braucht es Arbeitskräfte. Die verurteilten Kriminellen, die Lissabon nach Santiago schickt, reichen bei Weitem nicht aus. So werden 1466 die ersten afrikanischen Sklaven nach Santiago und Fogo geholt, die meisten stammen aus dem Westen des Kontinents vom Volk der Wolof. Im gleichen Jahr bekommen die Lehnsherren von Ribeira Grande vom portugiesischen König das Monopol auf den Guinea-Handel zugesprochen. Zügig entwickelt sich die Siedlung zum Zentrum des Sklavenhandels auf den Inseln.

Die Sklaven werden auf Santiago und Fogo – die anderen Inseln bleiben zunächst unbesiedelt – vor allem in der Landwirtschaft beim Baumwollanbau eingesetzt. Anfänglich exportiert man die Fasern roh, später weben die Afrikaner nach ihrer Tradition Stoffe (*panos,* s. S. 261) daraus, die Sklavenhändler an der Guinea-Küste wiederum gegen menschliche Ware eintauschen können. Produziert werden u. a. auch Mais, gepökeltes Ziegenfleisch und Zuckerrohrschnaps *(grogue),* dankbare Abnehmer sind die auf den Kapverden Station machenden Schiffe.

SKLAVEREI AUF DEN KAPVERDEN

S

Zehntausende von Sklaven sollen über die Insel Santiago gehandelt worden sein, genaue Zahlen sind nicht bekannt. Zu Beginn des 17. Jh. wurden jährlich noch mindestens 500 Menschen auf dem Markt von Ribeira Grande verkauft, und obwohl der Höhepunkt bereits überschritten war, erzielte die portugiesische Krone damals noch etwa drei Viertel ihrer Einnahmen aus der Kolonie Cabo Verde mit dem Sklavenhandel. Im ausgehenden 18. Jh. zeichnete sich mit der europäischen Aufklärung und der Unabhängigkeit Nordamerikas das Ende des internationalen Sklavenhandels ab. Doch in Portugal wurde der Verkauf von Sklaven erst 1854 abgeschafft, ein Verbot der privaten Sklavenhaltung folgte 1876. Damals dürfte es auf den Kapverden bei einer Gesamtbevölkerung von rund 56 000 Menschen noch etwa 4000 Sklaven gegeben haben. Auch nach ihrer Befreiung blieben viele davon als Kleinstpächter von ihren Herren abhängig.

1494 wird die Welt im Vertrag von Tordesillas zwischen Spanien und Portugal aufgeteilt. Brasilien fällt den Portugiesen zu und die Kapverden dienen von nun an als wichtige Versorgungsstation auf dem Weg nach Südamerika, das sie selbstverständlich auch mit Sklaven versorgen.

Zum Anschauen:
Cidade Velha, S. 149

Im Fadenkreuz der Kolonialmächte
1580–1780

Ab 1580 wird Portugal vom spanischen König regiert, doch auf Santiago und den anderen Inseln nehmen die Dinge ihren gewohnten Gang. Der Sklavenhandel boomt, Ribeira Grande häuft erkleckliche Reichtümer an. Das holt die Piraten auf den Plan: 1585 überfällt Francis Drake die Stadt. Um bei künftigen Angriffen besser gerüstet zu sein, wird eine Festung erbaut, die Fortaleza Real São Filipe.

1640 befreit sich Portugal mit englischer Unterstützung von der spanischen Herrschaft, was auch auf den Kapverden nicht ohne Folgen bleibt. 1642 erhalten englische Händler besondere Rechte in den portugiesischen Überseebesitzungen und 1645 verlieren Ribeira Grandes privilegierte Adlige durch ein königliches Dekret das Monopol auf den Handel mit Westafrika. Infolgedessen bricht der Sklavenmarkt auf Santiago zusammen und wird geschlossen. Der Menschenhandel verlagert sich ins benachbarte Praia, wo schwunghafte, aber illegale Geschäfte mit englischen und französischen Sklaveneinkäufern gemacht werden.

Noch einmal wird Ribeira Grande überfallen. Durch die Verwicklung Portugals in den Spanischen Erbfolgekrieg suchen 1712 französische Truppen die Stadt heim und rauben sie aus. Doch der endgültige Niedergang von Ribeira Grande als Haupstadt vollzieht sich erst, als Bischof Pedro Valente, entrüstet über ungebührliches Verhalten seiner Priesterschaft, die dortige Kathedrale 1754 aufgibt und seinen Sitz nach Santo Antão verlegt. Daraufhin macht sich auch der Gouverneur aus dem Staub und verlagert seine Geschäfte nach Praia.

In den 1770er-Jahren kommt es auf den Inseln zu einer großen Dürre, bei der fast die Hälfte der Bevölkerung stirbt. Hungerkatastrophen sollten von nun an regelmäßig die Kapverden beuteln.

Zum Anschauen:
Fortaleza Real São Filipe, Cidade Velha,
S. 153

Endlich: Es geht wieder aufwärts
1790–1900

Ende des 18. Jh. werden auf São Nicolau die ersten aus Brasilien importierten Kaffeesträucher gepflanzt und lassen bald Geld in die Kassen fließen. Mit Besiedlung der Nachbarinsel São Vicente im Jahr 1794 wird – noch unbewusst – ein weiterer Grundstein für das Erblühen der Wirtschaft gelegt. Zur Zeit der Napoleonischen Kriege um 1810 lässt sich Großbritannien vertraglich das Vorrecht auf den Handel mit Portugal und Brasilien einräumen. Englische Händler beleben die kapverdische Wirtschaft und bauen ab 1838 den Hafen von Mindelo auf São Vicente als Versorgungsstation für Überfahrten nach Südamerika aus. Parallel dazu beginnt die Salzproduktion auf der bis dahin unbesiedelten Insel Sal.

Es kann nicht gut gehen, wenn Francis Drake als Vorbild dient: 1718 machte Howell Davis die Gewässer Cabo Verdes unsicher, wurde aber nach nur elfmonatiger Piratenkarriere getötet.

1858 wird Praia zur neuen Hauptstadt des Archipels erklärt, das zuvor von Gouverneur António de Lencastre grundlegend neu strukturiert wurde und sich zwischenzeitlich zur bedeutendsten Stadt der Kapverden entwickelt hat. In diesen ›goldenen‹ Jahren bauen sich Händler und Großgrundbesitzer zweistöckige Herrenhäuser, die *sobrados* (s. S. 267).
Zum Anschauen:
São Filipe, S. 187

Steiniger Weg in die Unabhängigkeit
1900–1975

Der Übergang ins 20. Jh. ist für die Kapverden keine rosige Zeit. Die Weltmarktpreise für Kaffee sinken dramatisch. In den folgenden Jahrzehnten bricht die Produktion auf den Inseln ein. Auch macht die zunehmende Konkurrenz der Häfen von Dakar und Las Palmas de Gran Canaria Schwierigkeiten: Mit dem Hafen von Mindelo geht es bergab.

Eine weitere dunkle Epoche beginnt 1932, als António de Oliveira Salazar Premierminister in Portugal wird und seine Diktatur errichtet. Das einst blühende Weltreich Portugal versinkt im Sumpf seiner Herrschaft und zerreibt sich in den Kolonialkriegen. Ab 1936 werden politische Gegner in einem Konzentrationslager in Tarrafal auf Santiago gefangen gehalten und gefoltert (s. S. 166).

Eine wichtige Einnahmequelle zu dieser Zeit ist der ehemalige Militärflughafen auf Sal, der erste internationale Flughafen des Archipels, der während des Apartheidregimes als Zwischenstopp für südafrikanische Flugzeuge dient (s. S. 253).

1951 beendet Portugal offiziell den Kolonialstatus der Kapverden. Die Insel wird zur Überseeprovinz ernannt, was für die Bevölkerung jedoch keine nennenswerte Veränderung mit sich bringt. In dieser Zeit setzt sich der Unabhängigkeitskämpfer und Politiker Amílcar Cabral (s. S. 282) intensiv dafür ein, dass die afrikanischen Völker mehr Rechte erhalten. Die von ihm 1956 gegründete Partido Africano para a Independência da Guiné e Cabo Verde (PAIGC, Afrikanische Partei für die Unabhängigkeit von Guinea-Bissau und Cabo Verde) verfolgt das Ziel, beide Territorien zu einem unabhängigen Land zu vereinen. 1961 spricht die Kolonialmacht den Kapverdianern zwar die vollen portugiesischen Bürgerrechte zu, weigert sich jedoch, mit der PAIGC über weitere Schritte in Richtung Unabhängigkeit zu verhandeln. So treffen sich die Parteifunktionäre heimlich in Dakar und beschließen die Ausweitung des bewaffneten Befreiungskampfes gegen Portugal von Guinea-Bissau auf die Kapverden. Es kommt jedoch nicht zu einer Verwirklichung dieses Plans, denn 1973 wird Amílcar Cabral, der charismatische Führer der PAIGC, ermordet.

Für die Kapverden löst sich dieser Schlamassel fast von selbst: Mit der Nelkenrevolution 1974 endet die Diktatur in Portugal. Es beginnen Verhandlungen zwischen Lissabon und der PAIGC, die die Unabhängigkeit der Kapverden zum Ziel haben. Zum Ende des Jahres nimmt eine Übergangsregierung in Praia ihre Arbeit auf und am 30. Juni 1975 finden die ersten Parlamentswahlen statt. Umgehend wird die Unabhängigkeit der Republik Cabo Verde erklärt.

Zum Anschauen:
Campo de Concentração, Tarrafal, S. 166

Die neue Zeit
1975–2022

Das Land ist frei – die Probleme beginnen. Nach Erklärung der Unabhängigkeit wandern die meisten Portugiesen ab. Sie packen ein, was sie besitzen, und lassen Cabo Verde in Armut zurück. Die ganze über Jahrhunderte aufgebaute Infrastruktur bricht zusammen. Jobs im Militär, in der Verwaltung, die ein sicheres Auskommen versprachen, gibt es nicht mehr. Hinzu kommt eine große Dürreperiode, die eine Hungersnot zur Folge hat.

Das Land braucht Unterstützung und bekommt sie von allen Seiten, aus Afrika, Europa, China, den Vereinigten Staaten und der Sowjetunion. Die Führungsriege der Regierungspartei PAIGC handelt pragmatisch, legt sich auf kein Unterstützerland fest und führt Cabo Verde ohne Ausschreitungen in eine stabile Republik, allerdings als Einheitspartei im sozialistischen Stil wie in der ersten Verfassung von 1980 festgeschrieben. Bereits 1976 wurden die Zentralbank der Kapverden, der Flughafen auf Sal, die kapverdischen Schifffahrtslinien und die Fluggesellschaft sowie die Häfen verstaatlicht. Ebenfalls 1980 kommt es in Guinea-Bissau zum Staatsstreich gegen die dort ebenfalls regierende PAIGC. Daraufhin spaltet sich der kapverdische Zweig unter dem neuen Namen PAICV ab.

Mit dem Zusammenbruch der DDR und den Veränderungen im östlichen Europa wird auch auf den Kapverden der Ruf nach einem Mehrparteiensystem lauter. 1990 gibt die PAICV ihren Status als Einheitspartei auf und im selben Jahr formiert sich die Movimento para a Democracia (MPD, Bewegung für die Demokratie). Sie gewinnt 1991 die ersten freien Wahlen im Land und regiert zehn Jahre lang. Bis 2016 werden die Regierungsgeschäfte erneut von der PAICV geführt, aktuell ist wieder die MPD am Ruder. Ganz grob lässt sich sagen, dass sich die MPD für eine liberale Wirtschaft und Privatisierung einsetzt, während die PAICV mit einer europäischen sozialdemokratischen Partei zu vergleichen ist.

Nach einem ordentlichen Aufschwung, der insbesondere den immer weiter steigenden Tourismuszahlen zuzuschreiben ist, kommt das Land durch Corona vorübergehend zum Erliegen. Im Herbst 2021 setzt endlich die erhoffte touristische Erholung ein.

Zum Anschauen:
Palácio Presidencial, Praia, nur von außen zu besichtigen, S. 91

Wo die Herren wohnten

**Sobrados heißen auf den Kapverden die alten Herren-
häuser wohlhabender Familien** — Ganz besonders viele
und schöne stehen in São Filipe auf Fogo. Aber auch auf Brava,
Boa Vista und Sal wird man fündig.

Die Architektur der Sobrados passten
die Bauherren dem Klima und den örtlichen Gegebenheiten an. So umgibt in
der Regel eine weitläufige Holzveranda
mit aufwendig geschnitztem Geländer
das Obergeschoss. Festes Bauholz musste
aus Portugal oder Westafrika importiert
werden. Die Veranda ist oft überdacht,
um die Sonnenstrahlen fernzuhalten.
Pastellfarbene Fassaden sind charakteristisch, wobei jedes Haus in einem
anderen Ton gehalten ist. Rote Ziegel
bedecken die Dächer, oft schließt eine
Stuckatur die Fassade nach oben hin ab.

Leben, Wohnen, Arbeiten

Zu ebener Erde befanden sich Ladenlo-
kale, Lagerräume oder Büros. Denn der
Hausherr war nicht nur Grundbesitzer,
sondern zugleich Geschäftsmann. Oben,
in der Beletage, residierte die Herrschaft.
Außerdem gab es einen luftigen Innenhof, wo die Bediensteten Nahrungsmittel für die Lagerung oder den direkten
Verzehr zubereiteten. Eine Zisterne fing
das Regenwasser auf. Zugleich diente der
Patio als Ort der Entspannung. Ein zweiter, von hohen Bäumen beschatteter Hof
fungierte als Pferdestall.

Nur für die ›Weißen‹

Die ersten Sobrados entstanden um
1750, die meisten stammen jedoch aus
dem 19. Jh. Ursprünglich befanden sich

nur Weiße im Besitz solcher Häuser.
Ihre Familien waren meist schon kurze
Zeit nach der Entdeckung der Kapverden aus Portugal gekommen und hatten
vom König Landbesitz speziell auf Fogo
zugeteilt bekommen. Eheschließungen
fanden fast ausschließlich innerhalb
des kleinen hellhäutigen Zirkels statt,
der in den Salons der Obergeschosse
verkehrte. Den farbigen Kindern des
Hausherrn, die dieser üblicherweise
mit dem Personal zeugte, war meist
nur der Zutritt zum Innenhof gestattet.
Dennoch vermischte sich die Bevölkerung im Laufe der Zeit immer mehr,
bis schließlich das Sprichwort aufkam:
»Weiß ist, wer Geld hat.«

Die Zeiten ändern sich

Als zu Beginn des 20. Jh. das Erbrecht
geändert wurde, ging der Besitz nicht
mehr wie bislang komplett an den ältesten
Sohn über, sondern wurde zwischen allen
Geschwistern aufgeteilt. In der Folgezeit
verarmten die Herren zusehends und die
meisten kehrten spätestens nach der Unabhängigkeit den Kapverden den Rücken,
um in Lissabon zu leben. Die Sobrados
begannen zu verfallen. In letzter Zeit erfahren sie jedoch eine erneute Würdigung
als kulturelles Erbe. Seit 1990 stehen die
meisten von ihnen unter Denkmalschutz
und Veränderungen dürfen nur noch mit
behördlicher Genehmigung vorgenom-
men werden. ∎

Vom Umgang mit dem Wasser

*Glücklich, wer einen Esel besitzt …
Da viele Orte nicht an das öffentliche
Wassersystem angeschlossen
sind, müssen die Bewohner oft
kilometerweit laufen – oder eben
reiten –, um sich zu versorgen.*

Wasserknappheit — stellt auf den Kapverden eines der größten Probleme dar. Doch Not macht erfinderisch. Traditionelle und moderne Methoden helfen bei der Wassergewinnung.

Umgerechnet 10 € zahlten die Bewohner in Chã das Caldeiras auf der Insel Fogo im Jahr 2018 für 1000 l Wasser. Da wird gespart: beim Duschen, beim Spülen, beim Waschen. Die Hausfrauen achten darauf. Auf den anderen Inseln ist es zwar nicht ganz so extrem, doch Wasser ist überall ein Luxusgut, mit dem nicht verschwenderisch umgegangen wird.

In Mitteleuropa verbrauchen wir beim genussvollen Duschen ca. 100 l Wasser, das würde in Chã das Caldeiras etwa 1 € kosten. Nicht viel, meinen Sie? Verglichen mit Deutschland beträgt das durchschnittliche Pro-Kopf-Einkommen auf den Kapverden weniger als ein Zehntel … Wenn Sie mehr als 10 € für Ihre tägliche Dusche zahlen müssten, würden Sie auch sparen.

Wie entsteht Regen und wann regnet es?

Geografisch gesehen liegen die Inseln die meiste Zeit des Jahres im Bereich der Passatwinde, die die Feuchtigkeit vom Meer herantragen. Beim Aufsteigen an den Bergen kühlt sich die Luft ab und an den Nordostseiten der gebirgigen Inseln kommt es in Höhenlagen zwischen 600 und 1200 m zur Nebelbildung. Selten fallen Niederschläge, doch die Vegetation kämmt die Feuchtigkeit aus den Wolken und führt sie dem Grundwasser zu. Durch Aufforstungen an den Nordhängen kann der Mensch nachhelfen, den Wasserhaushalt der Inseln zu verbessern.

Auf Santo Antão beispielsweise wurden Kiefern gepflanzt, ansonsten setzen die Forstbehörden auf die genügsamen Akazien.

Im Sommer wandert der Passatgürtel weiter nach Norden, was die Kapverden in die tropische Konvergenzzone gelangen lässt. Nun steigen die Luftmassen schnell auf und es kann zu heftigen Regenfällen kommen. An zwei bis drei Tagen schüttet es den gesamten Jahresniederschlag vom Himmel und die meist ausgetrockneten Flusstäler verwandeln sich für kurze Zeit in reißende Ströme. Die Kinder freuen sich und spielen im Wasser, die Bauern füllen ihre Zisternen. So schnell, wie das Wasser gekommen ist, so schnell verschwindet es auch wieder – und zwar ungenutzt ins Meer. Auf Santiago verhindert das ein Stausee (s. S. 156), weitere sind geplant.

Es kommt aus den Bergen und aus dem Meer

Als die Portugiesen über die Inseln herrschten, legten sie Wasserkanäle *(levadas)* an, die das kostbare Nass von den Quellen zu den Feldern und in Zisternen leiteten. Besonders im Tal von Paúl auf Santo Antão (s. S. 126) sind die alten *levadas* noch in Betrieb. Das Tal blüht und gilt als das grünste von Cabo Verde.

Auf den weniger gebirgigen Eilanden bleiben Regen und Nebel fast völlig aus. Die einzige Möglichkeit, den gewaltigen Wasserbedarf auf den Urlaubsinseln Sal und Boa Vista zu decken, sind Meerwasserentsalzungsanlagen, die allerdings große Flächen benötigen. Das Meerwasser wird verdampft, bei neueren Anlagen mit Hilfe von Sonnenenergie. Anschließend kondensiert der nun fast salzfreie Wasserdampf. Dieser wird in einem Rohrsystem gesammelt und erhitzt. Ein mehrmaliges Durchlaufen dieses Kreislaufs ist notwendig, um Trinkwasser zu erhalten. Während der Energieverbrauch beim Erhitzen

mit konventioneller Technik enorm hoch ist, lässt sich mit der Methode der Hyperfiltration Geld sparen. Dabei werden Wassermoleküle durch eine halb durchlässige Membran gedrückt, die keine Salzionen durchlässt. Große Entsalzungsanlagen stehen in Praia (ca. 15 000 m³ pro Tag) und in Mindelo (wird auf 10 000 m³ pro Tag ausgebaut), auch Sal und Boa Vista kommen ohne Entsalzungsanlagen nicht mehr aus.

… und es kommt aus der Tiefe

Auf den gebirgigen Inseln wie Fogo, Brava und São Nicolau fällt ausreichend Niederschlag, der durch die Vegetation in den Boden gelangt, trotzdem mangelt es hier an ergiebigen Wasserquellen. Die Feuchtigkeit aus dem Passatnebel verschwindet scheinbar spurlos … Schuld ist der Aufbau der Gesteinsschichten: Die obersten Lagen bestehen zumeist aus lockeren durchlässigen Tuffen und Lapilliablagerungen (ähnlich dem Bimsstein) mit geringer Speicherfähigkeit für Wasser. Erst in größeren Tiefen finden sich wasserundurchlässige Basalte. Dort sammelt sich das Wasser in unterirdischen Senken und fossilen Tälern. Nur wo eine solche Gesteinsschicht an der Erdoberfläche liegt, entspringt eine Quelle, oft erst auf Meereshöhe.

Künstliche Quellen

Mit Unterstützung der französischen Entwicklungshilfe wurde 1986 auf São Nicolau, zwischen dem Monte Gordo und dem Monte Preto in Fajã de Cima, ein solches fossiles Tal entdeckt und angebohrt. Es liegt etwa 150 m unter der Erdoberfläche, bedeckt von jüngerem Vulkangestein. Ein über 2 km langer Stollen führt waagerecht unter dem Monte Preto hindurch zu den Wasserreserven. Die so entstandene künstliche

Quelle liefert etwa 800 m³ Wasser am Tag. Der Ausstoß kann so reguliert werden, dass das Wasserreservoir nicht leer läuft, sondern durch Niederschlag mehr oder weniger auf gleichem Niveau bleibt.

Auch auf Fogo sind mehrere solcher unterirdischen Wasserspeicher angebohrt worden, in diesem Fall mit Unterstützung der Gesellschaft für internationale Zusammenarbeit (GIZ, früher GTZ). Doch immer noch werden zwei Drittel des auf der Insel vorkommenden Wassers nicht genutzt. Mithilfe solarbetriebener Pumpen soll das in Zukunft geändert werden. Vor allem im Bereich von Chã das Caldeiras vermuten Wissenschaftler große unterirdische Wasservorkommen. ∎

Das dörfliche Wasserbecken hat viele Funktionen: Es ist Treffpunkt, Badewanne, Waschmaschine, Swimmingpool und auch Tränke für die Tiere. Zimperlich dürfen die Bewohner jedenfalls nicht sein.

Weder Reis noch Weizen

Mais ist das Nahrungsmittel Nr. 1 auf den Kapverden — Vor allem auf Santiago scheint die Pflanze geradezu überall zu gedeihen, von der Küste bis in die Berge.

Kinder vertreiben gefräßige Vögel mit Steinen, Bauern brechen mit der Hacke den Boden auf. Ein Großteil der Feldarbeit auf den Kapverden wird noch mit der Hand verrichtet, was nicht zuletzt an den steilen Berghängen liegt, die nur zu Fuß erreichbar sind. Mais gedeiht an diesen steinigen Flanken am besten, weswegen er traditionell zu jeder Mahlzeit gehört, vom Frühstück bis zum Abendessen. Das kapverdische Nationalgericht heißt Cachupa (s. S. 273).

Der Weg zum (Mais-)Mehl ist ein anstrengender: die Körner werden in Mörsern zerkleinert.

Das Klima spielt nicht mit

Vergeblich hatten die Portugiesen versucht, Weizen und Reis auf den Inseln heimisch zu machen. Diese Getreide gelangen hier jedoch nicht zur Reife. Die wenigen, aber heftigen Niederschläge fallen zur falschen Jahreszeit, nämlich im Sommer. Zu trocken hingegen ist es während der Aussaat im Winter und Frühjahr. In ein ›Agrarland‹ verwandelte sich der Archipel erst Ende des 15. Jh. durch die Einfuhr der ersten Maiskörner aus Südamerika. Von nun an war es möglich, die portugiesischen Entdeckungsfahrer und die Handelsstützpunkte in Afrika mit Nahrungsmitteln zu versorgen. Später exportierten die Kapverden im großen Stil Mais auf die Insel Madeira.

Aus der neuen Welt

Als die Kapverden entdeckt wurden, kannte man Mais in Europa noch gar nicht. Er ist in der Neuen Welt heimisch und wurde dort von den Ureinwohnern seit Langem kultiviert. Kolumbus stieß schon bei seiner ersten Reise nach Zentralamerika auf die Pflanze. In der Biografie des Entdeckers heißt es am 5. November 1492, man habe ausgedehnte Plantagen »einer Art Weizen« gesehen, *mahiz* genannt.

Rasch begann der Siegeszug des ertragreichen Getreides in Europa. Schon 1498 wurde Mais in Kastilien angebaut, von dort aus gelangte er vermutlich sehr bald auf die Kapverden. Die können sich

C

CACHUPA SELBST GEMACHT

Zutaten für vier Personen:
250 g Maisgrieß (Polenta)
0,5 l Gemüsebrühe
1 Kochbanane
250 g Süßkartoffeln
250 g Gemüse (Weißkohl, Kürbis)

250 g gekochte weiße Bohnen
250 g Fischfilet
1 Zwiebel
2 Knoblauchzehen
3 Lorbeerblätter
Olivenöl, Salz, Pfeffer, Piment

Banane, Süßkartoffeln, Weißkohl und Kürbis in mundgerechte Stücke schneiden. Zwiebel würfeln und Knoblauch in Scheiben schneiden, beides in einer Deckelpfanne in Olivenöl andünsten. Gemüse und Lorbeerblätter hinzufügen, kräftig mit Salz, Pfeffer und Piment würzen. Mit geschlossenem Deckel bei mittlerer Hitze dünsten. Inzwischen in einem Topf Gemüsebrühe aufkochen, Maisgrieß einstreuen, unter Rühren nochmals kurz aufkochen. Vom Herd nehmen und 15 Min. quellen lassen. Dem Gemüse nach 10 Min. die weißen Bohnen und das in Würfel geschnittene Fischfilet beifügen und weitere 10 Min. ziehen lassen, bis es gar ist. Den Mais mit einer Gabel auflockern und unter die Gemüse-Fisch-Pfanne rühren.

heute nicht einmal mehr selbst mit Mais versorgen, sogar in regenreichen Jahren muss ein Großteil der erforderlichen Menge importiert werden. Ursachen dafür sind ein gewaltiger Anstieg der Bevölkerungszahl und eine Verteuerung der Arbeitskraft gegenüber früheren ausbeuterischen Zeiten – manch einer lässt seinen Acker sogar brach liegen, da er mit anderen Arbeiten auf leichtere Weise genug verdienen kann, um importierten Mais zu kaufen.

Macht nur satt

Mais füllt zwar den Magen, hat aber nur einen geringen Nährwert. In Dürreperioden, wenn er praktisch das einzige verfügbare Nahrungsmittel war, trat auf den Kapverden daher immer wieder Pellagra auf, eine Vitaminmangelkrankheit, die zum Tod führen kann. In besseren Jahren gab es zur ›Nahrungsmittelergänzung‹ immerhin noch Bohnen und Ziegenmilch.

Was lag da kulinarisch näher, als alles miteinander zu kombinieren: Mais und Bohnen in der Cachupa (s. Kasten) und Mais mit Ziegenmilch in den *papas de milho* (Maisbrei).

Teure Vitamine

Von der Entwicklungshilfe in Gang gesetzte Projekte sorgen heute für eine ausgewogenere Ernährung auf den Inseln. Fisch spielt eine wichtige Rolle, es werden Fleisch und Eier produziert und verschiedene Gemüsearten angebaut. Wenngleich jedoch der Gemüseanbau durch neue Bewässerungsmethoden und Stauseen an Bedeutung gewonnen hat, sind die Kilopreise auf den Märkten mit denen in Deutschland vergleichbar – und das bei einem viel geringeren Durchschnittseinkommen. Sie werden es selbst erleben, wenn Sie vor Ort einkaufen oder aber essen gehen: Die Gemüseportionen in Restaurants sind der Rede nicht wert. ■

Die Kinder von Terra Boa

Die Tourismusbranche bringt Geldsegen — aber nicht für alle. Etwa ein Drittel der Bevölkerung lebt unter der Armutsgrenze, die auf den Kapverden bei einem Verdienst von weniger als 800 € jährlich liegt. Am meisten leiden die Kinder.

Das barfüßige Mädchen balanciert einen Eimer Wasser auf dem Kopf, 20 l kostbares Nass transportiert sie von der nächstgelegenen Wasserstelle 3 km nach Hause. Die äquatoriale Sonne scheint erbarmungslos, Schweiß rinnt in ihre dunklen Augen. Nelida (Name geändert) lebt in der Barackensiedlung Terra Boa auf Sal, der Insel mit dem höchsten Tourismusaufkommen auf den Kapverden. Ihre Familie stammt von Santo Antão. Nach Sal sind sie gezogen, weil der hiesige Fremdenverkehr bislang ungeahnte Möglichkeiten verhieß. Arbeit sollte es auf Sal geben – und ein besseres Leben. Doch der Traum ist geplatzt.

Nelidas Mutter arbeitet als Putzfrau und verdient 100 Euro im Monat, der Stiefvater auf einer Hotelbaustelle als Aushilfe. Für Miete reicht das Geld nicht, gegessen wird Reis mit Bohnen, an Festtagen auch mal Fisch oder das Nationalgericht Cachupa.

Nelida ist 11 Jahre alt und schulpflichtig, aber ihre Eltern können sie zu Hause nicht entbehren. Sie muss auf die kleineren Geschwister aufpassen und den Haushalt in der selbst gezimmerten Hütte führen.

Es stinkt in der Barackensiedlung. Müll liegt herum. Eine Kanalisation gibt es nicht, ebenso wenig fließend Wasser oder Strom. Kaum eine Baracke hat eine Toilette. Ein trostloser Anblick und die erschreckende Erkenntnis: Hier leben Menschen, Familien, Kinder unter widrigsten Bedingungen nur wenige Kilometer entfernt von den Fünf-Sterne-Herbergen der Insel.

Not macht erfinderisch

Ich habe eine Tochter, ein halbkapverdisches Kind. Wir führen zwar kein luxuriöses, aber ein gutes Leben. Die Armut, die ich sehe, schockiert mich. Kinder, meist mangelernährt, spielen im Dreck und im Abfall. Es sind viele Kinder, zu viele. Ich lerne einige Frauen aus der Siedlung kennen, beobachte, wie sie leben, und erkenne die Ausweglosigkeit, in der sie sich befinden. Ich will sie unterstützen, damit sie sich aus dieser Spirale nach unten befreien können. Vor allem aber will ich den Kindern helfen. Ich frage mich: Wie kann Hilfe zur Selbsthilfe gelingen?

Ende 2010 gründe ich zusammen mit fünf Frauen aus Terra Boa den gemeinnützigen Verein Associação Apoio a Crianças de Terra Boa (AACTB), unser Hilfsprojekt ist geboren. Ich zeige meinen Kunden die Barackensiedlung und viele wollen uns helfen. Doch wie vorge-

Sonne satt, pittoreske Orte und natürlich viele glückliche und viele lachende Kinder – so erleben die meisten Touristen das kapverdische Paradies. Die Realität ist komplizierter und weniger romantisch: Ein Großteil der Menschen ist von der wirtschaftlichen Entwicklung abgehängt und benötigt dringend Hilfe, vor allem der Nachwuchs.

Sie bekommen die Chance, die vielen anderen verwehrt bleibt: In dem Hilfsprojekt von Anne Sailer werden Kinder betreut und erhalten eine Schulausbildung.

hen, was ist sinnvoll und effektiv? Meine erste, vielleicht naiv anmutende Idee ist es, zukünftig Kinderpatenschaften im Stil von Plan International zu vermitteln, um so die Kinder und ihre Familien dauerhaft zu unterstützen.

Erste Schritte

In den ersten Monaten unseres Bestehens bringen wir Wasser nach Terra Boa, füllen das Lebenselixier der Menschen in Schüsseln und Kanister. Wir sammeln Spenden für eine eigene Wasserstelle, die wir 2011 einweihen. Bereits ein Jahr später eröffnen wir einen Kindergarten, um damit die Eltern und die älteren Kinder zu entlasten. Eine Zeit lang quartieren wir uns in einer Baracke ein und bereiten auf einem Campingkocher das Mittagessen für die Kinder zu. 2012 können wir dank größerer Spenden mit dem Bau eines Kinderzentrums beginnen, in dem eine Schule und eine Küche eingerichtet werden sollen.

Gescheitert sind wir allerdings mit unserem Patenschaftsmodell. Dieses ambitionierte Projekt war mutig, aber für unseren kleinen Verein auch schlichtweg vermessen. Wir konnten die Arbeit und die große Verantwortung, die damit einhergeht, weder leisten noch tragen. 2015 standen wir vor der Entscheidung: aufgeben oder neue Wege gehen. Wir entschieden uns zu kämpfen, erlebten eine Welle der Solidarität. Von nun an setzten wir ausschließlich auf Projektförderung, unterstützt von einem kleinen Freundeskreis in Deutschland und von vielen meiner Gäste. Eine tragfähige Entscheidung.

Ein Traum geht in Erfüllung

Heute, acht Jahre später, nimmt unsere Vision langsam Gestalt an. Zwar erhalten wir weder vom Staat noch von der Gemeinde finanzielle Hilfe, auch das Grundstück, auf dem wir gebaut haben, ist – allen Wahlkampfversprechen der Politiker zum Trotz – noch immer nicht legalisiert, doch der Erfolg gibt uns recht. Mittlerweile besuchen über 80 Kinder unseren Kindergarten, der Andrang ist groß. Die geringen Kostenbeiträge, das Verpflegungsangebot und die langen Öffnungszeiten sind für die Eltern ein Segen.

Im Hort, der sich noch in einem provisorischen Palettenbau befindet, werden aktuell 70 Kinder von der 1. bis zur 12. Klasse betreut. Geplant ist ein Steinanbau mit Toiletten, doch dafür müssen wir erst einmal weitere Spenden sammeln.

Der Weg in die Kriminalität

Inzwischen beschäftigen wir elf sozialversicherte Angestellte, arbeiten eng mit dem Jugendamt und anderen angesehenen Vereinen auf Sal zusammen. Allerdings entwickelt sich Terra Boa ›gute Erde‹ zunehmend zu einem sozialen Brennpunkt: Gewalt, Alkohol, Kriminalität. Hinzu kommen die negativen Einflüsse des Massentourismus. Touristen werfen Süßigkeiten aus den Busfenstern, verteilen auf der Straße Nahrungsmittel und andere Dinge wahllos an bereits wartende Frauen und Kinder. Die Mädchen und Jungen werden geküsst und geherzt, Fotos von anrührenden Szenen und den ›süßen Kleinen‹ geschossen. Das bleibt nicht ohne Folgen.

Einige Kinder werden nun nicht mehr in die Schule, sondern auf die Straße zum Betteln geschickt, das erscheint lukrativer. Ein fataler Trugschluss, denn damit nimmt man ihnen die Chance auf eine Ausbildung und somit auf ein besseres Leben. In ein paar Jahren nämlich sind sie zu alt, um ›in den Genuss‹ des touristischen Spendensegens zu kommen, und es bleibt ihnen nur der Weg in die Kriminalität.

Um dieser Entwicklung Einhalt zu gebieten, sollten Geldzuwendungen den Kindern niemals direkt in die Hand gedrückt, sondern immer nur bei angesehenen Institutionen abgegeben werden. Auch sollte man aus Respekt und Achtung vor den Persönlichkeitsrechten der Kinder jeglichen Körperkontakt unterlassen und keine Fotos von ihnen machen. Hilfe auf der Straße ist keine Hilfe, sondern das Gegenteil: der Weg in eine Sackgasse.

In die Zukunft geschaut

Für die Zukunft wünsche ich mir, dass mithilfe unseres Vereins AACTB immer mehr Kinder die Schule abschließen können, um eine Ausbildung oder ein Studium zu absolvieren. Ich hoffe, dass wir bald mit unserem Anbau beginnen können und unser Verein auch ohne meine Unterstützung dauerhaft existieren kann.

Für Nelida, die Wasserträgerin, kam unsere Hilfe leider zu spät. Sie blieb Analphabetin, arbeitet – genau wie ihre Mutter – als Putzfrau und hat bereits selbst zwei kleine Kinder. Die beiden werden in unserem Projekt betreut – so erhalten zumindest sie die Chance, die Nelida nie hatte. ∎

von Anne Seiler

EINE FRAU DER TAT

Anne Seiler ist Inhaberin der Reiseagentur Annes Info-Point und seit 2010 Präsidentin der **Associação Apoio a Crianças de Terra Boa** (AACTB). Von ihrem Geschäftskonto fließen monatlich mindestens 10 % des Umsatzes auf das Vereinskonto. 2017 wurde das Hilfsprojekt durch die Kommission für Menschenrechte und die UNO ausgezeichnet. Die Finanzierung beruht ausschließlich auf Spenden. Weitere Infos zu der Organisation erteilt die Website www.kinderzentrumterraboa.com.

Das zählt

Zahlen sind schnell überlesen — aber sie können die Augen öffnen. Nehmen Sie sich Zeit für ein paar überraschende Einblicke. Und lesen Sie, was auf den Kapverden zählt.

1.130

Straßenkilometer gibt es auf den Inseln, dazu werden auch Pflasterstraßen und Erdpisten gezählt. Auf Santiago können Sie 417 km befahren, auf Brava sind Sie bereits nach 29 km ›am Ende‹.

530.000

Einwohner hat der Archipel. Etwa 200 000 sind jünger als 20 Jahre und etwas über 26 000 haben die 65 überschritten. Cabo Verde zählt jedoch mehr Staatsbürger im Ausland als auf dem eigenen Territorium – rund 800 000 Kapverdianer leben in der Fremde.

110

Kilogramm kann eine ausgewachsene Unechte Karettschildkröte auf die Waage bringen.

820.000

Übernachtungsgäste hatte Cabo Verde 2019, Tendenz steigend. Durch die Coronakrise brach der Tourismus um rund 75 % ein, mehr als 30 % der Arbeitsplätze gingen verloren. Statt 820 000 Gästen kamen nur noch ca. 200 000. Der totale Einfluss des Tourismus auf das BIP betrug 2019 knapp 40 %, im Jahr 2020 waren es nur mehr 16 %.

43

Alben gibt es von der Königin der Morna, der Sängerin Cesária Évora. Die von der Kritik und den Hörern meistgeschätzte Aufnahme, »Miss Perfumado«, erschien im Jahr 1992.

3.681

Kilometer sind es vom westlichsten Punkt der Kapverden, der Ponta do Chão de Mangrande auf Santo Antão, bis Sie in der gleichen Himmelsrichtung wieder auf Land treffen: Barbados nordöstlich von Venezuela in der Karibik. Richtung Osten trennen den Archipel etwa 570 Kilometer von der afrikanischen Westküste.

2.230

Meter Drahtseil hat Mustafa Eren auf der Insel Fogo zur Sicherung von Wanderwegen verlegt. Allein 1560 m ziehen sich um den Kraterrand der Bordeira – 580 m benötigte er für die Klettersteige durch die Felswand und 90 m sichern den Kraterrundweg auf dem Pico do Fogo ab.

550

von insgesamt 4033 Quadratkilometer Landesfläche sind von Wald bedeckt. Kein schlechter Wert in Anbetracht dessen, dass für 25 % der Kapverdianer Holz immer noch die wichtigste Energiequelle zum Kochen ist.

17,5

Millionen Jahre liegt der Vulkanausbruch zurück, der die erste Insel der Kapverden, Boa Vista, aus dem Meer auftauchen ließ. Maio machte vor 10 Millionen Jahren erstmalig von sich sehen. Die letzte Insel, die die Wasseroberfläche durchbrach, war Brava, das war vor etwa zwei Millionen Jahren.

2.829

Meter misst der Pico do Fogo, der seit Menschengedenken ca. 30-mal ausgebrochen ist. Die Eruption von 1680 war so stark, dass die Insel, auf der der Vulkan liegt, von São Filipe in Fogo (›Feuer‹) umbenannt wurde.

166.000

Escudos, umgerechnet knapp 1500 Euro, geben Kapverdianer durchschnittlich zum Leben aus – pro Jahr! Rund ein Drittel der Bevölkerung kommt maximal auf 800 Euro jährlich und liegt damit unter der Armutsschwelle. Durch die Coronakrise hat sich diese Situation weiter verschärft.

10

Jahre dauert es mindestens, bis ein Drachenbaum blüht und sich endlich auch verzweigt.

421

Gigawattstunden Strom werden jährlich auf den Kapverden produziert, 20 % kommen aus regenerativen Quellen wie Windkraft (18,5 %) und Solarenergie (1,5 %). In Deutschland sind es im gleichen Zeitraum ca. 550 000 Gigawattstunden, davon rund 47 % aus erneuerbaren Energiequellen.

733

Quadratkilometer Landfläche stehen auf den Kapverden unter Naturschutz. Von den bewohnten Inseln führt Boa Vista mit 230 km^2 die Liste an – das entspricht etwa 37 % der Gesamtfläche der Insel.

6.360

Kilogramm wog die bislang größte Cachupa, das Nationalgericht der Kapverden. Damit kam sie 2017 ins Guinnessbuch der Rekorde. Bei dem Event konnten sich über 30 000 Menschen satt essen.

1,7

Millionen Kubikmeter Wasser fasst die Barragem de Poilão auf Santiago. Deutschlands größter Stausee ist die Bleilochtalsperre in Thüringen mit 213 Millionen Kubikmetern und der weltgrößte Stausee das afrikanische Victoria Reservoir mit knapp 205 000 Millionen Kubikmetern.

Aussteiger auf Zeit

Gastfreundschaft — auf den kapverdischen Inseln ist das weit mehr als nur eine Worthülse, das dürfen die beiden Deutschen Ursa und Gert Koch seit vielen Jahren erleben.

Ursa Koch ist Schriftstellerin. Sie lebt mit ihrem Mann, dem Künstler Gert Koch, in Süddeutschland auf der Schwäbischen Alb. Jedes Jahr ziehen sich die beiden für rund drei Monate auf die Kapverden zurück, in ein kleines Fischerdorf am Rand der Welt.

Drei Bücher von Ursa Koch spielen auf den Kapverden: »Im roten Schein des Nibiru« hat den aufkeimenden Tourismus zum Thema, »Das Kapverdenhaus« handelt von einem Familiendrama um zwei Schwestern, in »Die Strandgängerin« beschreibt Ursa Koch eine Mutter-Tochter-Vater-Geschichte vor dem Hintergrund kapverdischer Landschaft und Lebensweise. Ihre Romane sind teilweise sozialkritisch. Ursa Koch skizziert die Kapverden liebevoll, aber nicht romantisch-verkitscht.

Du kommst aus dem harten Geschäft des Journalismus. Was hat dich zum Romanschreiben gebracht?

Zum einen waren es bestimmte Themen, die ich den Lesern nahebringen wollte, und zwar auf eine eindringlichere Art, als dies in Medien wie Hörfunk, Fernsehen und Tageszeitung geschieht, wo man nur einen begrenzten (Zeit-) Raum zur Verfügung hat. Zum anderen reizte mich ein anderer Schreibstil.

Thrillerautoren wie Sebastian Fitzek oder gar Stephen King sagen, die Geschichten kämen zu ihnen, sie würden sich beim Schreiben entwickeln. Ist das bei dir auch so? Oder hast du, wenn du mit einem Buch beginnst, schon ein fertiges Konzept im Kopf?

Mir geht es ähnlich. Die Ideen und Inspirationen begegnen mir meist zufällig, dann bildet sich in meinem Kopf eine grobe Idee heraus. Einige Zeit später reift die Geschichte, die sich beim Schreiben allerdings oft in eine andere Richtung entwickelt. Manchmal scheint es mir, als bestimmten die Romanfiguren den weiteren Verlauf der Story. Für mich ist die Auseinandersetzung mit meinen Protagonisten ein spannender Prozess, der durchaus viele Monate dauern kann.

Für viele wäre schon die raue Schwäbische Alb ein Rückzugsort. Warum die Kapverden?

Weil ich in unserem Dorf auf der Schwäbischen Alb nicht weniger beschäftigt und vernetzt bin als in einer Metropole – und weil man dort das Meer nicht sieht.

Warum gleich kaufen? Reicht nicht ein normaler Urlaub?

Da mein Mann und ich für drei bis vier Monate pro Jahr auf der Insel sind, wo wir sehr gut freiberuflich arbeiten können, wäre das Leben in einer Pension auf Dauer zu teuer. Zum anderen brauchen wir die Ruhe in unseren eigenen vier Wänden und freuen uns über den Kontakt zu den einheimischen Nachbarn.

Wer wünscht sich das nicht? In den kalten Wintermonaten der Heimat entfliehen, fremde Eindrücke aufsaugen, zu Papier bringen – und auch noch davon leben können. Ursa Koch hat's geschafft!

Gab es Probleme beim Hauskauf?

Nicht weniger als in Europa. Die Kapverden haben ein demokratisches System und Behörden wie hierzulande, also Katasteramt, Notariat etc. …

Inwiefern inspirieren die Kapverden oder das abgelegene Fischerdorf beim Schreiben?

Alle meine Bücher, die von den Kapverden handeln, wären ohne den Einfluss der Menschen und des Insellebens nicht entstanden. Derzeit ist der vierte Roman in Arbeit, der auf dem Archipel spielt, was mich derart beflügelt, dass ich gerne noch mehr Zeit dort verbringen würde.

Wie schwierig ist das Leben im Dorf – oder wie leicht? Kann sich ein fremdländisches Paar gut integrieren?

Das Leben in einem kapverdischen Dorf ist unkompliziert. Die Einheimischen begegneten uns von Anfang an sehr offen und hilfsbereit. Man fühlt sich schnell zugehörig, beinahe wie ein Familienmitglied. Wenn wir beispielsweise nach ein paar Monaten wiederkommen, fragt uns die halbe Dorfbevölkerung nach unserem Befinden und dem sämtlicher Verwandten in Deutschland. Die *morabeza* (›Gastfreundschaft‹) ist also wirklich mehr als ein Wort, denn wir erleben dort wahre Herzlichkeit.

Was können wir von den Kapverdianern lernen?

Sehr viel. Gelassenheit an erster Stelle. Weiter kann man dort lernen, sich wieder auf die einfachen Dinge des Lebens zu besinnen, Zeit für andere und sich selbst zu haben und über Dinge zu lachen, die uns im hektischen deutschen Alltag zum Verzweifeln bringen. ∎

Ein Held der Unabhängigkeit

Amílcar Cabral heißt der kapverdische Nationalheld — viele Straßen tragen seinen Namen, auch Sals internationaler Flughafen. Cabral bereitete den Boden für die Unabhängigkeit der Kapverden, die er selbst allerdings nicht mehr erlebte.

Geboren wurde Amílcar Cabral am 12. September 1924 in Bafatá, Guinea-Bissau. 1932 kam er mit seinen Eltern auf die Kapverden und verbrachte einen Teil seiner Kindheit bei Assomada (s. S. 159) auf der Insel Santiago. Sein Elternhaus steht noch, kann aber nur von außen besichtigt werden.

Während seiner Jugendjahre verfasste Cabral Liebesgedichte und Kurzgeschichten. Intellektuell und vor allem auch politisch beeinflusst wurde er durch seinen Vater Juvenal, einen Lehrer.

Krieg, Dürre, Hunger

Cabral wuchs in harten Zeiten auf. Ab 1932, zur Zeit des Salazar-Regimes, schnellten die Lebenshaltungskosten in die Höhe und nur acht Jahre nach dessen Amtseinführung suchte eine Dürre die Inseln heim – mehr als 20 000 Menschen starben. Zwischen 1942 und 1948 verhungerten weitere rund 30 000 Kapverdianer. Zugleich wurden immer mehr portugiesische Soldaten auf dem Archipel stationiert, insbesondere in Mindelo mit seinem strategisch bedeutenden Hafen. Zusammenstöße mit Einheimischen waren an der Tagesordnung.

In dieser Zeit besuchte Amílcar Cabral das Gymnasium in Mindelo. 1943 schloss er die Schule ab und war überzeugt davon, dass sich die Lage bessern könne, wenn nur jemand die Initiative ergriff.

Weckruf ans Volk

1945 ging Amílcar Cabral nach Lissabon, um Agrar- und Forstwissenschaft zu studieren. Dort kam er in Kontakt mit antifaschistischen Studentengruppen, der Beginn seiner Politisierung.

Die Sehnsucht nach seiner afrikanischen Heimat ließ ihn im Sommer 1949 zu einem Ferienaufenthalt auf die Kapverden zurückkehren. Cabral nutzte die Gelegenheit und hielt im Radio Reden über Landwirtschaft, Bodenerosion und andere naturgegebene Probleme. Sein größtes Anliegen war es jedoch, bei den Kapverdianern Stolz auf ihr eigenes Land zu wecken und sie über aktuelle Geschehnisse zu informieren, damit sie wachsam blieben. Naturgemäß missfielen der portugiesischen Regierung diese Ansprachen und Cabral wurde es untersagt, sich weiterhin öffentlich im Radio zu äußern.

Aus Idealismus wird Politik

Zurück in Lissabon, suchte Amílcar Cabral Anschluss an Studenten aus anderen portugiesischen Kolonien, die großteils bereits im Movimento de Unidade Democrática (MUD), einer demokratischen Jugendbewegung, engagiert waren. Ihr Ziel lautete, ein neues afrikanisches Selbstbewusstsein aufzubauen und den Kolonialismus zu beenden. Zusammen gründeten sie 1951 ein Zentrum für Afrikanische Studien, wo sie über die afrikanische Frage debattierten.

In Afrika aktiv

Amílcar Cabral hatte sein Studium schon 1950 beendet. Zwei Jahre später ging er als Agraringenieur nach Guinea-Bissau, wo er neben seiner Arbeit für mehr Gleichberechtigung und Unabhängigkeit für die Afrikaner kämpfte

– und so eine zunehmende Bedrohung für den portugiesischen Machthaber darstellte. Man verbannte ihn kurzerhand nach Angola.

Dort schloss er sich zunächst dem Movimento Popular de Libertação de Angola (MPLA, Volksbewegung zur Befreiung Angolas) an. 1956 gründete er die Partido Africano para a Independência da Guiné e Cabo Verde (PAIGC, Afrikanische Partei für die Unabhängigkeit von Guinea-Bissau und Cabo Verde). Die Lage spitzte sich immer mehr zu. Zwischen 1960 und 1962 bereitete sich die PAIGC auf eine gewaltsame Auseinandersetzung mit Portugal vor. Es begann ein Guerillakrieg, in dem die Partei materielle Unterstützung aus China und der Sowjetunion erhielt.

Nicht nur Freunde

Die Führungsriege der PAIGC bestand vorwiegend aus – meist in Portugal – gut ausgebildeten Kapverdianern. Die einfachen Soldaten hingegen stammten aus Guinea-Bissau. Diese Diskrepanz führte zu Reibereien innerhalb der Truppe, sodass Cabral selbst in den eigenen Reihen nicht nur Anhänger hatte, sondern auch viele erbitterte Feinde, die ihn gerne aus dem Weg geräumt hätten. Desgleichen die portugiesische Geheimpolizei.

Mit der Nelkenrevolution 1974 endete die Diktatur in Portugal. Ab dem 5. Juli 1975 war Cabo Verde ein unabhängiger Staat. Diesen Tag sollte Amílcar Cabral nicht mehr erleben: Ein portugiesischer Marineoffizier hatte ihn 1973 in Conakry erschossen. Oder waren es seine eigenen Leute gewesen? Die Hintergründe des Verbrechens wurden nie aufgeklärt. ∎

Sein Blick spricht für seine Entschlossenheit: Gegen alle Widerstände kämpfte Amílcar Cabral für die Unabhängigkeit der Kapverden.

Praia und Mindelo sind die
Hotspots der Musikszene auf den
Inseln. Kneipen mit Livemusik
gibt es viele – es lohnt sich: Cesária
Évora hat würdige Nachfolger.

Musik als Lebensgefühl

Überall erklingt Musik auf den Kapverden — In den Aluguers scheppern die Boxen, religiöse Feste werden ebenso musikalisch angeheizt wie Wahlkämpfe. Frauen trällern beim Kochen oder Putzen und fast jeder spielt ein Instrument.

Der Flughafen München ist nach Franz Josef Strauß benannt, für den auf Madeira wurde Cristiano Ronaldo als Namenspatron gewählt und der internationale Flughafen der Insel São Vicente heißt Aeroporto Internacional Cesária Évora. Die »barfüßige Diva« aus Mindelo hat mit ihrem melancholischen Gesang die Kapverden weltweit bekannt gemacht. Ihren Durchbruch schaffte sie 1993 im Alter von 52 Jahren mit dem Album »Miss Perfumado«, von da an war sie in aller Ohren. Als die Künstlerin 2011 in Mindelo starb, versank das Land in einer vom kapverdischen Premierminister höchstpersönlich verordneten zweitägigen Staatstrauer.

Molllastig und sehnsüchtig: die Morna

Wie keine andere konnte Cesária Évora die Morna interpretieren. Der langsame, sentimentale Gesang ist mit dem portugiesischen Fado verwandt, jedoch leichter und weniger dramatisch. Allerdings hat die Morna ihre Wurzeln in der brasilianischen Modinha. Diese Liedform kam mit den kapverdischen Salzschiffen nach Boa Vista, wo daraus Mitte des 19. Jh., also im Zeitalter der europäischen Romantik, die Morna entstand.

Dann nahm sich der Dichter und Komponist Eugénio Tavares (1867–1930) auf Brava der Morna an. Er komponierte zahlreiche Lieder, in denen er oft die Emigration thematisierte, und schrieb die Texte in Kriolu. Um 1930 schließlich schuf der Komponist Beléza (oder B. Leza) in Mindelo die heute noch aktuelle Morna. Zu einem fast bewegungslosen Tanz interpretierte sie seine Nichte Cesária Évora unvergleichlich gut. Aber auch Bana (1932–2013) erfreute sich riesiger Popularität. Bau und Celina Pereira traten in die Fußstapfen dieser unvergessenen Sänger.

Etwas unanständig: die Coladeira

Mit der Morna verwandt ist die flottere Coladeira, die von den gleichen Saiteninstrumenten begleitet wird: *rabeça* (eine Violine), *viola* (mit der Gitarre verwandt) und *cavaquinho* (ähnlich der von portugiesischen Emigranten nach Hawaii importierten Ukulele). Hinzu können Akkordeon, Piano und Klarinette kommen. Die Texte der Coladeira sind ohne besonderen Anspruch, heiter bis fröhlich, manchmal humorvoll. In ihrer heutigen Form entstand sie in den 1960er-Jahren. Ähnlich wie die brasilianische Lambada macht sie Stimmung und bringt sogar lendenlahme Europäer auf die Tanzflächen.

Tito Paris aus Mindelo und Lura (Maria de Lurdes Pina Assunção) aus

Lissabon (ihre Eltern stammen von den Kapverden) sind die berühmtesten Interpreten der Coladeira. Lura widmet sich auch erfolgreich den Musikrichtungen Funaná und Batukou.

Symbol kreolischer Identität: die Funaná

Obwohl die Funaná am afrikanischsten wirkt, ist sie ein junger Musikstil. Erst als die *gaita*, ein zweireihiges Akkordeon, Anfang des 20. Jh. auf die Inseln kam, entstand der erotisch wirkende Funaná. Ironischerweise sollte die *gaita* eigentlich das Harmonium in den Kirchen ersetzen, doch die Badius (s. S. 182) auf Santiago ›bemächtigten‹ sich des Instruments und kombinierten es mit dem *ferro,* einem Eisenstab, auf dem der Musiker mit einem Messer kratzt. Lange war die Funaná auf die ländlichen Gebiete Santiagos beschränkt, wo sie besonders auf Volksfesten und Hochzeiten mit wildem Hüftschwung getanzt wurde. Den Städtern galten Musik und vor allem der Tanz als gewöhnlich und ungebührlich obszön. Und die der Badiu-Sprache nicht mächtigen Kolonialverwalter befürchteten, mit den Texten könne zur Rebellion aufgerufen werden.

Als Vater der heutigen Funaná gilt Kodé di Dona. Er war es, der den Musikstil während der Kolonialzeit am Leben erhielt. Seit der Unabhängigkeit von Cabo Verde steht der Funaná symbolisch für die kreolische Identität. In den 1980er-Jahren breitete er sich auf alle anderen Inseln aus. Inzwischen haben zahlreiche Funaná-Bands die *gaita* durch das Keyboard ersetzt, den *ferro* durch das Schlagzeug. Neuerdings kehren einige junge Musiker jedoch zur traditionellen Funaná zurück, allen voran die Gruppe Ferro Gaita.

Mit afrikanischen Wurzeln: der Batuko

Völlig anderer Herkunft ist der Batuko, in dem sich die afrikanischen Wurzeln der kapverdischen Kultur manifestieren. Die Badius (s. S. 182) auf Santiago zelebrieren den Tanz anlässlich von Taufen, Hochzeiten und anderen Festen. Nur Frauen nehmen teil. Zu Beginn trägt eine ältere, lebenserfahrene Frau einen Sprechgesang vor, den Finaçon. Diese Sängerin gilt als Hüterin der Traditionen. Über Generationen hinweg gaben die Frauen auf Santiago durch den Finaçon Geschichten, Ereignisse und Regeln mündlich weiter, wie es auch auf dem afrikanischen Kontinent üblich war. Im Chor oder einzeln antworten andere Frauen, werfen sich improvisierte Verse sozialkritischen oder pikanten Inhalts wie Bälle gegenseitig zu. Für Außenstehende sind diese Texte, auch übersetzt, schwer verständlich, da sich die Sängerinnen in Bildern und Metaphern ausdrücken. 2011 verstarb hochbetagt Nácia Gomi, die Königin des Finaçon – mit ihr schwand ein Teil der Tradition.

Nach diesem Auftakt, der von der *viola* oder der *cimboa* (einem einsaitigen Instrument afrikanischen Ursprungs) begleitet wird, folgt mit der Chabetá der Höhepunkt des Batuko. Die im Kreis sitzenden Frauen schlagen mit den Handflächen auf zwischen ihre Beine geklemmte, *panos.* Die Stoffstreifen dienen als Ersatz für Trommeln, die den Sklaven verboten waren. Dann tritt eine der Frauen in die Mitte, den *pano* um die Hüfte geschlungen, und wiegt lasziv ihren Unterleib, immer schneller und schneller, bis sie sich in eine Art Trance versetzt hat. Dann tritt die nächste Tänzerin in den Kreis.

Während der letzten Phase der Kolonialzeit, etwa ab den 1930er-Jahren, wurde der Batuko von weltlichen wie kirchlichen Autoritäten bekämpft. Auch durch das Eindringen moderner Sitten und Gebräuche in die Badiu-Gemeinschaften verlor er seine soziale Funktion immer mehr. Seit der Unabhängigkeit der Kapverden erlebte der Batuko eine gewisse Renaissance, doch wird er heute vorwiegend für Touristen vorgetragen, oft in verfälschter Form, mit aus Afrika importierten Trommeln und mit Männern als Tänzern. ■

Lebe das Leben, jetzt! Auch wenn die Umstände nicht immer dafür sprechen mögen. Was uns viele andere Völker voraus haben, ist die Leichtigkeit des Seins – so auch die Kapverdianer.

Erst Anfang des 20. Jh. gelangte es auf die Kapverden, war musikalisch aber stilprägend für die als obszön geltende Funaná: das Akkordeon.

»Tanz mit mir auf Kreolisch, lass uns an unser Land denken, uns wohlfühlen, inmitten unserer Traditionen.«

Kriolu 248
Kunst 260

L
Lagedos (SA) 129
Lagoa (BR) 216
Lagoa (SA) 113
Lavadura (BR) 216
Lima Doce (BR) 217
Lombinho (SA) 111
Lombo da Palha (BV) 51
Lombo de Figueira (SA) 112
Luzia Nunes (FG) 197

M
Mãe Joana (FG) 197
Maio 172
Mandl, Alfred 111, **134**
Manuelismus 85
Martins, Manuel António 19, 30
Mato (BR) 217
Mato Grande (BR) 210
Mato Inglês (SV) 97
Mietwagen 235
Mindelo (SV) 83
Miradouro Espigão (FG) 198
Monte Batalha (MA) 177
Monte Bissau (SN) 66
Monte Calhau (SV) 101
Monte Estância (BV) 52
Monte Gamboa (ST) 156
Monte Gênebra (FG) 197
Monte Gordo (SN) 64, **68,** 71
Monte Grande (SL) 29
Monte Leste (SL) 29
Monte Malagueta (ST) 162
Monte Negro (BV) 52
Monte Penosa (MA) 181
Monte Tchota (ST) 156
Monte Velha (FG) 199, **206**
Morrinho (MA) 179
Morro (MA) 177
Mosteiros-Igreja (FG) 199
Murdeira (SL) 25
Musik 285

N
Nhagar (ST) 159
Noli, António de 263
Norte (BV) 50
Nossa Senhora do Monte
   (BR) 216, **217**
Notfälle 232
Nova Sintra (BR) 210, **211**

O
Oásis (BV) 39
Odjo d'Mar (BV) 51

Oliel, Ben 37, 38, 39, 40, 44
Ouril 78

P
Pai António (FG) 199
Palmeira (SL) 30
Panos 144, 261, 263
Parque Natural de Monte Gordo
   (SN) **68,** 69
Parque Natural de Monte Verde
   (SV) 97
Parque Natural do Fogo
   (FG) 200
Parque Natural do Norte
   (BV) 50
Parque Natural do Norte
   (MA) 179
Parque Natural Rui Vaz e Serra
   Pico de Antónia (ST) 155
Parque Natural Serra Malagueta
   (ST) 161
Passagem (SA) 126
Passo Conde (BV) 50
Paúl (SA) 123
Pedra Badejo (ST) 170
Pedra de Lume (SL) **27,** 29
Pedra de Nossa Senhora
   (SA) 128
Pedro Vaz (MA) 180
Perímetro Florestal da Calheta
   (MA) 178
Pico Agudo Canto Fajã (SN) 75
Pico da Cruz (SA) 112
Pico de Antónia (ST) 155
Pico do Fogo (FG) **202,** 203
Pico do Inferno (FG) 201
Pico Pequeno (FG) 201
Pidgin 248
Pilão Cão (MA) 181
Poilão da Boa Entrada (ST) 159
Politik 221
Pombas (SA) 111, **123**
Ponta Coruja (SN) 67
Ponta da Salina (FG) 196
Ponta do Calhau (SV) 101
Ponta do Farol (SV) 102
Ponta do Leme (SL) 23
Ponta do Osso da Baleia
   (MA) 177
Ponta do Sol (BV) 40
Ponta do Sol (SA) 118, **120**
Ponta Espradinha (BR) 216
Ponta Preta (MA) 174
Ponta Preta (SL) **19,** 32
Ponte Alto do Sul (FG) 206
Ponte do Canal (SA) 116
Ponte Sul (SA) 129
Portela (FG) **201,** 202, 204

Porto Inglês (BV) 38
Porto Inglês (MA) 174
Porto Novo (SA) 107
Porto Vale de Cavaleiros
   (FG) 195
Portugal 264
Povoação Penosa (MA) 180
Povoação Velha (BV) 47
Praia António de Sousa (SL) 23
Praia Baixo (ST) 170
Praia Baxona (MA) 178
Praia Branca (SN) **72,** 74
Praia da Chave (BV) 44
Praia da Laginha (SV) 92
Praia da Luz (SN) 72
Praia da Ribeira Seca (SA) 117
Praia da Varandinha (BV) 48
Praia de Boa Esperança (BV) 42
Praia de Santa Mónica (BV) 47
Praia de Santana (MA) 179
Praia do Galeão (MA) 179
Praia do Norte (SV) 98
Praia Grande do Calhau
   (SV) **98,** 101
Praia Ponta Preta (MA) 175
Praia Real (MA) 179
Praia (ST) 139
– Achada Santo António 145
– Câmara Municipal 140
– Igreja Nossa Senhora da
   Graça 140
– Liceu Domingos Ramos 144
– Mercado de Sucupira 144
– Mercado Municipal Praia 141
– Museu Etnográfico da
   Praia 144
– Palácio da Assembleia
   Nacional 145
– Palácio de Cultura Ildo de
   Lobo 140
– Palácio Presidencial 140
– Palmajero 145
– Plató 140
– Praia Gambôa 140
– Prainha 145
Preguiça (SN) 66
Preise 228
Purpurreiher 157, **159**
Puzollanerde 129

Q
Queimada de Cima (SN) 65

R
Rabelados 168, 182
Rabil (BV) 46
Reiseplanung 229
Reisezeit 227

DAS KLIMA IM BLICK

Reisen bereichert und verbindet Menschen und Kulturen. Wer reist, erzeugt auch CO_2. Der Flugverkehr trägt mit einem Anteil von bis zu 10 % zur globalen Erwärmung bei. Wer das Klima schützen will, sollte sich für eine schonendere Reiseform (z. B. die Bahn) entscheiden – oder die Projekte von atmosfair unterstützen. Atmosfair ist eine gemeinnützige Klimaschutzorganisation. Die Idee: Flugpassagiere spenden einen kilometerabhängigen Beitrag für die von ihnen verursachten Emissionen und finanzieren damit Projekte in Entwicklungsländern, die dort den Ausstoß von Klimagasen verringern helfen. Dazu berechnet man mit dem Emissionsrechner auf www.atmosfair.de, wie viel CO_2 der Flug produziert und was es kostet, eine vergleichbare Menge Klimagase einzusparen (z. B. Berlin – London – Berlin 14 €). Atmosfair garantiert die sorgfältige Verwendung Ihres Beitrags.

MIX
Papier | Fördert
gute Waldnutzung
FSC
www.fsc.org
FSC® C018236

Die Autoren — Susanne Lipps studierte Geografie, Geologie und Botanik und bereiste die Kapverden sehr intensiv. Oliver Breda leitet dort regelmäßig Wanderreisen. Beide erkunden Wege, besichtigen Bekanntes und Neues und halten sich über das Inselgeschehen auf dem Laufenden. Als Reiseschriftsteller haben sie sich auf den portugiesisch-spanischsprachigen Raum spezialisiert. Für DuMont haben sie zusammen Führer über Andalusien, La Gomera und Mallorca geschrieben.

Abbildungsnachweis

akg-images, Berlin: S. 262 (De Agostini Picture Lib./M. Seemuller) **Anne Seiler**, Sal (CV): S. 276 o., 276 u. **Boa Vista Ultra Trail**, Caronno Pertusella, Varese (IT): S. 54/55 **Brett Slezak**, Santa Maria/Sal (CV): S. 14 li., 24, 56 re., 56 li., 59, 62, 65, 67, 70, 271 **fotolia**, New York (USA): S. 185 re. o. (Raul Rosa); 81 re. o. (rosensterne); 184 re. (Thomas) **Getty Images**, München: S. 283 (AFP); 7 re. (Corbis/Michel Setbound); Umschlagklappe vorn (Peter Adams); 105 re. (UIG/Andia) **Günther Roeder**, Düsseldorf: S. 292 **Hans-Jürgen Schön**, Filderstadt: S. 281 **Hetty Guddens Fortes**, Pombas/Santo Antão (CV): S. 125 **Huber-Images**, Garmisch-Partenkirchen: S. 45 (Stefano Cellai) **iStock.com**, Calgary (CA): S. 57 M. (Guido Amrein); 6 re. (simonbradfield) **Jacquie Cozens**, Sal (CV): S. 256/257, 258 li. o., 258 re., 258 li. u., 259 o., 259 u. **laif**, Köln: S. 173, 137 re. o., 177, 185 M., 213, 272, 287 li. u. (4SEE/Luis Filipe Catarino); 32/33 (Aurora/Alexander Nesbitt); 35 re., 46, 268/269 (GAMMA-RAPHO/Patrick Le Floch); 105 M., 119, 184 li., 187, 260 (hemis.fr/GUIZIOU Franck); 128 (hemis.fr/Jacques Sierpinski); 31 (hemis.fr/Patrice Hauser); 99 (hemis.fr/Patrice Thomas); 167 (Julia Knop); 51, 83, 89, 93, 9, 96, 113, 148, 183, 235, 240/241, 247 o. (Le Figaro Magazine/Stanislaus Fautre); 77, 209, 214, 217, 231 (Michael Amme); 6 li., 12/13, 104 li., 242 (Michael Riehle); 220 (Nora Bibel); 275 (Osang); 206 (REA/Pierre GLEIZES) **Lookphotos**, München: S. 8, 17 (Florian Werner); 11 li., 11 re., 245 u., 249, 287 li. o. (Hauke Dressler) **Mauritius-Images**, Mittenwald: S. 2/3 (age fotostock/Alvaro Leiva); 252 (Alamy/Anne-Marie Palmer); 247 u. (Alamy/ASK Images); 107, 197, 10, 198 (Alamy/Dirk Renckhoff); 78/79 (Alamy/Findlay); 232 (Alamy/Henryk Kotowski); 18 (Alamy/Joao Cabral); 7 li.o. (Alamy/Kazimierz Jurewicz); 245 o. (Alamy/Marion Kaplan); 284, 287 re. (Alamy/Matthew Wakem); 43 (Alamy/Terry Harris); 137 M., 169 (Arterra Picture Library/Alamy/Marica van der Meer); 27, 145 (imageBROKER/Dirk Renckhoff); 122 (imageBROKER/Peter Schickert); 37, 139 (imageBROKER/Renato Bordoni); 133 (Prisma/Raphael Weber); 265 (Science Source) **Monique Widmer**, São Felipe/Fogo (CV): S. 188 **Oliver Breda**, Duisburg: S. 35 M., 57 re. o., 73, 80 li., 84, 103, 135, 141, 195, 219 **Roderick Aichinger**, Berlin: Titelbild **Shutterstock.com**, Amsterdam (NL): S. 15 M. (AlexandraVarandas); 224 (Anton_Ivanov); 15 re. u. (Artur Didyk); 48 (Bahadir Yeniceri); 34 re., 80 re. (Eric Valenne geostory); 104 re. (Igor Tichonow); 160 (KucherAV); 181 (Lucian Milasan); 185 re. u. (macondo); 137 re. u. (nasidastudio); 136 re. (Peter Adams Photography L); 14 re., 81 M. (PLRANG ART); 57 re. u. (Roel Slootweg); 34 li. (Sabino Parente); 155, 7 li. u., 15 re. o. (Samuel Borges Photography); 255 (Susana_Martins); 81 re. u. (Wolna) **Wikimedia Commons**: S. 136 li. (CC-PD/Xandu)

Umschlagfotos

Titelbild: Bunte Häuser in Espargos, Sal; Umschlagklappe vorn: Surfer am Strand von Santa Maria, Sal

Kartografie

DuMont Reisekartografie, Fürstenfeldbruck
© DuMont Reiseverlag, Ostfildern

Autoren: Susanne Lipps, Oliver Breda **Redaktion/Lektorat:** Anke Munderloh **Bildredaktion:** Sima Ebrahimi, Titelbild: Carmen Brunner **Grafisches Konzept und Umschlaggestaltung:** zmyk, Oliver Griep und Jan Spading, Hamburg

Hinweis: Autoren und Verlag haben alle Informationen mit größtmöglicher Sorgfalt geprüft. Gleichwohl erfolgen alle Angaben ohne Gewähr. Infolge der Corona-Pandemie kann es darüber hinaus zu kurzfristigen Geschäftsschließungen und anderen Änderungen vor Ort gekommen sein. Bitte schreiben Sie uns! Über Ihre Rückmeldung und Ihre Verbesserungsvorschläge freuen wir uns: DuMont Reiseverlag, Postfach 3151, 73751 Ostfildern, info@dumontreise.de, www.dumontreise.de

2., aktualisierte Auflage 2022
© DuMont Reiseverlag, Ostfildern
Alle Rechte vorbehalten
Printed in Poland

Offene Fragen*

Wann bricht der Vulkan auf Fogo das nächste Mal aus?

Machen Landkarten aus Papier noch Sinn oder reicht die App auf dem Smartphone?

Wann wird die erste Bergbahn auf Cabo Verde eröffnet?

Könnte ein kapverdischer Bauer ohne Touristen überleben?

Wandern durch den Klimawandel mehr tropische Fische ein?

Ähnelt der kapverdische Karneval dem brasilianischen?

Welche Insel ist die schönste?

Wie sehen die Strände von Maio in 30 Jahren aus?

War Kolumbus auf den Kapverden?

Was würde Amílcar Cabral dazu sagen, dass Sals Flughafen nach ihm benannt ist?

Seite 282

Kann man Kriolu lernen?

Seite 248

* Fragen über Fragen – aber Ihre ist nicht dabei? Dann schreiben Sie an info@dumontreise.de. Über Anregungen für die nächste Ausgabe freuen wir uns.